SEBASTIEN DE FOOZ

Te voet naar Jeruzalem

Een solotocht van 184 dagen

lannoo

FOTO COVER
Syrië, op weg naar Qara, ten oosten van het Anti-Libanongebergte,
op 30 kilometer van de grens met Libanon. Stappen bij een temperatuur van 40°C.

FOTO ACHTERFLAP
Syrië, in de canyon van Maaloula op weg naar Damascus.

WWW.LANNOO.COM
WWW.TALITAKUM.BE

FOTOGRAFIE   Sebastien de Fooz
VORMGEVING   Studio Lannoo
CARTOGRAFIE   Dirk Billen

© Sebastien de Fooz en Uitgeverij Lannoo nv, Tielt, 2006
Vertaald uit het Frans door Katrien Meuleman en Marc Vingerhoedt

D/2006/45/319
ISBN 13: 978-90-209-6664-0 | ISBN 10: 90-209-6664-2
NUR 508

Gezet, gedrukt en gebonden bij Drukkerij Lannoo nv, Tielt.

Inhoud

Voor mijn ouders
Voor mijn familie
Voor mijn vrienden
Voor haar

Proloog

Op het ogenblik dat ik deze regels schrijf, ben ik 32 jaar oud. In 1998 had ik plannen om een fietsreis door de beide Amerika's te maken, van noord naar zuid, met vertrek in Anchorage, in Alaska. Om me voor te bereiden op de lange reis die me wachtte, wilde ik met de fiets naar Santiago de Compostela rijden. Kort voor het vertrek stelde een man mij voor de tocht te voet te ondernemen. Ik had aanvankelijk geen oren naar zijn voorstel, maar het bleef me wel bezighouden. Ik begon het gaandeweg aantrekkelijk te vinden en besloot uiteindelijk te voet naar Santiago te vertrekken. Deze reis betekende het einde van het fietsproject. Het was het begin van een avontuur, waarvan ik toen de draagwijdte nog niet vatte.

In 2000 ben ik te voet van Gent naar Rome vertrokken, omdat ik dat soort ervaring opnieuw wilde beleven.

Dit boek is het verslag van een derde lange reis: een voettocht door Europa en het Nabije Oosten naar Jeruzalem, de stad van de drie monotheïstische godsdiensten, die steeds meer met elkaar in conflict zijn.

Sebastien de Fooz

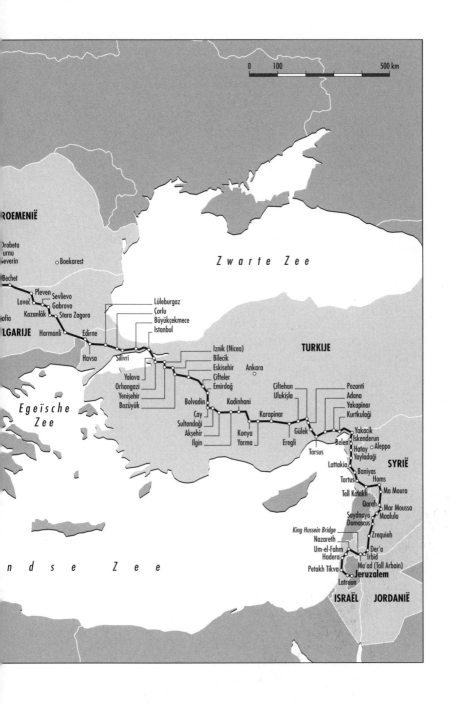

Ik heb begrepen dat als ik een leven van uitersten leef,
Ik dat doe in een poging het ontbrekende stuk terug te vinden
Van die uiterste Liefde die mij ontsnapt is
(Anoniem)

Hij dekt je toe met zijn vleugels,
Onder zijn veren mag je schuilen.
(Psalm 91)

I. Een afdruk in het zand

Ik heb zand in mijn ogen. De noordenwind waait over de duinen en jaagt de zandkorrels over het strand. De stuivende korrels striemen mijn benen. Het is begin maart en de lucht is nog fris. Dikke stapelwolken pakken zich samen boven de grijze zee en kondigen een nieuwe stortbui aan. De winter is voorbij. Aan de horizon wordt het alweer licht. Deze opeenvolging van schaduwen en felle lichten boven de zee is zo mooi! Plots gaat er een rilling door me heen.

God, zal ik de moed hebben om de beproeving die mij wacht te doorstaan? Ik bal mijn vuisten in de zakken van mijn te smalle jas en werp een laatste blik op de horizon. Is het onbekende niet tegelijk beangstigend en opwindend? Maar ik ben gelukkig, ook over de angst die mijn naderende vertrek mij bezorgt. Ik keer de zee de rug toe en loop door de verlaten duinen. Over een paar dagen vertrek ik. Alleen. Te voet naar Jeruzalem. De meeuwen laten zich dragen door hun opengevouwen vleugels en zweven sierlijk boven mijn hoofd. Over enkele dagen vertrek ik naar dat elders waar alles mogelijk is.

Twee maanden geleden heb ik alles opgegeven: mijn job en mijn burgerlijke bestaan in Brussel. Ik was niet ongelukkig, maar echt gelukkig was ik ook niet. Ik liet me leven. Ik had op die manier kunnen doorgaan tot mijn vijftigste. Een rustig leven, zonder problemen. Maar zo'n leven wilde ik niet. Ik kon het ook niet meer opbrengen om te doen alsof, om te blijven meespelen in de komedie van een leven dat het mijne niet was. Iedere ochtend reed ik in mijn autootje naar dat bedrijf dat mij langzaam maar zeker kapotmaakte. Ik voelde dat ik houvast verloor en dat ik moest ingrijpen.

Op een zomerdag, niet zo lang geleden, zat ik aan mijn bureau en ik zag de weerspiegeling van mijn gezicht in het scherm van mijn computer. Ik was toen bezig met het uitstippelen van een redactionele lijn voor een commercieel tijdschrift. Ik probeerde de trekken van mijn gezicht te onderscheiden, maar ik zag alleen de weerschijn van mijn schaduw. Plots was alles me duidelijk! Ik stond op van mijn computer en ging naar mijn baas: 'Jean-Marc, ik moet je iets zeggen...'

Van dan af is alles heel snel gegaan. Het vertrek was gepland voor paasdag. De reis zou zes tot acht maanden duren. Ik moest een huurder vinden voor mijn appartement en de administratieve formaliteiten vervullen die nodig waren bij zo'n lange afwezigheid.

Ik weet dat op deze reis alles kan gebeuren, ook het ergste. Maar ik ben niet bang. Ik denk een paar dagen na over mijn route. Ik ben van plan om niet de zuidelijke route te nemen - recht naar het zuiden van Italië en vervolgens naar Griekenland en de Bosporus – maar om door Centraal-Europa en ex-Joegoslavië te lopen. Ik voel diep in mij een overtuiging groeien, een bijna onmerkbare stem die me uitnodigt om op stap te gaan. Ik weet dat ik niet alleen zal zijn. Ik heb vertrouwen. Sophie, een vriendin van me, vertrouwt me Psalm 91 toe: *Onder de hoede van de Hoogste*. Hij zal je op je hele reis vergezellen. Hij is echt voor jou bestemd.

Morgen is het de dag van het vertrek. Vrienden komen me opzoeken. Ze kijken treurig, alsof ze afscheid komen nemen van een stervende. Maar ik voel niets. Noch vreugde, noch angst, noch droefheid. Morgen is het Pasen. Ik vertrek bij de Sint-Pieterskerk in Gent, mijn geboortestad.

Hoe verder de nacht vordert, hoe beter ik de omvang van mijn beslissing besef. Ik kan de slaap niet vatten. Ik weet dat als ik morgen opsta, ik de dingen niet meer op dezelfde manier zal bekijken. Als ik opsta, zal ik al vertrokken zijn. Het is een donkere nacht. Morgen verrijst Christus, terwijl ik de indruk heb dat ik ga sterven. '*Partir, c'est mourir un peu*', zegt men wel eens. Ik ben bang en ik val in slaap, niet in staat het gevoel te beschrijven dat me overmant.

II. Het vertrek

In de verte loopt een wekker af. Ik wil er niet van weten! Ik draai me nog eens om onder mijn donsdeken in de hoop de naderende realiteit af te wenden. Toch is dit mijn eigen keuze. Ik wil het. Ik stort me in dit avontuur zoals een vogeltje zich voor de eerste keer naar beneden stort. Ik heb een afspraak met een onbekende. Van deze onbekende zal ik mijn bondgenoot maken. Mijn trouwste bondgenoot. De kerk is nokvol. Aan het eind van de dienst stuurt de priester me op pad met een gebed dat speciaal bestemd is voor dit soort omstandigheden en gebeurtenissen. Ik loop naar het altaar waar mijn rugzak en mijn wandelstok staan. Tussen de priester en mezelf staat een gehandicapte koorknaap die moeilijk loopt. Hij wordt gesteund onder zijn armen. Onder de koepel van de barokkerk stijgt een daverend applaus op. Het grote orgel speelt een stuk van Bach. Mensen huilen. Ik heb een brok in de keel. Ik wil maar één ding: zo snel mogelijk weg zijn. Het duurt een eeuwigheid om de kerk door te lopen en de grote poort te bereiken die voor deze gelegenheid openstaat. Ik ben verlamd door de volheid van het moment. Ik ben al vertrokken. Nu laat ik mijn familie en mijn vrienden achter, maar ik weet uit ervaring dat ik ze in de intimiteit van de tocht zal terugvinden.

In 1998 ben ik te voet van Gent naar Santiago de Compostela gegaan en in 2000 van Gent naar Rome. Ik herinner me het heel aparte gevoel je in gezelschap te weten terwijl je toch alleen bent. Na talloze omhelzingen werp ik een laatste blik op de menigte die me groet alsof het de laatste keer is. Ik loop de stad door met een zestal mensen die me zullen vergezellen op de eerste etappe. We lopen voorbij plaatsen die ik goed ken maar ik heb de indruk dat ik ze voor het eerst zie. Die andere kijk schrijf ik toe aan de geweldige intensiteit waarmee ik het moment beleef. Ik kijk met nieuwe ogen. Als je begint te stappen, bekijk je de schoonheid van de wereld met een nieuwe blik, want alles moet nog ontdekt worden en vraagt om ontdekt te worden.

Deze eerste dag stappen mijn vrienden en mijn zus Catherine mee tot aan de poorten van het college van Melle waar ik een stuk van mijn kindertijd heb doorgebracht. De eerste etappe is een opwarmertje: vanuit Gent een kleine twintig kilometer naast de Schelde. Halverwege de middag komen we aan bij de groezelige, grote gebouwen van het internaat. Het is een trieste plek, die gemengde gevoelens in me oproept. Het is grijs weer. Ik hijg. Ik ben beladen als een ezel. Ik leun op mijn pelgrimsstok, die niets meer is dan een oude bezemsteel die ik gepikt heb van mijn lieve mama... We lopen rond de gebouwen. De leerlingen zijn met vakantie. Er zijn slechts enkele monniken en die zijn van mijn komst op de hoogte.

Het is tijd om afscheid te nemen. Na de laatste afscheidswensen verlaten mijn vrienden me en blijf ik alleen achter voor de grote poort. Ik wacht tot iemand opendoet. Ik ben niet gehaast om naar binnen te gaan. Ik zit op mijn rugzak en leun tegen de poort. Ik laat me wiegen door de herinneringen aan de tijd dat ik hier op kostschool zat. Alles is stil in het college. Wat is er geworden van de paters die ons discipline probeerden bij te brengen toen we tieners waren? Ik herinner me de straffen die de broeder-surveillant ons gaf als we in de grote studiezaal te vaak opkeken van onze boeken: niet mee gaan zwemmen, niet naar de film op woensdagavond, 100 regels straf schrijven. Ongeveer twintig jaar later zit ik op mijn rugzak en zie ik mij opnieuw een profetisch gebaar maken dat zonder twijfel mijn leven een andere richting uit stuurde: hier op een schoolbank pakte ik als jongetje een atlas en terwijl ik een rode streep over de wereldkaart trok, voorspelde ik: 'Als ik groot ben zal ik mij wreken voor de vrijheid die men me afpakt en de wereld rond trekken.'

Achter me in de gang hoor ik een dof geluid. De overste opent de zware poort en laat me de zak nemen. Ik kom meteen weer in de sfeer van die plek waar niets lijkt te zijn veranderd sinds ik er ben vertrokken. In de donkere gangen hangt nog steeds dezelfde weeë geur, een combinatie van soep en gebrek aan ventilatie. De overste wijst me mijn kamer aan: de infirmerie! Na een maaltijd met brood en soep ga ik naar boven en loop door de lange gangen. De plankenvloer kraakt en wie probeert te vluchten, wordt nog steeds door het gekraak verraden. Ik duw de deur van de infirmerie open. In oude kasten staan de medicijnen van vroeger. In deze naar oude medicijnen geurende ruimte probeer ik de slaap te vatten. De eerste dag, waar ik zo lang naar had uitgekeken, is voorbij. Hoeveel zullen er nog volgen tot Jeruzalem?

Op paasmaandag loop ik naast een vrijwel verlaten rijksweg van Melle naar Aalst. Het is een plezier om naast de wegen te lopen zonder voortdurend belaagd te worden door auto's. Zeventien kilometer naar Aalst, zowat de hele tijd rechtdoor. Hoe vaak ben ik niet over deze weg naar Brussel gereden... Ik was er op minder dan een uur. Nu ben ik al bijna twee dagen onderweg! Voorbij Aalst verlaat ik de weg en waag me op de voetpaden die zich tussen de Brabantse hopvelden slingeren. De eerste lentezon laat op zich wachten. Een groot bord naast een middeleeuwse grenspaal maakt me duidelijk dat ik Oost-Vlaanderen heb verlaten. In de verte luiden klokken. Op een heuvel zie ik de benedictijnenabdij van Affligem. Ik bereik het indrukwekkende gebouw via een kronkelig slijkpad tussen de hopplanten.

In de kleine wachtkamer van het klooster kijk ik naar de litho's die de grandeur van weleer oproepen. Het klooster werd gesticht in 1602. Hoewel het in de loop der eeuwen verschillende keren werd verwoest en heropgebouwd, beleefde het een grote bloei tot aan de Franse Revolutie. Toen werden de 8000 hectaren grond verdeeld. Pas in 1870 keerden de monniken er terug en werd de huidige abdij gebouwd.

Door de eindeloze gangen hoor ik stappen naderbij komen. De deur gaat open. De vriendelijke gastenpater verwelkomt me en werpt een medelijdende blik op mijn hoge schoenen die helemaal onder het slijk zitten.

'Op pelgrimstocht naar Jeruzalem? Goeie genade! Een paar pelgrims op weg naar Santiago de Compostela zien we hier elk jaar wel, maar naar Jeruzalem... Op mijn woord van monnik, in de vijftien jaar dat ik hier in Affligem ben, hebben we hier nooit een pelgrim naar Jeruzalem gezien.'

De bestemming is zo ver en onwaarschijnlijk dat ik net zo goed zou kunnen zeggen dat ik Don Quichot was als dat ik te voet op weg was naar Jeruzalem. Het zou hetzelfde effect hebben.

Op de weg naar Brussel houden enkele nieuwsgierige fietsers halt als ze me zien wandelen met mijn bezemsteel. 'Waar ga je heen? Doe je de Ronde van Vlaanderen te voet?'

Ze bulderen van het lachen.

'Nee, ik ga te voet naar Jeruzalem!'

'Ha! Dat is ook een goeie!'

Grinnikend fietsen de drie mannen verder richting Brussel.

Mijn rugzak is zwaar. Met de kleine televisiecamera van Sputnik TV, het productiehuis dat mijn onderneming volgt, zeul ik meer dan 15 kilo mee op mijn rug. En dat is nog zonder het water gerekend. Ik krijg dezelfde symptomen als op mijn vorige tochten naar Rome en Santiago: benige bolletjes op mijn sleutelbeenderen. Niets aan te doen, ik moet verder... En ik moet veel drinken. Als mijn pezen niet van meet af aan genoeg vocht krijgen, zit ik na de eerste week gegarandeerd met een peesontsteking.

Ik mag dan na mijn vorige tochten al 4000 kilometer in de benen hebben, ik ben niet immuun voor deze kwaal van de wandelaar. Daarom wil ik het de eerste weken wat rustig aan doen en niet meer dan dertig kilometer per dag afleggen.

Op de top van een van de heuvels van het Pajottenland zie ik in de verte Brussel liggen. Ik leun op mijn stok en geniet van het uitzicht. Lage wolken jagen over de hoofdstad en verdelen ze. Sommige stukken van de stad liggen in de schaduw, andere baden in een fel licht. Ik blijf een tijdje naar het surrealistische schouwspel kijken.

Twee uur later sta ik voor de basiliek van Koekelberg. Ik loop langs het grote gebouw naar het park. Mannen van Turkse afkomst zitten op de banken rustig te praten. Als de zon doorbreekt, geeft ze al aardig wat warmte. Verdorie, ik moet nog drieduizend kilometer lopen voor ik in Turkije ben. Terwijl ik deze weinig bemoedigende bedenking maak, houdt een overdadig opgemaakte tachtigjarige vrouw me plots staande.

'Waar gaat u heen met al die spullen?'

'Naar Jeruzalem! En u?'

'Mijn God! Wat een geschift idee! Ga liever naar de Côte d'Azur!'

Ik werp haar een brede glimlach toe en loop verder. Ik volg de

Kleine Ring, de boulevard die rond het centrum loopt. De auto's staan stil in de gebruikelijke verkeersopstoppingen van 16 u. De automobilisten zitten te foeteren achter het stuur. Ik loop geamuseerd voorbij de wachtende rijen auto's. En zeggen dat ik hier enkele maanden geleden zelf in de file had kunnen staan! Op deze overvolle verkeersader in Brussel voel ik me vrij.

Dichter bij het centrum kijken de voetgangers naar de wandelaar die met zijn stok in de hand door de stad loopt. Ik schuil voor de voorjaarsbuien onder de luifel van een olijfoliewinkel aan de Handelskaai. De winkelier komt meteen naar buiten en vraagt me in slecht Frans waar ik vandaan kom en waar ik heen ga. Hij loopt weer naar binnen en komt terug met een fles van zijn beste olie.

'Hier, dat kun je vast gebruiken. Het is goed voor de huid en het neemt het hongergevoel weg. Mijn grootvader is te voet van Marokko naar Mekka gegaan, dwars door de Sahara, en die had altijd een fles olijfolie bij zich.'

'Bedankt, Ahmed.'

'Kom me nog eens opzoeken na je hadj.'

Ik ben verrast door de ontmoetingen die ik heb, want ik ben jarenlang vaak in deze buurt geweest zonder ooit met iemand een woord te wisselen.

Voor ik Brussel verlaat, wil ik nog een paar vrienden groeten die in een advocatenkantoor werken. Wanneer ik het luxueuze gebouw binnenloop, zie ik mensen verbaasd omkijken. De mooie lift brengt me naar de schitterende kantoren op de vijfde verdieping. Even ontstaat er een lichte opschudding. Associés en collega's verdringen zich om de bedevaartganger. Iemand geeft me een paar broodjes die ik in mijn rugzak stop. Na een korte fotosessie word ik begeleid tot aan de grote glazen deur. Dan sluit zich de deur tussen onze twee werelden. We staan aan weerszijden van het glas. Ik kan raden wat ze denken.

De kilometers volgen elkaar op, net als de dagen. Gaandeweg vind ik de goede tred. Op de vijfde dag van mijn reis beleef ik mijn eerste cultuurschok. Niet ver van Tervuren vraag ik in het Nederlands de weg aan een dame die een kinderbuggy voor zich uit duwt. Ze antwoordt scherp en kort: 'U bent in Wallonië, meneer, hier spreekt men Frans!'

Lieve hemel! Wat kunnen mensen bekrompen zijn! Ik loop door en schenk verder geen aandacht aan haar commentaar. Ik stop om even op adem te komen onder een prachtige eik. Ik verlaat het grotendeels verstedelijkte Vlaanderen en geniet van het landschap met de uitgestrekte vlakten van Waals-Brabant. Velden zover het oog reikt. De zon laat zich nu ook zien. Ik loop in zuidoostelijke richting. Tot in het hart van Anatolië in Turkije zal de zon aan mijn rechterkant staan. Deze uitgestrekte velden zorgen ervoor dat de geest zich vrij voelt.

Ik loop om mij los te maken van mijn vooroordelen en om deze wereld met al zijn verscheidenheid te doorkruisen op de manier die het beste persoonlijk contact mogelijk maakt. Ik verwacht van deze tocht dat ze dwars door onze culturele en godsdienstige verschillen heen gaat, dat ze aanklopt aan de deur van de mens.

Ik ben niet van plan om onderweg precies te berekenen hoeveel kilometer ik nog voor de boeg heb. Ik zou erdoor ontmoedigd kunnen raken. Ik probeer van dag tot dag te leven zonder me te fixeren op het geheel van de reis. Geen zorgen voor morgen: iedere dag die voorbij is, is een dag minder te gaan. Een eekhoorntje klimt in een boom met een nootje in zijn bek. Zou hij al aan het hamsteren zijn? Zou hij nu al bezig zijn met het aanleggen van een voorraad voor de komende winter? In mijn rugzak zit eten voor hooguit een dag. Ach! We leven wel van dag tot dag...

De eerste dagen in Wallonië is het geen mooi weer, maar de temperatuur is aangenaam. Het zou geweldig zijn als dat zo bleef. Mijn lichaam begint ook geleidelijk te wennen aan de beproevingen die ik het opleg. Ik stap werktuiglijk door, mijn blik gericht op de horizon. Ik voel me totaal niet eenzaam, ik heb zelfs geen behoefte aan muziek.

Ik kom bij Rosoux, een dorp op een dertigtal kilometer van Luik, waar ik uitgenodigd ben door de schoonfamilie van mijn zus Florence. Ik loop door de reusachtige boomgaard, die meer dan 150.000 fruitbomen telt. De familie Goffin is een van de grote landbouwersfamilies van Haspengouw. Ze exporteren hun appelen zelfs naar Azië.

In de verte zie ik Xavier, die me van op zijn tractor toezwaait. Ik groet hem en loop verder naar het huis van Alice, de vrouw des huizes die me verwelkomt als een verloren zoon. Ik geniet van die momenten 'van tederheid. Ik krijg een comfortabele kamer. 's Avonds is er te mijner ere een familiemaal. Ik vertel de eerste anekdoten, de eerste moeilijke momenten en de grappige ontmoetingen. Er wordt smakelijk om gelachen. Ik ben tevreden over mijn vooruitgang, tevreden over mijn nieuwe zwerversbestaan. Als alles goed gaat ben ik volgende week rond deze tijd al de Duitse grens over. Ik geniet van die enkele stille momenten, waarop alles onwankelbaar lijkt. En toch is het eigen aan een pelgrim om los te maken wat vast zit, om van de ene onzekere situatie naar de andere te zwerven.

Al lopend merk ik hoe mijn kijk op tijd en ruimte verandert. Ik denk niet meer in kilometer per uur, maar in bepaalde punten aan de horizon waarop ik me richt. Ik ben nu ongeveer 130 kilometer van mijn vertrekpunt.

Ik leer me te oriënteren op de zon. In de zijzak van mijn broek zit een streekkaart met schaal 1/200.000, waar ik nu en dan een blik op werp. Gedetailleerde kaarten zijn een luxe die ik vanaf Hongarije zal moeten missen. Vanaf dan heb ik alleen maar heel algemene kaarten. Als ik stafkaarten zou meezeulen van iedere streek waar ik door moet, zou ik een kruiwagen nodig hebben in plaats van een rugzak. Wel heb ik vóór mijn vertrek een aantal poste-restante-adressen vastgelegd, waar ik ook nieuwe stafkaarten kan oppikken. Mijn volgende adres is Graz in Oostenrijk, ongeveer 800 kilometer van hier. Ik denk er over minder dan een maand aan te komen. In het begin van mijn voettocht hoop ik een gemiddelde van 30 kilometer per dag te halen. Op die manier doe ik op een maand 900 kilometer. Daarna hoop ik mijn gemiddelde geleidelijk op te trekken naar 40 kilometer per dag. Ik plan geen haltes. Die laat ik bepalen door toevallige ontmoetingen en de vermoeidheid van mijn lichaam. Ik denk wel dat ik de signalen die het me stuurt zal begrijpen.

Ik doe mijn blijde intocht in Luik samen met Fred, mijn oude vriend. Fred heeft zich vanmorgen bij Alice bij me gevoegd. Hij heeft Pascale, zijn vrouw die een paar maanden zwanger is, achtergelaten om een etappe met mij mee te stappen. We kennen elkaar al van toen we zes jaar oud waren. Onze mama's bakten toen wafels voor ons om ons nieuwe energie te geven na het sleeën in de sneeuw. Mooie herinneringen! Nu zijn we er 31. We lopen zwijgend door de uitgestrekte Haspengouwse velden. We praten niet veel. Een mens zegt soms meer door de stilte te bewaren dan door ze te verbreken. Ik ga weg, hij blijft. Dat is het grote verschil tussen ons.

We vermijden de nieuwsgierige vragen van de mensen. Ik weet niet of het mijn bezemsteel dan wel mijn rugzak is, die de aandacht trekt en de mensen die ik kruis in verwarring brengt. Ik lees de vragen en soms ook de angst in hun ogen. In een buitenwijk van Luik is een man druk bezig met het uittrekken van het onkruid in een perk ranonkels.

'Neem me niet kwalijk, maar kunt u ons de weg naar Fexhe wijzen?'

'Altijd rechtdoor. En waarheen gaat de tocht?'

'Naar Jeruzalem.'

'Ja, dat wil ik graag geloven, en ik graaf een kuil tot in Nieuw-Zeeland. In ieder geval, als dat waar is, bent u gek.'

'Bedankt, beste man...'

Gek? Is het gek zichzelf de luxe te gunnen om de dingen met een andere blik te zien? Ik besef hoe mijn blik is geconditioneerd door jaren televisiekijken. Ik voel dat ik opnieuw moet leren kijken met nieuwe, door de reis schoongespoelde ogen. De uitgestrekte vlakten van Haspengouw bieden een vrij uitzicht op de horizon. De zon begint door te breken en kondigt mooie dagen aan. Mijn voeten worden zwaarder, maar mijn hart is licht. Iedere stap brengt iets nieuws, bij elke stap word ik een beetje opnieuw geboren.

Tot nog toe heb ik kunnen rekenen op de gastvrijheid van familie en vrienden. Vanavond heb ik afgesproken met vrienden die me opwachten in Luik. Ik neem deze hulp graag aan. Ik verwacht dat het in al die andere landen die me nog wachten, niet zo gemakkelijk zal zijn om 's avonds onderdak en wat eten te vinden. Ik reken alleen op de welwillendheid van de mannen en vrouwen die ik onderweg zal ontmoeten. Wat kan ik anders doen? Om niet te zwaar geladen te zijn, heb ik geen tent meegenomen, en met 50 euro op zak heb ik weinig keuze. Misschien kan ik de zachte voorjaarsnachten wel in de bossen slapen.

Iets voor het centrum van Luik gaat Fred weer weg. Hij keert liftend terug naar Rosoux waar hij zijn auto heeft achtergelaten. We slaan de armen stevig om elkaar heen. We nemen afscheid met een paar schouderklopjes en we wensen elkaar veel geluk, hij met zijn naderende vaderschap, ik op mijn reis... 'So long, old brother!' Voor we om de hoek van een straat verdwijnen, werpen we elkaar een laatste blik toe, een laatste opgestoken hand, een laatste glimlach die amper onze ontroering verbergt...

Ik heb voor de kathedraal van Luik afgesproken met andere vrienden, die uit Gent zijn gekomen. Ze rijden morgen terug. Valérie en Jan hebben een hotelkamer gereserveerd. Dit aardige en opgewekte stel doet de zwaarmoedigheid van het recente afscheid meteen verdwijnen. Ik breng een aangename avond met hen door, voor ik morgen verder reis met Magali, de laatste bezoekster in België. We gaan naar een restaurant. De steak is taai als leer. Jammer, ik verheugde me op een lekker stuk saignant gebakken vlees! Een paar mensen leveren druk commentaar voor het televisietoestel. Stille beelden van het Vaticaan tonen een overvol Sint-Pietersplein in Rome. Mensen huilen. De paus is net gestorven. Ik kan het niet geloven. Een grote emotie overmant me. Prominenten uit de politieke en culturele wereld geven hun mening. Ik kan raden wat ze zeggen.

De nacht valt tegen. We slapen met zijn drieën op de kamer en Jan produceert een dof en onophoudelijk gesnurk. Ik zal eraan moeten wennen om iedere nacht in een andere omgeving en op soms oncomfortabele plekken te slapen. Maar de vermoeidheid van de zich aaneenrijgende kilometers zal het wel snel halen op het ongemak. Het is mijn keuze om deze reis te maken en om ze op deze manier te maken. Ik heb zelf gekozen voor dit gebrek aan luxe en comfort en ik mag dus niet klagen.

Dit weekend heb ik geluk: gisteren Fred, Jan en Valérie en vandaag Magali. Op de brug over de Maas nemen we afscheid van het stel. Misschien sluiten ze weer bij me aan in Bulgarije. Een laatste blik en ze gaan op in de massa. Ik steek met Magali de Maas over. Ze loopt de 25 kilometer lange etappe naar Banneux met me mee. Het is uitzonderlijk mooi weer, bijna 30°! Deze eerste warmte geeft een gevoel van lichtheid. We lopen naast de rivier tot aan de samenvloeiing met de Ourthe en volgen die tot in Chaudfontaine. Via een Groteroutepad lopen we naar de Hoge Venen. Op deze kronkelige wegen besef ik voor het eerst dat ik echt onderweg ben. Door het stappen gebeurt er iets in mij. God, wat is dit mooi! De dag van mijn vertrek lijkt al heel ver achter me te liggen! Ben ik op een dag vertrokken? Het is alsof ik altijd al onderweg ben geweest. We bereiken de eerste hoogvlakten van de Hoge Venen. Het landschap lijkt een beetje op de Gruyèrestreek in Zwitserland. Zacht glooiende heuvels tekenen nu het landschap. De huizen worden zeldzamer en de velden met mals gras zijn omgeven door dennenbossen. De naaldbomen verspreiden een verrukkelijke geur. Magali keert met de bus terug naar Luik. Het is nu voor een hele tijd afgelopen met gezelschap. In dit bedevaartsoord, waar in 1933 de maagd Maria zou zijn verschenen, krijg ik onderdak bij de Congregatie van Sint-Jan. Ik zie de gastenpater maar eventjes. Onderdak vragen in een klooster doe ik het liefst: het is een aangename plek, waar men geen vragen stelt.

's Avonds na de maaltijd begeef ik me naar het pelgrimsoord. Er is niemand. Een licht briesje speelt door de sparrenbomen. Wat een rust! In de duisternis van dit bos vind ik vrede. Om de honderd meter verlicht een lampion de staties van de kruisweg. Elke statie is een lichtpunt in deze loden duisternis. Ik blijf een tijdje hangen bij elk van de beelden die heel gedetailleerd de tocht van Christus naar Golgotha uitbeelden.

Vroeg in de ochtend neem ik mijn bezemsteel en bepaal ik mijn etappe. Het is zoals het me uitkomt. Ik pak nog een paar stukken fruit en wat koekjes en stop ze in mijn rugzak. Mijn veldflessen vul ik aan de bron naast het beeld van Maria. Op het ogenblik dat ik wil vertrekken, houdt een stem me tegen: 'Pardon, wij zijn een televi-

sieploeg en zouden graag een paar mensen interviewen die op bede-
vaart komen naar Banneux. Als ik uw outfit zie, vermoed ik dat u
een lange weg hebt afgelegd om hier te komen. Is dat zo?'
Ik barst in lachen uit. De kerel kijkt verbaasd. Ik zeg hem nog
niet alles. Toch niet meteen. Ik ben benieuwd hoe ze zullen reage-
ren tijdens het interview.
De tv-ploeg treft de nodige voorbereidingen en zet me in een
mooi decor. De journalist begint.
'Komt u van ver?'
'Van Gent.'
De man is een beetje uit het veld geslagen.
'Te voet?'
'En waarom komt u op bedevaart naar Banneux?'
'Ik ben op doorreis.'
'Op doorreis? En waarheen gaat u dan?'
'Naar Jeruzalem.'
Hij lijkt zijn microfoon te willen inslikken. Hij kijkt een beetje
beduusd naar zijn collega, die al net zo verdwaasd terugkijkt. Hij
laat de camera draaien en geeft zijn collega met een hoofdknik te
kennen dat hij moet doorgaan. Die verandert van onderwerp en
begint over de dood van Johannes-Paulus II, niet goed wetend of hij
nu met een verlicht gelovige dan wel met een gek te maken heeft.
Het interview gaat uit als een nachtkaars.
De twee mannen bedanken me en laten me vertrekken, terwijl de
camera nog steeds draait...
Ik vind met plezier mijn vertrouwde eenzaamheid terug tijdens
de lange uren dat ik door velden en bossen loop. Een boswachter
waarschuwt me niet verloren te lopen in de Hoge Venen. Ik zocht
de weg naar Spa, maar ik liep te veel in zuidelijke richting. De man
komt als geroepen en zet me weer op de goede weg. Als ik de zon
altijd rechts van me houd, denk ik niet te veel omwegen te zullen
maken.

In deze streek in Oost-België hoop ik hoogvlakten zonder veel
niveauverschillen te vinden, maar na iedere klim volgt er een afdaling naar weer een nieuwe vallei. Het landschap lijkt op een drapering van Michelangelo met tal van plooien, in opeenvolgende golven, alsof het vol verrassingen zit. Een drapering die alle tinten

groen bevat. Het is volop lente en omdat ik voortdurend in oostelijke richting loop, is mijn rechterzijde verbrand. Mijn schaduw
volgt me gedwee. Ik betrap er mezelf op dat ik er vaak naar kijk en
ik zie geamuseerd hoe hij verandert met het reliëf. Terwijl ik moeizaam de kilometers afmaal, glijdt mijn schaduw naast me moeite-
loos met me mee.

Naarmate ik dichter bij de Duitse grens kom, krijg ik de indruk
binnen te dringen in een gebied waarop de tijd geen vat heeft. Weldra verlaat ik de laatste vestingen van mijn vertrouwde wereld. Op
6 april loop ik door de laatste dorpen van Duitstalig België. De
mooie veelbelovende dagen die mijn eerste reisindrukken kleurden,
zijn even snel als ze gekomen waren weer verdwenen. Het is
opnieuw berekoud. Lage wolken trekken laag over het glooiende
landschap en strelen de kruinen van de bomen. Ik heb de indruk dat
ik door een surrealistische wereld loop. Ik loop urenlang over bos-
wegen zonder een levende ziel tegen te komen. Ik krijg het vreemde gevoel dat dit het eind van de wereld is.

Ik volg een oude afgedankte spoorlijn. Naast de verroeste rails
komen twee gearmde dames mijn richting uit gewandeld.
In hun blik zie ik een vreemde gloed. De twee vrouwen groeten
me met een lichte buiging en zeggen: 'Denk daar nog eens aan ons.'
Ze vervolgen hun weg. Ik ben helemaal van slag door de geheim-
zinnige gebeurtenis. Wie waren dat? Het was alsof ze me kenden.
Wisten ze wie ik was?
Ik heb het voorgevoel dat deze tocht nog wel meer verrassingen
voor me in petto heeft, en niet van de minste...

Ik voel in mij een continue rust. Ik beslis me niet druk te maken om
materiële noden. Voorbij de Hoge Venen is geen enkele overnachting meer gepland, heb ik geen oriëntatiepunten, geen contacten
meer. Ik besluit om in vertrouwen mijn weg te vervolgen, de dingen te nemen zoals ze komen. Op hoop van zegen.
Een paar kilometer voor de Duitse grens begint de honger te
knagen. Ik heb niets meer te eten. Op het pad liggen een paar
aardappelen die van de tractor zijn gevallen. Ik schil ze zorgvuldig
met mijn zakmes en eet ze met smaak op.

III. Duitsland

Hoe dichter ik bij de Duitse grens kom, hoe kouder het wordt. Mijn vingers zijn verkleumd. Ik trek een trui en een jasje aan. Ik omklem mijn stok die het ritme aangeeft en loop verder in de pas. Onvermoeibaar. Het is 2 u 's middags als ik de eerste grens oversteek. Op een bord naast de smalle landweg die ik insla, lees ik *Deutschland*. Het begint te regenen. Een fijne grauwe regen doorweekt me. Ik probeer door te lopen tot Prüm, 47 kilometer van mijn vertrekpunt. Afgelopen met de goede voornemens om de etappes in het begin niet langer te maken dan dertig kilometer. Maar behoort het niet tot de voorrechten van de pelgrim om van het onbekende zijn trouwste bondgenoot te maken?

Ik loop door de velden, spring over het prikkeldraad en blijf op een veilige afstand van enkele welgebouwde maar boos ogende stieren. Ik kruis mijn vingers als ik aanbel aan de deur van een pastorie in een dorp op een tiental kilometer van Prüm. Hoe zal deze eerste bede om onderdak in het land der Teutonen ontvangen worden? Een oude man doet de deur open. In mijn beste Duits leg ik hem de situatie uit. De pastoor is wat wantrouwig. Hij stuurt me met een kluitje in het riet en zegt me door te lopen naar Prüm. 'Ik vrees dat dat een beetje moeilijk is, ziet u. Ik heb niet veel plaats. Loop liever door naar Prüm. Daar zullen ze u vast kunnen helpen... Goedenavond meneer!'

De deur gaat weer dicht en ik blijf nog even verdwaasd staan onder de loggia, voor de gesloten deur. 'Ach zo...'

Het is waar, het zou te mooi geweest zijn. Maar goed, we laten ons niet ontmoedigen door deze eerste vernedering!

Ik slik een pastille vitamine C om me te troosten en loop door naar dat dorpje in de Eifel, een tiental kilometer verderop. De regen valt bij beken neer en ik denk al aan de den die op me wacht. Bij voorkeur met een goede dons en een harde matras. Rond 20 u kom ik eindelijk aan. Ik begeef me spontaan naar de kerk. De kans dat ik op dit uur en op een weekdag de kerkpoort open vind, acht ik vrijwel nihil. Maar goed, laat ik het erop wagen, ik heb niets te verliezen. Ik breng mijn hand naar de grote bronzen klink en haal opgelucht adem. De massieve deur gaat open! Nee, maar! Ik heb geluk.

Ik ga de kerk binnen en zie achter het altaar een priester staan, die zijn ogen ten hemel slaat. Mijn eerste indruk is dat hij helemaal alleen is in de kerk. Ik val midden in de consecratie en de elevatie van het brood dat is veranderd in het Lichaam van Christus. Precies op dat moment, terwijl ik nog steeds de indruk heb dat ik alleen met de priester in de kerk ben, zet ik een stap vooruit en achter me valt de zware houten deur met een weinig subtiele dreun dicht. Een doffe echo galmt door de barokke kerk. Dan zie ik hoe achter de banken tientallen ogen strak op mij gericht zijn. Ik blijf meteen stilstaan. De gelovigen staan weer op en nemen hun plaats op de banken weer in. 'Mijn aanwezigheid is niet onopgemerkt gebleven,' zeg ik tegen mezelf.

Geamuseerd maar doodmoe ga ik op de houten bank zitten en kijk naar de jonge mannen en vrouwen die stil verder bidden. Ik ben uitgeput. Mijn rugzak druipt en op de mooie tegels vormt zich geleidelijk een plasje. Ik ril. Als de mis gedaan is, sta ik op en loop naar het altaar. De diaken komt op me toegelopen. Ik leg hem mijn situatie uit. Hij vraagt me vriendelijk te gaan zitten en even te wachten. Er begint een kleine crisisvergadering. Ik zie de mannen en vrouwen met zachte stem over mij praten. Nu en dan werpt iemand mij een meewarige blik toe. Ik kijk naar Christus aan het kruis en houd mijn blik op hem gericht. Uiteindelijk komt een dame met een heel zacht gezicht op me af en zegt me in een vlekkeloos Frans: 'Als u wilt kunt u met mij meekomen. Ik heb een bed voor u en ik zal u iets lekkers klaarmaken. Dat zal u goed doen. U ziet er moe uit.'

Antoinette Ternes is sinds drie jaar weduwe. Ze is lerares Frans aan de middelbare school van Prüm.

We stappen in haar auto en ze brengt me naar een comfortabele villa. Een bejaarde vrouw doet de deur open. Ze is in het zwart gekleed, zoals weduwen in de Middellandse Zeelanden. Ze logeert ook in het huis van Antoinette. Christa is weduwe sinds vijf jaar. Terwijl ik aan de keukentafel zit, bereidt Antoinette me een avondmaal, alsof ik een dwangarbeider ben die net uit de strafkolonie komt. De talrijke rimpels verraden de pijn die ze in haar leven heeft geleden, maar maken haar niet minder mooi. Christa dekt de tafel voor mij alleen. Antoinette opent een fles wijn en snijdt enkele plakken Eifelham voor me af. De kilometers in de benen zijn snel vergeten. Er rukken nog meer schotels aan: pizza, streekkaas, een salade, een versgemaakte broccolisoep en een dessert. Terwijl ik alles met smaak naar binnen werk, kijken de vrouwen me geamuseerd aan. Christa vertelt dat ik haar herinner aan de tijd dat ze samen met haar familie Silezië ontvluchtte.[1] Deze streek in het zuidwesten van Polen was eeuwenlang de oorzaak van spanningen tussen Polen en Duitsers. Na de Duitse nederlaag in de Tweede Wereldoorlog werd deze Duitstalige streek Pools grondgebied. De inwoners werden verdreven toen de vluchtelingen uit het oosten van het land, dat geannexeerd was door de Sovjets, aankwamen. 'We hebben alles moeten achterlaten. We hebben alles verloren. Toen we onze boerderij hadden verlaten, wisten we niet waarheen. Tijdens onze zwerftocht crepeerden we van de honger. We kregen onderdak en eten van een boer uit Krakau en vervolgden daarna onze voettocht naar Duitsland.'

Ik luister naar het verhaal van Christa, maar ik kan niet meer. Ik val om van de slaap. Antoinette wijst me een slaapkamer met een aangrenzende badkamer. Had ik er net voorbij de grens niet van gedroomd een den te vinden met een bed eronder? Die avond slaap ik in een dennenhouten bed met een zachte dons. Ik val in slaap met een glimlach op de lippen, verzaligd door zoveel goedheid. Is het niet mooi, het leven van een pelgrim? Ik feliciteer mijn beschermengel voor zijn voortreffelijke keuze. Voor ik in slaap val, bedenk ik dat het met zo'n engel niet moeilijk is om zich aan te passen aan het nieuwe zwerversbestaan...

Ik schiet met een schok wakker. Antoinette klopt op de deur, het is al 7.30 u. Verrek! Ze had me gevraagd om rond 7.15 u klaar te zijn. Ik heb de wekker niet gehoord. Ik spring in mijn kleren, knoop mijn veters dicht en pak mijn rugzak. Onderweg naar de auto die me naar

---

[1] http://www.pologne.gov.pl

mijn vertrekpunt zal brengen, geeft ze me boterhammen en een picknick voor de dag, als een moeder voor haar kind dat naar school gaat. Ik stap in haar auto. Mijn hoofd is nog suf. We rijden naar de plaats waar ze me gisteren heeft opgepikt. Als ik op het punt sta om uit te stappen, zegt ze me: 'Pas goed op jezelf, Sebastien... Tot ziens.' De auto verdwijnt in de mist. Ik sta weer voor de kerk. Ze is gesloten nu. Ik moet echt verder.

In de kilte van de morgen probeer ik me te oriënteren op de zon. Mijn lichaam is stijf. Ik werk een paar boterhammen naar binnen en begin dan moeizaam te lopen. De etappe van gisteren heeft me uitgeput. 48 kilometer zonder pauze is te veel! Het doet me denken aan mijn glorierijke momenten op de zware etappes naar Santiago en Rome. Maar nu krijg ik een klap. Mijn arme lichaam heeft waarschijnlijk nog niet door in wat voor een onderneming ik me heb gestort. Ik loop slaapwandelend het dorp uit en kom uit op een niet meer gebruikte spoorweg, die ik zonder na te denken volg.

Ik loop door een vulkanisch landschap met talloze bronnen. Vroeg in de middag, in Gerolstein, besluit ik halt te houden. Ik loop te traag. Ik heb nog maar zeventien kilometer afgelegd. Slecht voor mijn gemiddelde. Na de succesrijke ervaring van gisteren in de kerk, probeer ik het op dezelfde manier aan te pakken. Ik begeef me naar de katholieke kerk van de stad. De priester is er niet, maar de secretaresse vindt het geen enkel probleem mij de sleutel van de parochiezaal te geven. 'We geven de sleutel aan de daklozen, dus waarom niet aan u...'

Ik zet mijn rugzak neer en installeer mijn nestje. Ik voel me er niet slecht bij dat ik al voor de avond ben gestopt, ik ben zelfs opgetogen over mijn beslissing. Ik ga ervan profiteren om een paar kleren te wassen, wat te schrijven en te beginnen in een boek over Abraham, de stamvader van de drie monotheïstische godsdiensten. Fluitend loop ik met mijn vuile was de trap af naar de badkamer op de benedenverdieping. Ik begin met mijn 'soep'. Deze techniek, die ik heb ontwikkeld op mijn vroegere voettochten, heeft zijn doeltreffendheid bewezen en zorgt ervoor dat je met onberispelijk schone kleren uit de douche stapt. De methode is simpel en ik vertel met plezier hoe het in zijn werk gaat: stap helemaal gekleed onder de douche met een stevig stuk marseillezeep. Laat het warme water overvloedig stromen en wrijf krachtig met het stuk zeep over je plunje. Trek een na een de schone kleren uit tot je in je blootje staat. Zet de waspartij voort voor zover dat nodig is en trappel ondertussen op het hoopje kleren dat in de douchekuip ligt te weken. Uitspoelen, uitwringen en klaar is Kees! Opgewekt en trots op mijn efficiënte wasmethode loop ik in mijn onderbroek fluitend de trap weer op naar de parochiezaal. Ik duw de deur van mijn vertrekken open maar merk dan ineens dat een groep catechisten er bezig is aan een zangrepetitie. Ik doe de deur meteen weer dicht. Stond ik daar bijna in mijn onderbroek voor de catechesejuf en haar schaapjes!

Ik storm vloekend de trap weer af. Daar gaan mijn mooie vooruitzichten op een paar zorgeloze uurtjes. Ik baal. Ik trek een broek en een nat T-shirt aan en loop weer naar boven.

Als de catechesejuf me ziet, werpt ze me een brede glimlach toe. 'Wilt u met ons meezingen?'

'Euh...'

Ze dringt aan. En voor ik het goed en wel besef, zit ik naast een stel elfjarige kinderen die catecheseliedjes zingen. Onder mijn stoel begint zich een plas te vormen. Ik zie hoe mijn buurmeisje me een argwanende blik toewerpt...

Ik kijk verlangend naar mijn kampeermatje en mijn lekker zachte slaapzak. Uiteindelijk laat ik me toch meeslepen en ik zing mee met mijn collegaatjes die twee koppen kleiner zijn dan ik. Na de repetitie barsten de gebruikelijke vragen los. *'Das ist Wahnsinn! Machen Sie das wirklich nur zu Fuss?* Dat is gekkenwerk! Doet u werkelijk alles te voet?'

Als de catechesejuf mijn kampeermatje ziet, krijgt ze medelijden met me. Ze nodigt me uit bij haar thuis. Ik doe eerst alsof ik haar niet hoor. Ik wil rustig hier blijven. Maar ze dringt aan. 'Kom, kom, wees niet zo ascetisch! U zult het heel wat meer naar uw zin hebben in een kamer! Een van mijn zonen is niet thuis.'

Ik geef het op. Tegen een vrouw die aandringt, kun je niet op. Ik neem mijn rugzak en stop er mijn spullen in en het stuk brood dat ik nog over had voor mijn avondmaal. Tien minuten later stoppen we voor een huis in een villawijk van Gerolstein. Alles welbeschouwd heb ik het misschien toch niet slecht getroffen!

'Ga maar naar binnen, ik ga de jongens halen. Mijn man is nog niet thuis, maar die komt zo.'

Elizabeth brengt me naar de kamer van de oudste zoon, die in Bonn studeert. 'Maak het je gemakkelijk. Dit zijn mijn twee monsters: Martin en Bernhardt.'

Hoewel de jongens tweelingen zijn, hebben ze een heel verschillend karakter. Martin is extravert en Bernhardt is helemaal het tegendeel van zijn tweelingbroer. Bernhardt heeft bruine haren, zijn broer is blond. Bernhardt keert terug naar zijn kamer, maar Martin richt zijn aandacht op mij. Hij toont me zijn tienerwereld en vraagt me of ik een van zijn tovertrucs wil zien. Zijn kamer hangt vol posters met middeleeuwse taferelen. 'Laat zien, Copperfield!'

Terwijl hij zijn goocheltruc voor me doet, verbaast het me opnieuw hoe sterk hij verschilt van zijn broer. Martin heeft blonde haren en heel donkere ogen. Hij laat mijn horloge verdwijnen en haalt het weer tevoorschijn van achter zijn rug. Elizabeth roept me en vraagt om haar mijn natte spullen te geven zodat zij ze kan drogen. Ze is groot maar tenger gebouwd en ze neemt mijn kleren mee in een grote teil. Op de drempel blijft ze staan en ze kijkt me indringend aan. 'Je bent hier thuis, neem uit de koelkast wat je wilt.'

Ik ben geroerd door zoveel vriendelijkheid. Gherdt, de man van Elizabeth, komt thuis rond 18 u. Hij lijkt allerminst verbaasd mij in de salon te zien zitten. Gherdt is leraar in Gerolstein. Terwijl Elizabeth het avondeten klaarmaakt, nodigt hij me uit om zijn fossielenverzameling te bekijken. Hij neemt er een in de vorm van een kever en geeft het me: 'Hier, dat is voor jou.'

Elizabeth roept ons. Het eten is klaar. Ik ben getroffen door de buitengewone ontvangst die me hier te beurt valt.

Ik moet eerlijk zeggen dat ik een beetje bang was om Duitsland door te reizen zonder geld. Hier zie ik dat het avondmaal verloopt zoals alle avonden, in een echte gedeelde vreugde. Het feit dat ik er ben, verandert weinig aan hun houding. 'Je bent een van de onzen, Sebastien', zegt Martin me nog.

Bij zoveel vriendelijkheid sta ik sprakeloos.

's Morgens brengt Elizabeth me met de hond naar een bosweg die ik enkele uren zal moeten volgen. Het afscheid doet me pijn. Ze

drukt me een kruisje op het voorhoofd. 'Moge God en zijn engelen je beschermen.'
Met de engelen loop ik diep het dichte en vochtige bos in. In de richting van het Oosten.

Op 9 april bereik ik de Moezel. Het weer is afschuwelijk. Ik voel me aan het eind van de wereld. Op deze reis bereik ik trouwens alle dagen het eind van de wereld. Het landschap verandert met elke stap. Mijn wereld is niet groter dan die paar vierkante centimeter die ik verover, stap na stap. Doordat ik traag opschiet, niet sneller dan mijn verstand kan volgen, zie ik een tastbare evolutie: het landschap wordt steeds heuvelachtiger en ik raak doordrongen van een ijzige kou. Ik stop niet te lang om te eten, hooguit een kwartiertje rond de middag. Na iedere halte is het hard, zeer hard om weer op stap te gaan. Ik maak de etappes almaar langer: ik loop nu bijna dagelijks etappes van meer dan 45 kilometer. Mijn lichaam is stijf van de kou en heeft tijd nodig om op te warmen. In de Eifel schommelt de temperatuur rond het vriespunt. De vochtigheid maakt me door en door koud. Ik heb zelfs de indruk dat mijn geest te lijden heeft van de temperatuur. Ik denk aan niets. Hoogstens aan de volgende stap die ik moet zetten. Om de intellectuele lethargie te bestrijden geef ik mezelf rekenoefeningetjes. Maar ik houd de discipline niet lang vol.

Soms lijkt de weg me te lang, maar soms ook te kort en zou ik willen dat er nooit een eind aan kwam. En toch zal het op een dag afgelopen zijn. Als het lang duurt, denk ik aan de goede herinneringen, ze maken het lopen lichter. Op gelukkige momenten haal ik een paar slechte herinneringen naar boven. Die worden op die manier lichter en verdwijnen dan voorgoed uit mijn geest. Verveling ken ik vreemd genoeg totaal niet. Er is in het landschap in of buiten mij altijd wel een element dat mijn aandacht vasthoudt. En wanneer die twee landschappen met elkaar in overeenstemming zijn, voel ik geen vermoeidheid. De schoonheid van het landschap kan me in vervoering brengen, de lelijkheid van een plek kan mijn moreel ondermijnen en mijn benen zwaar maken. Ik word gedragen door de schoonheid.
Op de beboste hoogvlakten tussen de Moezel en de Rijn kun je bij

mooi weer in de verte de vlakte zien liggen. Het betekent dat de tocht opschiet. Elk nieuw landschap is een beloning. Elke nieuwe ontdekking is het resultaat van een zoektocht. Binnenkort bereik ik Worms, Mannheim, en dan de stad waar ik zo naar uitkijk: Heidelberg. Deze stad is een belangrijke halte op mijn parcours. Ik ben dan in de helft van Duitsland! Maar zullen de zware wolken en de sneeuw en de regen die bij bakken neervallen, al die mooie vooruitzichten niet komen verstoren? Ik ben overgeleverd aan de elementen. De onophoudelijke regens werpen een barrière op. Zal ik daarover raken. Ik probeer te luisteren naar de elementen die zich tegen mij hebben gekeerd. Proberen ze mijn vasthoudendheid op de proef te stellen? Of proberen ze integendeel me te doen inzien dat ik gek ben?

Ik moet het koste wat het kost de ene voet voor de andere zetten. In de banaliteit van ons dagelijks bestaan stelt dat niet veel voor. Als ik 50 kilometer in de benen heb, is elke stap een kleine overwinning. Het kan belachelijk lijken, maar deze stap is essentieel. Als hij niet wordt gezet, wordt de hele keten van de vooruitgang onderbroken!

Om de steden te bereiken vermijd ik vaak de wegen, soms ook de veldwegen. Ik neem de kortste weg en daarbij kom ik wel eens voor verrassingen te staan. Op een morgen loop ik door de velden en ik bots op een lang hekwerk. Ik heb kilometers lang door velden gelopen waarin mijn voeten bij elke stap wegzonken en ik ben dus allerminst van plan om rechtsomkeert te maken. Ik kruip dus door een gat in het hek. Ik zie wel waar ik terechtkom. Het terrein wordt minder geaccidenteerd. Nog een paar struiken door en ik kom waarschijnlijk uit op de weg. Zie je wel, ik zei het toch dat ik op een weg zou uitkomen. Een echte pelgrim komt altijd op zijn pootjes terecht. En zeggen dat sommigen me een gps wilden aansmeren! De schoften! Mij zoiets willen aandoen!

Maar wat een vreemde wegmarkering is dit... Ik besef al snel dat ik midden op een landingsbaan van een militair vliegveld sta! Ik heb geen seconde te verliezen. Ik ren de baan over, terwijl ik naar omhoog kijk om te zien of er geen vliegtuig van de Duitse luchtmacht aanstalten maakt om te landen! Gelukkig is de uitkijktoren

aan de andere kant van de landingsbaan onbemand. Ik zie ook geen
militaire voertuigen. Ik ren zo snel ik kan naar het struikgewas aan
de overkant, waar een nieuw hek staat. Hier zit natuurlijk geen gat
in. Ik maak mijn rugzak los en gooi hem over het hoge hek. Vervolgens begin ik er zelf over te klimmen, biddend dat ik niet plots
oog in oog kom te staan met een militair of met een waakhond die
het op mijn kuiten heeft gemunt. Ik waag een sprong, die ik afrond
met een koprol. Blijkbaar heeft niemand me gezien. Dat was even
bibberen!

Om mijn onstuimigheid wat te temperen kies ik er opnieuw voor
om de weg te volgen en die een paar dagen niet meer te verlaten. Ik
zit nu al diep in Duitsland. Ik loop door glooiende beboste gebieden die me aan Elzas doen denken. De weg is mooi en slingert zich
tussen de dorpen met vakwerkhuizen. Op de achtergrond ligt het
Soonenwald, een uitgestrekt woud met mooie heuvels die als een
muur in het landschap staan. Ik begin de klim in een meditatief
gebed dat me belet de pijn te voelen. Ik denk aan niets, ik maak
mezelf helemaal leeg. Het is heel koud. Ik loop zo uren en dagen.
Ik leg tot vijftig kilometer per dag af. Ik houd nog steeds alleen
's middags even halt om iets te eten. Wanneer komt er in godsnaam
een eind aan die regen? Op de top van de beboste heuvels zwiepen
enorme windmolens hun wieken met een dof geluid door de lucht.
De heuvelkammen zijn ermee bezaaid. Het lijken tijdloze reuzen
die de tijd bedwingen. Ik loop onder de gigantische wieken die de
lucht boven mijn hoofd klieven. Op de top zie ik eindelijk de vlakte. In de verte vermoed ik de industriesteden Worms en Mannheim, en daarachter, tegen de heuvel aan, Heidelberg en wie weet
een beetje warmte? De lente lijkt zich verstopt te hebben onder de
grond.

Op de laatste berguitlopers van het Rijnland loop ik door hectaren wijngaarden. De wijnboeren maken de wijnstruiken klaar. Ze
groeten me als ik voorbijkom. Ze hebben een snoeischaar in hun
hand en sturen me in deze doolhof van wegen de goede richting uit.
Ik laat de heuvels binnenkort achter me.

De weg is lang. Mijn benen beginnen pijn te doen. Ze krijgen het
moeilijk om me te dragen. Op de top van een van de heuvels kom

ik voorbij een soort boeddhistische stoepa. Ik moet denken aan mijn lange solotocht van tien jaar geleden aan de voet van de Annapurna in de Himalaya. Ik was erheen gereisd omdat ik de 8000 meter hoge toppen wilde zien. Maar ik zag ze niet. Rondom mij was er alleen maar een dikke mist en het enige dat de gladde stenen weerkaatsten was mijn geklaag. En toch moesten die toppen ergens zijn... Een felle schittering haalde mij toen plots uit mijn verdoving. Enkele ogenblikken lang was aan een stukje heldere hemel de top van de Annapurna te zien. En in een oogwenk waren al mijn bedenkingen vervlogen... Als ik op de heuveltop Alzey zie liggen, de stad waar ik hoop te overnachten, overvalt mij ongeveer hetzelfde gevoel als toen bij het zien van de Annapurna. Mijn twijfels smelten als sneeuw voor de zon.

De stad Alzey is het definitieve einde van de heuvels waar ik nu al sinds de Eifel en de Moezel door loop. Mijn vermoeidheid brengt me weer tot de werkelijkheid. Ik loop het dorp in. Ik heb nog maar eens een etappe van vijftig kilometer achter de rug en ik ben uitgeput. Ik ben kapot. Ik ga zitten onder het kerkportaal. Mijn benen reageren niet meer. In de kerk is een dienst aan de gang. God vergeve het me, maar ik heb de moed niet meer om me erheen te slepen. Ik wacht tot mijn krachten terugkeren. Maar ze keren niet terug.

Mensen komen de kerk uit. Ze hebben de mis ter nagedachtenis van Johannes-Paulus II bijgewoond. Een vrouw komt naar me toe en vraagt of het gaat. '*Ich bin so müde.* Ik ben zo moe.'

De vrouw zegt tegen haar nochtans frêle gebouwde zoon dat hij mijn rugzak moet nemen. Ze doet me denken aan een Italiaanse mamma die men niet te veel durft tegen te spreken. De jongen wankelt onder het gewicht van mijn rugzak en ik kan nog amper lopen van vermoeidheid. We lopen als twee kompanen zigzaggend achter de autoritaire vrouw aan. Nu en dan kijkt ze om, om te zien hoe het met haar troepen is gesteld. Ik leun op mijn stok. Ze doet enkele telefoontjes met haar mobiel. Voor ik goed en wel besef wat er gebeurt, komen we aan een Grieks restaurant. We stellen ons kort aan elkaar voor. Frederike laat me plaatsnemen aan een grote tafel. 'Kies wat je wilt. Vanavond logeer je bij Martina, een vriendin van me die met mij in de mis was. Bij mij kun je niet logeren, ik heb

geen plaats genoeg. Wees gerust, je zult het er naar je zin hebben.'
Ik bestel een groot bord met verschillende stukken vlees en een
cola. Een beetje later arriveert Martina. De copieuze schotel laat
niet lang op zich wachten. De vrouwen kijken geamuseerd naar me.
Ik kan amper beginnen te eten. Ik ben te moe. Na enkele happen
voel ik mijn krachten terugkeren. Mijn honger ook trouwens.
Eigenlijk zit ik te schrokken, maar ik besef het niet. Al een paar
dagen eet ik alleen maar brood en eetbare dingen die ik vind in de
velden of aan de struiken. Ik eet het gigantische bord helemaal leeg
evenals de broodmandjes van de naburige tafels.

Frederike betaalt de rekening. Er is geen sprake van dat ik mijn
overlevingsbiljet zou tevoorschijn halen. 'Luister, Sebastien, morgenvroeg kom ik je ophalen bij Martina en dan gaan we samen naar
de mis. Daarna kun je aan de kerk weer vertrekken.'

Ik knik vaag, maar heb eigenlijk niets gehoord van wat ze heeft
gezegd. Ik heb alle vertrouwen in mijn weldoensters van de weg. Ik
sta op en bedank voor alles. Martina neemt me mee naar haar thuis.
Ze stelt me haar twee zoontjes voor. Haar man is er door de week
niet. Hij werkt in München. Ik ben doodop. Ze toont me een kamer
die ze in orde heeft gebracht terwijl ik in het restaurant zat. Naast
het bed vind ik een flesje water, wat snoepjes en een paar stukken
fruit. Ik kan het niet geloven. Sinds ik vertrokken ben, heb ik alleen
nog maar extreem vriendelijke mensen ontmoet. Ik heb de indruk
in die mensen die me onderdak geven, een van de twee vrouwen te
herkennen die me zo mysterieus hebben gegroet op die afgedankte
spoorweg dicht bij de Duitse grens in België.

Rond 8 u klopt Martina op de deur. 'Komt u ontbijten?'
Martina is in de keuken. Ik ga aan tafel zitten, waarop ze ont-
bijtgranen, broodjes en een glas vers vruchtensap voor me heeft
klaargezet. Zij gaat zelf tegenover me zitten. Ze bijt op haar onder-
lip. Ik voel dat ze me iets belangrijks wil vertellen. Martina aarzelt:
'Mijn zoon Alexander heeft een dubbele niertransplantatie onder-
gaan. De dokters zeggen dat het gevaar op afstoting reëel is. Dat
zou een ramp zijn.'

Ik luister zwijgend naar haar verhaal. Ik besef op dat precieze
ogenblik dat mijn tocht met de ontmoetingen en de evolutie van de
reis steeds meer betekenis krijgt.

Ik beloof haar dat ik voor haar zoon zal bidden in Jeruzalem. Haar ogen vullen zich met tranen. Martina zou me alles geven wat ze bezit voor die paar woorden die ik net heb uitgesproken. Er wordt aan de deur gebeld. Het is Frederike die me komt ophalen. Ik pak mijn spullen bij elkaar. Het valt me zwaar deze zo vriendelijke vrouw te verlaten. Bij het afscheid geeft ze me een zijden foulard. 'Voor de doortocht van de woestijn...'
De deur valt dicht achter dit stukje leven waar mijn stappen me heen hebben gebracht. Dit is het lot van de bedevaartganger. Na de mis vergezelt Frederike me naar de rand van het dorp en ze wijst me de weg naar Worms aan.
'Frederike, hoe kan ik Martina en u bedanken?'
'Loop en bid, de wereld heeft het hard nodig.'

Loop en bid...
Voelen dat ik besta in de blik van de ander geeft me de kracht om door te gaan. Liefdadigheid geeft volop energie. Met veel enthousiasme ga ik weer op weg door het monotone, door de regen schoongespoelde platteland. De beekjes stromen naar de Rijnvlakte, die ik over twee dagen in Worms zal bereiken.
Onder het portaal van de Liebfraukirche, de kerk die haar naam heeft gegeven aan de beroemde Liebfraumilch, wacht ik op de pastoor, die slechts rond middernacht zal aankomen. De neoklassieke kerk ligt in een achtergestelde wijk, tegenover een groot stuk braakgrond. Ongure types komen dichterbij en gaan weer weg als ze me zien. Ze vermoeden waarschijnlijk dat er bij mij niet veel te halen is. Daar in dat kerkportaal lijk ik wel een dakloze. Deze stad heeft veel aan belang ingeboet. Ze werd zwaar getroffen tijdens de Tweede Wereldoorlog. Van het illustere verleden rest alleen nog het oude joodse kerkhof met zijn 1000 jaar oude graven aan de Andreasring. De oude synagoge werd volkomen met de grond gelijkgemaakt.

Sinds mijn vertrek, niet eens een maand geleden, ben ik al 5 kilo afgevallen. Als ik 5 kilo per maand afval, zal ik er lief uitzien in de straten van Jeruzalem! Misschien moet ik daar wel met mijn armen gespreid lopen om niet in de rioolputjes te verdwijnen... De meest geruststellende constatering die ik na elke wandeldag doe, is dat ik gespaard blijf van tendinitis, ook al neem ik het niet te nauw met mijn voornemen om de eerste weken niet meer dan 30 kilometer per dag af te leggen. Na minder dan drie weken nader ik het centrum van Duitsland. Als ik dit tempo volhoud, kan ik meer dan 1000 kilometer per maand afleggen. Als ik gespaard blijf van tendinitis ben ik zo op drie maanden in Istanbul. Maar op mijn eerste grote voettocht in 1998, toen ik van Gent naar Santiago de Compostela ben gelopen, kreeg ik na 300 kilometer een vreselijke ontsteking aan mijn beide achillespezen. Het was bij elke stap alsof iemand met een snoeischaar mijn pezen doorknipte. Twee jaar later, tijdens mijn voettocht naar Rome, moest ik in de Champagnestreek drie dagen halt houden. Ik kon toen onmogelijk lopen door een ontsteking aan het scheenbeen. Hopelijk blijft het me ditmaal allemaal bespaard. Ik besef dat er op ieder moment een eind kan komen aan de droom. Het vertrouwen is er nog altijd, maar ik blijf op mijn hoede. Daarom is elke gezette stap uniek en onomkeerbaar. Ik loop op kousenvoeten over het scherp van de snede.

Lopen is als beeldhouwen, je haalt weg wat te veel is. De afgelegde kilometers zijn definitief weg en brengen me voortdurend dichter bij mijn doel. Ik leg betrekkelijk dichtbije doelen vast, die binnen het bevattingsvermogen van een langeafstandswandelaar vallen. Zo ben ik, als alles goed gaat, over een twaalftal dagen tussen München en Ingolstadt. Dan is het nog maar een honderdtal kilometer naar Oostenrijk, het derde land op mijn tocht. En een land met een niet te veronachtzamen natuurlijke barrière: de Alpen!

Ik moet de Rijn een tiental kilometer volgen voor ik ze kan oversteken. De rivier is al vrij breed op deze hoogte. Enorme binnenschepen varen voorbij en geven kleur aan het grijze water van de rivier. In de verte zie ik een aak met een Belgische vlag. Ik hef mijn stok naar mijn landgenoot, die rustig naar het noorden vaart. Een onverklaarbaar gevoel van patriottisme maakt zich van me meester. Als ik op dat moment op het jaagpad iemand was tegengekomen, zou ik het hem gegarandeerd verteld hebben. Met het risico voor een onnozele idioot te worden gehouden...

Het jaagpad naast de Rijn is begroeid met oude platanen, die allemaal in eenzelfde hoek naar de rivier toe buigen. Ze versterken de nostalgische sfeer van het landschap. Ik word er ook nostalgisch van. Ik denk aan hen die ik heb achtergelaten. Het geklots van het water maakt me eindeloos loom.

De agressiviteit van auto's is vreselijk voor de wandelaar. Telkens als er een auto voorbijraast, schrik ik op uit mijn mijmeringen. Ik steek de Rijn over via een loopbrug voor voetgangers, die in het midden van de snelweg ligt. Bij elke passerende auto word ik weggeblazen door de luchtverplaatsing. Ik loop tussen de twee rijrichtingen en ik ben geschokt door zoveel lawaai en snelheid.

Wat nu volgt is allesbehalve leuk. Om Heidelberg te bereiken moet ik door de industriestad Mannheim en over het fabrieksterrein van BASF, dat de oppervlakte heeft van een Belgische provinciestad. Er werken meer dan 40.000 mensen. Als ik door lelijke stedelijke gebieden loop, ben ik driemaal zo vlug uitgeput. Lelijkheid is schadelijk voor de geestelijke en de lichamelijke gezondheid. Om deze aanslag op de zintuigen te verzachten, probeer ik mijn aandacht te richten op de zachte heuvels van Baden-Württemberg, die zich in de verte aftekenen. Terwijl ik door Mannheim loop, kijk ik naar de bergen. Zodra ik op de hoogvlakte ben, verlaat ik ze niet meer voor de Hongaarse poesta, 850 kilometer van hier!

Mijn aankomst in Heidelberg is een belangrijk psychologisch moment. Ik ben er ongeveer halverwege mijn traject in Duitsland.

Ik heb er een afspraak met Nadine Homsy, een vriendin van vele jaren die ik al heel lang niet meer gezien heb. Ik heb een paar dagen geleden contact met haar opgenomen. Ik kijk ernaar uit om haar weer te zien. We hebben afgesproken in het stadscentrum. Ik zit op mijn rugzak en herken haar van ver, hoewel we elkaar al 14 jaar niet meer hebben gezien! Haar blik is niet veranderd. De warmte die haar groenbruine ogen uitstralen, was ik niet vergeten. Nadine neemt me mee naar haar ouders. Ik verheug me erop om kennis te maken met haar vader Edmond, zeker omdat hij Syriër is. Het plezier is wederzijds. Edmond is ongeduldig om mijn verhaal te horen. Hij kan zijn enthousiasme moeilijk verbergen en neemt me meteen apart. 'Je zult buitengewone dingen meemaken in Syrië. Geloof niet wat ze allemaal vertellen over mijn land. Het is geen land van terroristen. Het is een multicultureel land, waar je de eerste kerken van het Oosten zult zien.'

De woorden van Edmond zijn me dierbaar en geven me moed voor de toekomst. Het is alsof de weg aantrekkelijker wordt naarmate ik vorder. Edmond stamt uit een familie van christelijke intellectuelen in Damascus. Hij spreekt perfect Frans, zoals de hele burgerij in Damascus. Na zijn studies geneeskunde in Duitsland is hij er gebleven om te werken als arts en om in de buurt van Mannheim een ziekenhuis te stichten.

Ik breng de avond door met Nadine. Ik voel me prima in dit restaurantje. Het is alsof ik na een harde werkweek een aangename avond doorbreng met een vriendin. Eén avond lang vind ik de charme terug van een leven dat ik achter me lijk te hebben gelaten. Ik speel de grote meneer, haal het sinds mijn vertrek onaangeroerde biljet van 50 euro tevoorschijn en betaal de rekening. Als het geld op is, is het op! Het idee om zonder geld door onbekende landen te reizen, verschaft me een bijzondere vreugde. Die vreugde is het gevolg van het vertrouwen dat steeds groeit naarmate de reis concreet gestalte krijgt. De vreugde verjaagt iedere vorm van angst, die een mens in zichzelf keert en afsnijdt van de buitenwereld. Met het oversteken van de landsgrenzen overschrijd ik ook de grenzen van mijn geest. Landen hebben grenzen, de geest niet.

De volgende morgen komt Nadine mijn kamer binnen met Lukas, haar zoontje dat nog geen jaar oud is. Ik ben nog in een diepe slaap als ze op de rand van het bed komt zitten. Het gebrabbel van Lukas maakt me wakker. De grote blauwe ogen van het kind kijken me lachend aan.

Enkele uren later verlaat ik dit huiselijke nest en begeef me weer op de weg naar het onbekende. Ik volg de rivier de Neckar.

Na drie dagen kom ik aan de Donau. Tegen dit tempo schat ik over tien dagen aan de Oostenrijkse grens te zijn.

De Weg krijgt vorm. Het is niet nodig er een bijkomende zin aan te geven. Alles is er. Alles is er altijd, je moet er alleen oog voor hebben.

Ik loop verder over de hoge oevers van de blauwe Donau en maal de kilometers af zonder veel aandacht te besteden aan de omgeving, die weinig verschilt van de Hoge Venen in België. Het weer is erbarmelijk. De miezerige motregen die me sinds de Eifel niet verlaten heeft, verandert in een onophoudelijke regen die me doorweekt en door en door koud maakt. Ik loop onwillekeurig van de ene wereld naar de andere, van de ene geestestoestand naar de andere, van een wandelpad naar een rijksweg. Vrachtwagens rijden rakelings langs me heen, een aureool van water en lucht producerend. Ik moet me vastklemmen aan mijn stok om het evenwicht niet te verliezen en niet weggeblazen te worden door de luchtverplaatsing. Niet van mijn stuk raken. En doorgaan. Altijd. Alles is doorweekt, ook mijn geest.

Op zeldzame ogenblikken, zoals tijdens mijn tocht door de Eifel, houd ik hooguit een kwartiertje halt om iets in mijn mond te steken. Ik leg afstanden van meer dan 40 kilometer af zonder te stoppen. De steden en dorpen liggen te ver uit elkaar om onderweg te stoppen en te proberen iets warms te pakken te krijgen. Met dit weer zijn de steden verlaten. De zeldzame voorbijgangers kijken me aan met een mengeling van nieuwsgierigheid en onverschilligheid.

Gelukkig vind ik iedere avond onderdak in een pastorie, soms een protestantse, soms een katholieke. De mensen zijn stomverbaasd over mijn onderneming. Ik ook trouwens. Ik ben nochtans niet de eerste, noch de laatste die te voet naar Jeruzalem reis. Ik krijg waarschuwingen. Mijn route loopt door zogenaamd onstabiele streken. Wat verder, in het Nabije Oosten, zal de moord op de vroegere premier van Libanon, Hariri, de zaken ook niet gemakkelijker maken.

De koude, de regen, het gebrek aan evenwichtige voeding en de vermoeidheid ondermijnen soms mijn moreel. Macabere ideeën kloppen aan aan de deur van mijn geest. Men zegt me dat ik grote risico's neem. 'Je kunt sterven op zo'n tocht!'

In de stilte van de tocht hoor ik een stem die me geruststelt. Zou dat het Woord zijn? Die stem klinkt door in alle tijden, maar wie hoort ze nog in de drukte van onze overvolle levens? Op mijn stille tocht wordt het geprevel bijna hoorbaar en het haalt me uit mijn lethargie.

Je hoeft niet bang te zijn voor de verschrikking van de nacht,
of de pijl die suist overdag,
of voor de pest die rondwaart in het donker,
of voor de moordende plaag van de middag. (Psalm 91)

Ik kom aan in het middeleeuwse stadje Bad Wimpfen. Ik begeef me naar het benedictijnenklooster. Op de deur hangt een papier: *Beste pelgrim, we verwachten je. Kom terug rond 21 u.* Een vriendelijke monnik van een naburig klooster heeft de moeite gedaan de kloosteroverste van mijn mogelijke komst op de hoogte te brengen. Ik zoek mijn toevlucht onder de romaanse portiek. In afwachting dat de klokken negen uur slaan, ontdoe ik me van mijn schoenen die om mijn gezwollen voeten klemmen. Het klokkenspel dat het kwartier aangeeft, geeft ritme aan de voorbijgaande tijd en maakt me er bewust van. De regen die tegen het fronton klettert, kalmeert me en dompelt me in een aangename loomheid. Negen slagen doen me uit mijn verdoving opschrikken. Ik trek mijn zware leren stapschoenen aan en sleep me naar de poort. Een monnik in een lange zwarte pij opent vriendelijk glimlachend de poort. 'U moet de pelgrim zijn! Wees welkom!'

Na een snelle maaltijd brengt de goede monnik, wiens baard na jaren zoeken naar vrede helemaal wit is geworden, me naar mijn kamer.
Ik volg hem door de doolhof van eindeloze gangen. Een oude eiken deur komt uit op een fraai ogende kamer met een groot hemelbed waarin een dikke dons ligt. 'U slaapt in de kamer van de bisschop!'

Ik laat me neervallen op het sierlijke bed en zink diep weg in het zachte dons. Ik val in een welkome slaap en droom. In mijn droom komt Virginie, een vriendin die ten gevolge van kanker haar benen niet meer kan gebruiken, op mij toegelopen. Ze is niet meer ziek. Ze is genezen en dankt God voor dit mirakel. Ze loopt en rent met een onstilbare gretigheid. 'Virginie, je loopt niet, je vliegt. Je vliegt door het dons en de wereld om je heen is een en al zachtheid. Je bent niet meer ziek. Je weerspiegelt het wonderlijke licht dat je aangeraakt heeft. Je schittert van het licht. Je loopt op onze dromen.'

TE VOET NAAR JERUZALEM

Een lichtstraal haalt me uit mijn onschuldige slaap. De zon dringt binnen door een spleet tussen de luiken. Ik heb een glimlach op mijn lippen. Even nog houd ik mijn ogen gesloten en geniet ik van de warmte van de zon op mijn gezicht. God, wat is dit mooi! Ik spring uit bed en gooi de luiken open. De zware donkere wolken zijn verjaagd door de wind en de kloostergang baadt in een stralende zon. Ik adem diep de zuivere lucht in.

De oude kloostergang weerspiegelt de vroegere grandeur van de kloosters. Toch telt het klooster van Bad Wimpfen nog slechts twee monniken. Voor ik vertrek, woon ik de religieuze dienst bij. De oude prior zingt de gregoriaanse gezangen, de andere monnik begeleidt hem op het orgel. De warme maar wankele stem bevat nog alle kracht van de benedictijnen, maar verraadt ook een zekere weemoed over de voorbije glorie van het klooster.

De ochtendzon verdwijnt achter een nieuw wolkendek. Al snel vallen de eerste regendruppels. Het is alsof het respijt dat me was vergund net lang genoeg mocht duren om uit mijn droom te ontwaken. Wanneer ik al een tiental kilometer heb gelopen, stopt een dame met de auto naast me en geeft me een plastic doos. Er zit brood, worst en kaas in, mooi in een papieren servet gewikkeld. 'Ik zag u vanmorgen door de motregen lopen. Ik had medelijden met u. Dit zal u goed doen.' Voor ze verder rijdt, zegt ze nog: 'Ik weet niet of u nog ver moet lopen, maar er staat u nog veel regen te wachten.'

De lucht ziet er weer somber uit. Ik kom op een andere rijksweg en laat me opnieuw wegblazen door de luchtverplaatsing die de vrachtwagens veroorzaken. En alsof dat nog niet genoeg is, krijg ik een golf water tegen mijn zij. Bij iedere voorbijrijdende vrachtwagen houd ik mijn adem in. En toch blijf ik op deze drukke weg, in de overpeinzingen van de tocht, een niet te temperen vreugde voelen.

In de dorpen vragen mannen en vrouwen me voor hen te bidden. Mensen komen naar mij toe, alsof mijn komst verwacht is. Ze vragen me honderduit. Toch lijken deze mensen, die met hun gezin samenwonen in een huis, een grotere eenzaamheid te kennen dan ik. Ik voel me niet alleen. Het aantal gebedsintenties groeit voort-durend. De tocht krijgt steeds meer betekenis. Mijn leven ook.

Op 19 april ben ik te gast in een rusthuis van de Comboni-missio-narissen, wanneer in de gangen plots opgewonden geluiden weer-klinken: '*Wir haben einen Papst, wir haben einen Papst!* We hebben een paus! We hebben een paus!'

De deuren vliegen open en de oude kostgangers komen naar bui-ten, in hun rolstoel of met hun wandelstok, en reppen zich naar de televisiezaal. Alle blikken zijn op het tv-scherm gericht: op het pau-selijk balkon, achter de gordijnen, is het duidelijk een va-et-vient. Dan doet de prelaat de plechtige afkondiging: *Habemus papam!* De sfeer is geladen. De oude mannen kijken aandachtig naar het tv-scherm en houden de adem in. Nog enkele ogenblikken... Als uit-eindelijk de naam van de Beierse kardinaal valt, klinken kreten van vreugde en de oude missionarissen wensen elkaar geluk. Het is alsof ik in een volkscafé een overwinning in een voetbalbeker hoor aan-kondigen. Er worden handen geschud en vuisten gaan gebald in de lucht, zakdoeken worden tevoorschijn gehaald om tranen te drogen en luide vreugdekreten klinken op uit schorre kelen. Sommigen knielen en maken een kruisteken. Men wisselt gelukwensen uit en klopt elkaar op de schouder.

In Beieren duurt de feestelijke stemming zo enkele dagen voort. De volgende dag ben ik in Ellwangen opnieuw te gast in een rusthuis. Hier hebben de bewoners de overwinning zo stevig met drank over-goten dat ze zich nog amper overeind kunnen houden. Kortom, Beieren feest en het bier stroomt bij beken!

De regen ook.

Hier in Beieren voel ik me meer dan ooit omringd, terwijl ik fysiek alleen ben. Bij het verlaten van een stad wordt mijn aandacht getrokken door een oude man. Hij ziet er vertederend uit onder zijn parapluutje. Ik loop naar hem toe en doe alsof ik de weg kwijt ben. Hans is 86 en tijdens de Tweede Wereldoorlog zat hij gevangen in Frankrijk. In de oorlog werd hij getroffen door vier kogels. 'Ik leef nog, maar waarvoor eigenlijk? Ik ben alleen nu. Helemaal alleen. Ik heb niemand meer...'

De eenzaamheid van Hans roert me. 'Meneer, weet dat ergens iemand voor u naar Jeruzalem loopt.' De oude ogen van Hans vullen zich met tranen. Mijn stappen worden uitgeveegd door de wind en de regen striemt mijn gezicht. Mijn tranen mengen zich ongemerkt met het water dat over mijn gezicht stroomt. Het is heel donker. Als het blijft regenen, treden de rivieren buiten hun oevers. Ik voel me opeens heel kwetsbaar. In de permanente tocht naar het onbekende heb ik alleen het gebed om op te steunen. Het geeft me de kracht die iedere angst verjaagt.

Als ik de kaart van Europa bekijk, merk ik dat ik iedere dag een paar millimeter opschuif naar het oosten. Die toevallige constatering doet mijn sombere gevoel verdwijnen.

Bij het naderen van München probeer ik de toppen van de Alpen te onderscheiden. Een vrachtwagenbestuurder zegt me dat er nog dikke pakken sneeuw zijn gevallen in de Oostenrijkse bergen. Volgens mijn laatste schattingen zou ik de Alpen moeten bereiken in het begin van de maand mei. Hopelijk is de sneeuw tegen die tijd gesmolten!

Wat me verontrust, is dat het weer nog steeds verslechtert. Zowel overdag als 's nachts blijft de regen op Duitsland neervallen met een verbijsterende regelmaat. Ondanks mijn degelijk regenjack ben ik op mijn tocht door Duitsland meestal totaal doorweekt. Iedere avond moet ik een plek vinden om te overnachten en bovendien moet ik ervoor zorgen dat ik mijn kleren droog krijg. Ik heb mijn buik vol van de regen. Met het slechte weer krijg ik ook het gevoel dat het zo lang duurt. Komt er ooit een eind aan dit land?

Aan het eind van iedere etappe denk ik maar aan één ding: een warme plek zien te vinden, met een douche of een bad. Vandaag, 20 april, ben ik bezig aan de 24ste dag van mijn voettocht. Het regent nu al bijna twee weken zonder ophouden. Ik voel me beroerd, de hele dag die verschrikkelijke motregen die mijn botten verstijft. Zal deze vervloekte regen uiteindelijk mijn moreel ondermijnen? Overdag kom ik weinig mensen tegen. Niemand waagt zich buiten in dit ellendige weer.

Ik mijd zo veel mogelijk de grote verkeersaders. Ik kies voor twijfelachtige paden en loop op mijn kompas. Aan mijn kaarten heb ik niets, want ze zijn niet gedetailleerd genoeg. Ik loop op goed geluk door een bos. De weg lijkt me in de goede richting te lopen. Om 15 u ben ik nog 20 kilometer verwijderd van het doel dat ik me voor die dag heb gesteld. De wolken hangen laag. Ik zak met elke stap diep weg in de modder. Het wordt geleidelijk aan een onmogelijke onderneming. Loop ik wel in de goede richting? Na 20 minuten besef ik dat ik in een kringetje loop. Ik moet de waarheid onder ogen zien: ik ben totaal verloren gelopen. Ik vloek en foeter en wind me op. 'Kan er hier misschien iemand mij vertellen in wat voor een rotonderneming ik ben beland? Ik ben dit weer beu, ik ben het beu om in rondjes te lopen. Wat moet ik in dit godvergeten gat?'

Ik ga zitten onder een oude eik. Ik heb zin om daar te blijven zitten. Ik ben niemand iets verplicht. En als ik nu eens bleef zitten? Een zoete maar waanzinnige gedachte. Als ik weer tot mezelf ben gekomen, beslis ik door het bos te lopen tot ik op een pad kom. Ik houd rekening met de mogelijkheid dat ik hier moet bivakkeren. Amper vijftien meter van me vandaan loopt een kudde everzwijnen. Een beetje later kom ik op een pad dat zich wat verder splitst. Ik laat me leiden door mijn intuïtie en kom uit op een rots die een weids uitzicht biedt over de vlakte. Van daarboven zie ik hoe de rivieren buiten hun oevers zijn getreden en de velden onder water hebben gezet. De toestand wordt hachelijk. Ik loop door de eerste overstroomde dorpen. Een dorpsbewoner vertelt me dat als de regen voortduurt, de deelstaat Beieren een rampenplan zal uitvaardigen. De Donau heeft zijn hoogste peil bereikt. Ik ben steeds meer getuige van trieste taferelen.

Dankzij het afschuwelijke weer is onderdak vinden geen probleem. In het oude benedictijnenklooster van Donauwörth, dat nu is ingericht als kostschool, geeft de overste me een kleine replica van een kruis, dat in 1026 door een plaatselijk vorst werd meegebracht uit Byzantium. *Om me te beschermen tegen wat er kan gebeuren...* Ik hang het de volgende morgen voor het vertrek aan de riem van mijn rugzak.

Tussen de Donau en de Inn staan hele gebieden blank. Ik moet tientallen kilometers omlopen om stukken ondergelopen weg te vermijden. Vandaag heb ik nog maar vijfentwintig kilometer afgelegd en het is al 16 u; om goed te zijn zou ik er nog achttien moeten doen, tot Aichach. Maar mijn voeten kunnen me nog amper dragen en ik loop als een robot. Ik zet de ene stap na de andere, zonder aan iets te denken. Ik voel zelfs mijn pijnlijke voeten niet meer, die maar één ding vragen: een beetje rust. De verbinding tussen de pijn en de zin om te stoppen is al een hele tijd verbroken. Een zuiltje naast het pad trekt mijn aandacht: ik zie een piëta. Maria houdt haar Zoon in haar armen en kijkt naar de donkergrijze lucht. Ik sla spontaan een kleine zijweg in. Dan maar niet naar Aichach. Voorbij de bocht kom ik in het dorpje Ostershauzen. Een vrouw duwt een kruiwagen voort terwijl haar man de tractor in de schuur zet.

'Mevrouw, vindt u het goed dat ik deze nacht in uw schuur slaap?'

'In een schuur? Schuren zijn voor de varkens!'

Een kwartier later sta ik onder een warme douche, terwijl mijn kleren in de wasmachine zitten. Lekkere geuren vullen het huis. Klaus Harlander zet een ligstoel voor me in de tuin. Enkele schuchtere zonnestralen breken door de wolken. Ik krijg een biertje. Een halfuur geleden was het allemaal kommer en kwel, nu voel ik me zalig. Van mijn ligstoel zie ik in een hoek van de tuin de piëta, waar ik was langs gekomen. Het beeld wordt beschenen door een straal zon. Het schittert. Alles lijkt te verlopen volgens een geheim plan, waarvan ik de afloop niet ken. Ik weet alleen dat ik in vertrouwen moet aanvaarden wat op me afkomt. Ik kijk naar mijn gekruiste benen op de ligstoel, drink een slok Beiers gerstebier en zeg bij mezelf dat het allemaal beantwoordt aan een onverbiddelijke logica. Die benen brengen me naar een bestemming die zo ver ligt dat ze bijna abstract wordt, maar de weg erheen is vol verrassingen...

IV. Het dodenkamp

Bij het naderen van München staan naast de wegen borden ter nagedachtenis aan de laatste reis van duizenden joden naar het concentratiekamp van Dachau.

Als ik het eerste van deze borden zie, wil ik er aanvankelijk niet aan denken. Maar hoe meer ik er zie, hoe duidelijker het voor me wordt dat ik naar het kamp van Dachau moet. Het is alsof ik er een belangrijke afspraak heb. Een vreemd voorgevoel overvalt me. Ik moet er absoluut heen. Mijn geweten zou het me niet vergeven als ik niet ging. Bewust Dachau vermijden zou betekenen dat ik wegvlucht van een duister gebied zonder er een beetje licht te brengen. Ik verander mijn route en weet dat voortaan niets nog zal zijn als vroeger.

Had ik niet tegen mezelf gezegd dat ik niet alleen voor mezelf liep, maar voor iedereen die ik onderweg ontmoette? Ik stel me die mannen, vrouwen en kinderen voor, die onder bedreiging van wapens op weg zijn naar dat kamp waaruit ze nooit zullen terugkeren. Ik ben vrij. Vrij om verder te gaan of terug te keren. Ik kan ook blijven staan. Als zij bleven staan, kregen ze een kogel in de nek...

Mijn persoonlijk verhaal maakt zoals dat van iedereen deel uit van de geschiedenis van onze gemeenschap, die op haar beurt deel uitmaakt van de geschiedenis van de mensheid. Net als het leven van al deze mannen, vrouwen en kinderen die tot deze gruwel waren veroordeeld. Toch verschilden ze niet van mij. Het enige verschil tussen hen en mij? Hun vrijheid die hun voorgoed ontnomen werd. Met welk recht? Ik ben op weg naar Jeruzalem, naar dat land dat ook het hunne was.

Drie dagen later sta ik voor een ijzeren poort met wachttorentjes. Ik loop langs een 600 meter lange afsluiting van prikkeldraad. In het kamp heerst een doodse stilte. Ik heb de indruk over een monochroom schaakbord te lopen. Ik zie alleen grijs, zwart en wit.

Voor de herdenkingsmonumenten verzamelen zich groepjes bezoekers. Enkele officiële personen nemen het woord. Het is vandaag 24 april en uit heel Europa zijn bezoekers gekomen om te herdenken dat het kamp 60 jaar geleden werd bevrijd.

Op 22 maart 1933 werd het eerste concentratiekamp van het Derde Rijk opgericht. In de 12 jaar dat het bestond leefden er 200.000 mensen. Bijna 32.000 mensen stierven er door uitputting, fusillering, ziekte, medische experimenten en vergassing. Ik dwaal rond tussen de barakken, waarin mensen leefden als konijnen in een kooi. Voor mij kunnen enkele bejaarde bezoekers hun tranen niet bedwingen. Wat verderop duwt een man een groot ijzeren hek open. In het midden van het hek staat te lezen 'ARBEIT MACHT FREI'.

Ik loop door de lange gang van de 'Bunker'. Het getik van mijn stok weergalmt in de eindeloze gang. Achter tientallen metalen deuren liggen de cellen waarin de gevangenen zaten te wachten op de kwelling van de 'medische' tests van de nazi-artsen. De rillingen lopen over mijn rug. Dit is een plek van echte terreur. Voor veel gevangenen was zelfmoord de enige manier om te ontsnappen aan de machtswellust en het sadisme van de bewakers. In sommige cellen werden de gevangenen tijdens hun ondervraging door de Gestapo gemarteld. Andere gevangenen zaten opgesloten in cellen van 70 bij 70 cm. Ze konden noch zitten noch staan.[2] Als het erom gaat zijn medemens pijn te doen, kent de wreedheid van de mens geen grenzen.

Voor de gaskamers blijf ik sprakeloos staan. Ik kan het niet begrijpen. Ik voel me misselijk. Ik kan niet meer denken. Ik zwerf door het kamp. De plaats waar de barakken stonden, is nu een vlakte vol stenen. Ik heb de indruk dat ik een tapijt van zielen zie. Ik buk me, raap een steen op en doe de belofte hem mee te nemen naar Jeruzalem. Als God het wil stop ik hem 5000 kilometer verderop in de Klaagmuur.

[2] http://www.kz-gedenkstaette-dachau.de/englisch/frame/geschichte.htm
Officiële website van het concentratiekamp van Dachau.

Ik verlaat het kamp rond de middag. Ik ben nog verdoofd door wat ik net heb gezien. Ik kan het niet geloven. Maar de steen diep in mijn zak is mijn stille getuige.

Na een paar kilometer komt een man grijnzend op me toegelopen. Hij draagt een Beierse hoed. Zijn ogen zitten verstopt achter een grote donkere bril. Zijn extreem grote mond trekt mijn aandacht. Wanneer hij begint te praten, zie ik zijn zwaar gehavende gebit. 'Zo, ben je het concentratiekamp gaan bezoeken? Ik heb nog onder Hitler gediend. Ik was een nazi. Nee, geen legerofficier, ik was geoloog. Maar ik heb toch onder Hitler gediend.'

Ik heb geen zin om te praten met die ouwe gek. Ik loop door, maar ik hoor zijn griezelig gegrinnik achter me, alsof hij me achtervolgt. Ik laat hem praten. *Laat de doden hun doden begraven.* Het begint weer te regenen. Ik ben bijna tevreden dat ik de regen op mijn gezicht voel. Ik voel dat ik leef. Ik begin te rennen om deze plek te verlaten, ik heb de indruk dat ik nog steeds achtervolgd word door het gegrinnik van die oude idioot. Ik ren voort met het steentje in mijn hand.

Met een oorverdovend lawaai gieren de vliegtuigen over de natte baan. Ik volg al vijf kilometer het hek naast de landingsbaan van de luchthaven van München. Ik ben getuige van een hels bal. Het regent pijpenstelen. Ik lach erom. Ja, ik moet smakelijk lachen. Wat kan de wereld absurd zijn! Ik ben nog aan het lachen als een politiewagen mijn richting uit komt gereden. De twee politiemannen hadden me al van ver gezien. Ze turen door de voorruit en verschijnen en verdwijnen met het heen en weer gaan van de ruitenwissers. Ze kijken me indringend aan en stoppen op een tiental meter van mij. Ze wachten tot ik hetzelfde doe. Hun veiligheidsprotocol interesseert me niet. Met een onverschillige blik loop ik hen voorbij en zet mijn trieste tocht voort. Mijn voeten zinken bij elke stap weg in de modder.

Door de voortdurende wrijving vormen zich enorme blaren op mijn natte voeten. Het is geen goed idee om halt te houden en de wonde te laten afkoelen, want zodra ik stop, al is het maar een minuut, word ik verlamd door een brandende pijn.

In een uiterst belabberde staat kom ik aan in Freising. Ik word er opgevangen door de gemeenschap van de broeders en zusters van Sint-Vincentius Pallotti. Deze gemeenschap wil het geloof en de liefde tussen de mensen een nieuw elan geven. Ik word ontvangen als een vorst. Dit huis hangt af van het aartsbisdom München en staat open voor mensen die psychologische hulp zoeken. Een zuster brengt me heel respectvol naar een mooie comfortabele kamer. Ze ziet dat ik moeilijk loop: 'Ik kom voor het eten nog even bij je langs.' Ze heeft een doordringende blik. Een halfuur later komt zuster Marie-Hélène terug met flesjes en verbandwatjes. Heel voorzichtig verzorgt ze mijn wonden. De blaren zijn zo groot als een ei. Door al dat vocht is de toestand van mijn voeten zorgwekkend. Totaal in puin zijn ze! Na de maaltijd zegt zuster Marie-Hélène me haar te volgen. Ik ben te moe om haar te vragen waar ze met me heen wil. Ik loop gewillig met haar mee. Ze laat me een kapel binnengaan, waar het allerheiligste is uitgestald. 'Je bent niet alleen op weg. Je vrees voor de Heer is je schild. Je zult in Jeruzalem aankomen! Wat je doet is van wezenlijk belang voor de wereld van vandaag. Onze wereld begint overal barsten te vertonen. De komende tijden zullen betekenisvol zijn: we zullen de wereld op zijn voetstuk zien daveren. De tijd dat we ons kamp zullen moeten kiezen, is op handen.'

Bij het buitengaan geeft ze me haar rozenkrans.

Voor ik in een bodemloze slaap verzink, denk ik aan Psalm 91, die ik voor mijn vertrek heb gekregen:

Al sneuvelen er duizend aan je ene zij,
tienduizend zelfs aan je rechter,
niemand zal jou raken;
als een schild staat zijn trouw om je heen. (Psalm 91)

De volgende morgen ga ik onder het welwillende oog van zuster Marie-Hélène weer op weg. Voor ik vertrek, stopt iemand me een enveloppe met geld in mijn handen. Ik neem ze zwijgend aan.

Ik loop de hele dag door zonder te stoppen. Niets nieuws aan de horizon. De regen blijft bij bakken neervallen. Onder deze zondvloed, waar ik me niet langer druk om maak, denk ik na over de mysterieuze woorden van zuster Marie-Hélène. Ik voel noch de pijn aan mijn bloedende voeten, noch de regen en de wind die me geselen. Ik laat de rozenkrans van de hele dag niet los.

Als 's avonds eindelijk het eind van de etappe in zicht is, wil ik me omkleden. Lopen met doorweekte kleren gaat nog wel, maar zodra ik stilsta, krijg ik gegarandeerd kou. Ik zoek een plaats waar ik droge kleren kan aantrekken. Als er in mijn rugzak tenminste nog droge kleren te vinden zijn... Ik vind geen andere plek dan de kerk van Erdning, een provinciestadje in de buurt van München.

In de kerk verberg ik me voor indiscrete blikken in de biechtstoel. Gelukkig is er niemand want bij elke beweging die ik maak, gaat de biechtstoel geweldig kraken! Ik ben benieuwd hoe het met mijn voeten gesteld is. Ik maak mijn veters los en trek langzaam mijn bottines uit. Ik bijt op mijn lippen. Als ik mijn kousen uittrek, komen er stukken vel mee. Ik klem mijn tanden op elkaar. Alles is doorweekt, ik moet allemaal andere kleren aantrekken. Ik kleed me in de smalle ruimte uit tot op mijn onderbroek. Ik ril. Op dat moment komt een oude vrouw binnen. Op amper één meter van mij steekt ze een kaars aan. Ik houd mijn adem in. Als ze maar niet komt biechten, want dan zit ik in de rats. Vanachter de deur zie ik haar verbazing als ze mijn kousen over de deur van de biechtstoel ziet hangen. Als ze een stap vooruit zet, ziet ze mijn blote benen onder het gordijntje. Dat zou een ramp zijn! Ik zit heel dicht bij een schandaal en de excommunicatie. Na een kort gebed loopt ze de kerk weer uit. Oef! Dat was op het nippertje. Ik kleed me ijlings weer aan en ga zoals iedere avond op zoek naar onderdak voor de nacht.

De bergen kunnen niet meer heel ver zijn. Als het weer een beetje meewilde, zou ik ze vast en zeker zien... Het reliëf wordt steeds glooiender en is al een voorafspiegeling van de bergen, die vlakbij zijn maar aan het oog worden onttrokken door een pak lage wolken. Om een omweg van 12 kilometer rond een riviertje te vermijden, besluit ik over te steken over een oude sluis. De sluis is in zeer bouwvallige staat en de enige manier om erover te komen is hangend als een aap. Ik gooi mijn stok naar de overkant en houd me vast aan een balk. Mijn voeten dreigen weg te glijden of tussen de rotte planken te schieten. Twee meter onder mij stroomt de kolkende rivier. Als ik val word ik meegesleurd en raak ik nooit nog het water uit. Ik voel dat een van de twee balken het onder mijn gewicht dreigt te begeven. Ik betwijfel of ik alleen op de kracht van mijn armen aan de overkant kom met die zware rugzak. Maar ik moet verder, ik heb geen keuze. Ik haast me en slaag erin een voet op de oever te zetten. Maar het gewicht van de rugzak belet me te springen en mijn handen vinden geen steun. Ik voel dat ik houvast verlies. Ik hang even stil boven het bruisende water. Komaan, hop! Ik spring naar de oever en kom met twee voeten tegelijk neer. Dat was even warm! Ik kijk nog een ogenblik naar het snel voorbijstromende water. Ik zie hoe dikke takken naar de bodem worden gezogen en niet meer aan de oppervlakte komen. Een straal zon leidt mijn aandacht af. Ik raap mijn stok op en loop de heuvel op. Op de top aangekomen ben ik de koning van de wereld! Na dertig dagen lopen zie ik de besneeuwde Alpentoppen! Zalig glimlachend loop ik door.

Tijdens de laatste dagen van mijn tocht door Duitsland klaart de lucht eindelijk op. De besneeuwde toppen zijn nu duidelijk te zien. Het uitzicht geeft me een gevoel van vreugde, vermengd met angst. Over een paar dagen moet ik die toppen over. En van hieruit gezien is dat geen makkie. Een boer die ik wat verderop tegenkom, vertelt me dat er op 2000 meter hoogte nog twee meter sneeuw ligt... Dat belooft wat!

Een van mijn laatste nachten breng ik door bij de redemptoristen van Gars am Inn. De angstige gastenbroeder wil me wel onderdak geven, maar op één voorwaarde: dat hij me mag opsluiten in een onbewoonde vleugel van het klooster! Hij heeft al slechte ervaringen gehad met daklozen die in het klooster beginnen rond te dwalen en zoiets wil hij niet meer meemaken! Oké dan maar! Ik loop gedwee achter mijn cipier aan en die sluit me inderdaad op in een ongebruikte vleugel van het klooster! Voor hij de deur op dubbel slot draait, zegt hij nog: 'Ik breng je vanavond en morgenvroeg te eten, zorg ervoor dat je op tijd klaar bent!'

Wel, wel... Voor ik ook maar iets kan antwoorden, zit ik in de val van de bangige monnik. Ik kan mijn ogen niet geloven. Ik loop door de verschillende kamers, op zoek naar een min of meer fatsoenlijke slaapplaats. Ik vraag me af hoeveel tientallen jaren het geleden is dat er nog iemand een voet in deze sinistere en grauwe vleugel heeft gezet. Bah! Ach, het maakt niet uit... Ik leg mijn matje in een hoek en verzorg mijn voeten. De stukjes huid die loszitten, snijd ik af. Ik heb de slechte ingeving om alcohol op de wonde te doen. Ik slaak een gil die door de grote lege gangen galmt. Wie krijgt het in zijn hoofd om aan zo'n avontuur te beginnen...

Rond 7 u 's morgens word ik door een paar trappen tegen mijn achterste bruusk uit een diepe slaap gewekt.

'*Aufstehen!*'

'*¿Sí? ¿Qué pasa?*'

Ik ben zo verbouwereerd dat ik in het Spaans antwoord. Mijn cerberus dringt aan: '*Aufstehen!*'

'Ja, ja vriend, even geduld...'

Ik ben totaal in de war, weet niet meer waar mijn hoofd staat. Ik graai mijn spullen bijeen, stap met een been in mijn broek en hinkel achter hem aan. Mijn bewaker heeft nog de vriendelijkheid mij de resten van het avondmaal van gisteren te geven en wijst me dan de deur.

De zon gaat op boven de Alpen. De bergkammen kleuren schitterend roze. Ik stop mijn hand in mijn broekzak en haal het steentje van Dachau eruit. Ik druk het stevig in mijn handpalm.

Ik eet een paar korsten brood om de nieuwe dag te beginnen. Ziezo, we zijn weer vertrokken.

Ik loop door de laatste vlakten van Beieren. De koeien in de weiden kijken me lui aan wanneer ik voorbijkom.

V. Oostenrijk

De schoonheid van Salzburg fascineert me. Ik dwaal door de barokke en gotische straten van de oude stad, waar de grootste kunstenaars van Europa hebben verbleven. De bekendste van hen is zonder twijfel Mozart. De broeders van het franciscanenklooster geven me drie dagen onderdak. Hun goedheid en hun vrolijkheid geven me nieuwe energie. De wonden krijgen de tijd om dicht te gaan. Ik vertrek met volledig opgeladen batterijen. Ik verlaat Salzburg via een bochtig pad dat steil naar omhoog loopt. Ik laat stap na stap de beschaving achter me en word opgeslokt door een ingesloten vallei. Aan het eind van het pad, dicht bij de pas, staat een oude chalet. Een man is hout aan het hakken. Als hij me ziet, houdt hij ermee op en hij veegt het zweet van zijn voorhoofd. Met zijn bijl in de hand wijst hij me de weg naar Sankt Gilgen. Ik klauter een felgroene, steil klimmende weide op. Dicht bij de top draai ik me een laatste keer om. Over de bergen hangt een vaalblauwe sluier. In de verte vermoed ik Salzburg. Boven op de bergpas heb ik een spectaculair uitzicht op het meer van Sankt Wolfgang. Op één dag heb ik de vlakte geruild voor de bergen. Het is nauwelijks te geloven. Voorbij de bergpas trekt een nieuwe boerderij mijn aandacht. Ze is tijdloos mooi. Naast een grote sneeuwhoop is een oude vrouw bezig onkruid uit te trekken tussen de stenen. Ik loop op haar toe en roep zachtjes om haar niet te doen schrikken. Ze keert zich om met een brede glimlach. 'Kijk eens aan, een bezoeker! Die zijn zeldzaam in dit seizoen. Komt u van ver?'

De bejaarde vrouw is bijna blind. Haar gezicht is bezaaid met talloze rimpeltjes rond de grote heldere ogen.

'Ik kom uit België.'

'Te voet?'

'Ja.'

Haar blik klaart op. 'U bent een pelgrim, is het niet? Weet u dat pelgrims een net van licht weven op hun weg? Het gaat slecht met de wereld. Er is veel duisternis en haat. En de enige remedie is de liefde. De liefde moet de duisternis verjagen. U zult gaan naar waar uw stappen u leiden. Gemakkelijk zal het niet zijn, maar het zal u lukken. Ik voel het.'

Ik ga weer op weg en terwijl ik afdaal naar de vallei, denk ik na over de woorden van de oude vrouw. De knoppen kondigen de naderende lente aan. Opnieuw voel ik mij aangesproken door wat deze vrouw me heeft verteld. Het was alsof ze profetische woorden sprak...

Ik ben verrukt over het nieuwe decor, maar ik kom slechts langzaam vooruit in deze bergachtige streek. Na acht uur lopen ben ik slechts achttien kilometer naar het oosten opgeschoven. Het is niet belangrijk. Het lopen gaat gemakkelijk op de steile wegen. De schoonheid van de omgeving draagt me.

Deze schoonheid is van wezenlijk belang voor het moreel. Ze voedt en inspireert me, ze zorgt ervoor dat ik me altijd richt op het huidige moment en op alles wat dat inhoudt.

Op 3 mei heb ik bijna de helft van mijn traject in Oostenrijk afgelegd. Het weer is me tot dusver gunstig gezind geweest in Oostenrijk. Maar plots, op een kwartier tijd, wordt de lucht donker en verschijnen er sombere wolken boven de bergkammen. De kleuren van de bergbloemen worden dof. In een mum van tijd hullen dikke, donkere wolken de vallei, die daarnet nog zo fraai en fris oogde, in een dreigend schemerduister.

Als de storm er aankomt trekken mensen en dieren zich terug om plaats te maken voor de botsing van de elementen. Ik ben getuige van een nieuwe zondvloed. Boven mijn hoofd vormen zich zware zwarte wolken. Dan schiet onder een hels gedonder een bliksem door de lucht. Er is nergens beschutting. Ik loop met gebogen hoofd door, bang voor de toorn van de elementen. Ik heb de indruk dat ik op mijn hoofd over een kolkende oceaan loop. Flarden zwarte wolken scheuren zich onder een donderend geraas af van de opake massa. Ik moet zwaar betalen voor het genot van die paar mooie dagen. Ik loop als een bultenaar, met gebogen rug om te vermijden dat de woede van de stormgod op mij neerdaalt, en vorder langzaam in de richting van het kapucijnenklooster van Irdning. Een dik halfuur later sta ik totaal doorweekt voor de zware poort.

Ik bel aan. Ik luister aandachtig naar de geluiden binnen. Ik ril. Hopelijk doet er iemand open! Het is 20.45 u. Het gebergte achter me rommelt nog steeds. Het was een lange etappe: 45 kilometer door het middelgebergte en een bergpas van meer dan 1000 meter over.

Het leven zit vol tegenstellingen: na de ongenadige beklimmingen de toppen die de inspanning doen vergeten; na de nijpende honger de heerlijke plak spek; na de eenzaamheid van de lange tocht de deur die opengaat en een ontvangst die alle voorbije en komende zorgen doet vergeten. De zware deur van mijn klooster zwaait open en een monnik verschijnt. Ik herhaal de litanie van de bedevaartganger, eeuwig op zoek naar een toevlucht: 'Goeienavond, ik ben Sebastien en ik ben op bedevaart. Ik kom te voet uit België en ik ben op weg naar Jeruzalem. Ik wou u om gastvrijheid verzoeken voor een nacht.'

De goede monnik kijkt me vol medelijden aan. Ik druip nog van de regen. Hij zegt me: 'Ze verwachten nog heel slecht weer morgen. Blijf toch twee dagen!'

Tien minuten later zit ik aan tafel voor een lekkere maaltijd en een glas schnaps... Ik verheug me op het vooruitzicht twee nachten in dit prachtige, meer dan 500 jaar oude klooster te verblijven. De goede monnik hangt mijn doorweekte kleren te drogen in de verwarmingskelder. Ik krijg een cel onder een zware eiken balk. Na een warme douche kruip ik onder de wol. De oprechte gastvrijheid van de monniken is hartverwarmend. Buiten klettert de regen op de stenen.

In het leven moet men uiteraard vechten tegen de gevaren die van buitenaf komen, maar ook tegen degene die binnenin ontstaan. Neerslachtigheid klopt aan de deur van het geweten. Ik vecht tegen de moedeloosheid en ontwijk de voortdurende aanvallen door geruststellende mechanische bewegingen: een eindeloze rij stappen die alles in zich opneemt. Vechten. Vechten tegen mezelf. Vechten tegen de elementen die me belagen. Zou het paradijs een plek zijn waar men niet langer moet optornen tegen de wind?

's Morgens word ik wakker in dezelfde houding als die waarin ik was ingeslapen. De nacht heeft me goed gedaan. Ik sta op en schuif de gordijnen open. Het weer is nog even slecht als gisteren. De regen valt nog steeds, maar hij lijkt moe te zijn en is veranderd in een fijne miezerige motregen. De lucht zit nog altijd helemaal dicht. Ik vind het prima om hier te blijven en kruip met een brede glimlach weer onder het dons.

Na het ontbijt vraagt een van de novicen me de klokken te luiden voor de mis. Ik grijp de dikke touwen stevig vast en word na twee slagen naar boven getrokken, terwijl mijn pantoffels op de grond blijven staan. Een paar tellen later hang ik met mijn sokken vol gaten aan het klokkentouw. De hilarische situatie doet me in lachen uitbarsten. Met een beate glimlach op mijn gezicht bungel ik als een jojo op het gestage ritme van de klokken. In een plotselinge lachbui laat ik het touw los en donder met veel lawaai op de grond. De novice, die het lawaai heeft gehoord, snelt de klokkentoren in en ziet me daar liggen. We moeten er allebei hartelijk om lachen.

Ik maak van deze rustdag gebruik om mijn rugzak op orde te brengen, de riemen aan te passen en mijn kousen te herstellen. Ik bestudeer de kaarten en overweeg verschillende routes. 150 kilometer verderop heb ik de keuze: rond het massief van Steiermark lopen of over een bergpas er dwars door. Ik kies voor het laatste.

Broeder Rudy, de overste van de kloostergemeenschap van Irdning, stelt me voor een lezing van hem bij te wonen over het 'gebed van het hart'. Dit gebed, dat is opgenomen in het *Verhaal van de Russische pelgrim*, nodigt ertoe uit het diepe water in te lopen en heeft tot doel de psychische weerstand te overwinnen en zich te bevrijden van alle angst. Ik kende dat gebed, maar had het tot dan toe nooit in verband gebracht met mijn pelgrimstocht.

De volgende ochtend staan de monniken bijeen aan de koetspoort om afscheid van me te nemen. Ik heb het gevoel dat ik hier al jaren ben. Ik krijg de zegen van de overste. Voor ik achter de muur verdwijn, bekijk ik hen een laatste maal. Ze steken de hand op en schudden met het hoofd. Zij beleven de tijdloosheid door ter plaatse te blijven, ik probeer ze te beleven door te bewegen.

Naarmate ik vorder in de horizontaliteit van het landschap, besef ik dat ik tegelijk een lange reis naar binnen beleef, een reis op de verticale as. Ik bevind me op de kruising van horizontaliteit en verticaliteit. Alles ervaar ik vanuit dit moment: het nu-moment waar alles gegeven is. De kracht die hieruit ontspringt geeft me de moed om de diepte van mijn geweten te verkennen. Uit de diepte van mijn onderbewustzijn komen grootse momenten uit vroegere voettochten naar boven. Ik denk terug aan mijn eerste voettocht. In de winter van 1998 liep ik door de Landes in zuidelijke richting. Ik was op weg naar Santiago de Compostela. Ik liep over een eindeloze rechte weg door de Landes, toen mijn stappen als vanzelf stopten. Ik keek rond naar de dennenbossen rondom mij en zocht in mijn omgeving een verklaring voor deze spontane halte. Voor het eerst in mijn leven, besefte ik toen, beleefde ik het ogenblik zelf. Ik werd niet meer geconfronteerd met terugkerende angsten die te maken hadden met het verleden en ik zocht geen vluchtpunten in de toekomst. Ik was één met mezelf en beleefde het moment, met alles wat dat inhield. Wat me toen overkwam, was zeer vreemd. Alles leek me plots klaar en duidelijk. Mijn zintuigen stonden op scherp. Ik nam alles waar wat zich op dat precieze ogenblik in mijn omgeving voordeed. En wat zich op dat precieze ogenblik voordeed, was fenomenaal. Ik voelde naast me een immanente aanwezigheid. Hoe kon het dat ik me daar vroeger geen rekenschap van had gegeven? Waarschijnlijk had ik tot op dat moment slechts in de rand van mijn bestaan geleefd. Een onwaarschijnlijk zachte stem omsloot me. In de woestijn van mijn bestaan hoorde ik een stem die me nooit meer zou verlaten. Het was een vanzelfsprekendheid, een zekerheid. Mijn innerlijkheid was bewoond.

Het lopen biedt die formidabele catharsis: het is in staat alles wat ons in onszelf scheidt te verenigen en het te brengen naar het punt waarop we ons bevinden. Het ideaalbeeld dat we onbewust van onszelf projecteren, maakt zich eindelijk los van wat we wezenlijk zijn. Het lopen zuivert en verzamelt wat verdeeld is. Zolang we ons innerlijk ontvluchten, zullen we niet de eenheid kennen die nodig is voor een leven dat betekenis heeft en geeft.

In deze valleien van Steiermark begrijp ik hoe belangrijk het is om op zoek te gaan naar wat T.E. Lawrence de 'stoffige hoeken van de geest' noemt. Achter alle angsten die we kunnen meedragen zit de Vonk verborgen. Ik breng het gebed dat ik in het klooster van Irdning leerde, het gebed van het hart of het Christusgebed, in de praktijk. Bij elke stap noem ik de naam van Christus. Vanaf dat moment verandert mijn blik. Ik voel de pijn van de afstand niet meer. Ik ben bevrijd van alle pijn. De langeafstandswandelaar is degene die naar de wereld luistert. De pelgrim laat op deze gefragmenteerde weg een bundel hoop ontspringen. Is het immers niet het doel van een pelgrimstocht een beetje licht te brengen waar er geen is?

Twee dagen later heb ik een schokkende ontmoeting. Het is al laat als ik aankom in Trieben, een arbeidersstadje in de vallei van Steiermark. Van heel ver zie ik al de witte rook van de hoge fabrieksschoorstenen. Ik loop door de grijze, mistroostige stad en ga op zoek naar die goede ziel die zich over mij wil ontfermen. Ik moet voor het donker onderdak vinden, want de nacht valt snel in de valleien. Een pastorie is hier niet, alleen een kerk. Toevallig staat de deur nog open. Ik ga naar binnen en zie een paar oude vrouwen die de rozenkrans zitten te bidden. Ik ga achter hen zitten en vouw mijn handen. Ik ben kapot. Het bidden gaat moeilijk. Ik ben te afgepeigerd, te hongerig. Ik wil alleen maar een maaltijd en een bed. Anders niets...

Aan het eind van hun gebed spreek ik de vrouwen aan en ik leg hun de toestand uit. Ze antwoorden me dat er 15 kilometer verderop een pastorie is. Ze hebben allemaal een uitleg en zeggen me dat ze een vreemdeling die toevallig hun pad kruist, toch niet zomaar onderdak kunnen geven. Allemaal, behalve één, die tot dan toe gezwegen heeft, maar me nu met een zeer zachte blik aankijkt. Ze zegt: 'U kunt met mij meekomen.'

Er valt een stilte. De vrouwen vertrekken met hun boodschappentassen, zonder nog iets te zeggen. Ik blijf alleen met haar achter. 'Ik heb in mijn leven de pijn van eenzaamheid en verlatenheid gekend, ik laat u niet buiten.'

Onderweg naar de oude woongebouwen waar ze haar flat heeft, vertelt Magdalena Strubel me een droevig stuk van haar leven. We lopen heel traag. Ze geeft me een boodschappentas. Ik loop zwijgend naast haar en luister naar haar verhaal. Ze ademt moeilijk. 'Ik ben de 80 voorbij. Ik heb ellende gekend, echte ellende. Niet de oppervlakkige en voorbijgaande ellende die men zich op een bepaald ogenblik zelf op de hals haalt. Ik ben geboren in het oosten van Oekraïne in de jaren twintig. In die tijd waren sommige stukken van Oekraïne nog Duits. Het bolsjewisme heeft daaraan een eind gemaakt. Mijn familie moest het kleine landbouwbedrijf verla-

ten. Drie uur tijd kregen ze. Mijn oom verzette zich. Het heeft hem
17 jaar goelag gekost in Siberië. Mijn familie belandde niet in de
werkkampen, maar werd verbannen: van Oekraïne naar Silezië in
Polen, daarna naar Oost-Duitsland. We hebben de moed niet opgegeven en beetje bij beetje zijn we uit de ellende geraakt.'
Nu leeft Magdalena samen met haar vriend Frans Weiss, een
schilder. Toen ze me zag aankomen met mijn stok in de hand, heeft
ze waarschijnlijk teruggedacht aan haar gedwongen omzwervingen
en beslist me onderdak te geven in haar driekamerflat.

Heel enthousiast maakt ze een bed voor me klaar op de zitbank
en daarna laat ze een bad vollopen. In het warme water verdwijnen
de laatste hardnekkige rillingen. Ik dommel in. De beelden van de
voorbije dagen schieten kriskras door mijn geest. Magdalena roept
me. Het eten is klaar. Als ik uit de badkamer kom, geeft ze me een
kop thee met honing. Terwijl zij een typisch berggerecht klaarmaakt, tekent haar oude vriend een maagd Maria in mijn reisdagboek. Bij hen aan tafel voel ik me op de top van de mooiste berg.
Afgelopen met de tegenslagen, afgelopen met de koude en de ver-
kleumde handen, afgelopen met de vermoeidheid die het moreel
ondermijnt. Hier, tussen deze twee vriendelijke oude mensen, is er
geen tegenwind. Wanneer Magdalena een kruisje op mijn voorhoofd drukt, zoals onze grootmoeders deden voor we gingen slapen, voel ik me opgenomen in een veilige cocon. Zij behoedt me
voor mijn angsten.

's Morgens word ik wakker met de geur van koffie. De nacht was
heerlijk! Na het ontbijt omhels ik Magdalena en Franz. De weg
roept me. Het is een hartverscheurend moment. Ik trek de deur
zachtjes dicht. Franz drukt Magdalena tegen zich aan. Zij verbergt
haar ogen achter een grote witte zakdoek.

Het klikken van mijn stok bepaalt opnieuw het ritme van mijn
tocht. De ochtend ziet er sprookjesachtig uit. De zon staat voor me
en mijn schaduw glijdt discreet achter me aan.

Bij het verlaten van de diepe vallei van Steiermark voer ik mijn
tempo nog op. Een smalle weg brengt me naar een pas waar een ijs-
koude wind mijn gezicht striemt. Ik leun stevig op mijn stok om het
evenwicht te bewaren. Uit mijn rugzak haal ik alles wat me kan
beschermen tegen de kou. Zelfs mijn hoge tempo warmt me niet

op. Ik ben verkleumd. Tijdens mijn ruim 50 kilometer lange tocht naar Leoben probeer ik los te komen uit de lusteloosheid waarin ik ben beland. Ze houdt me in haar greep. Dikke stapelwolken drijven over de bergkammen. Ik ben getuige van een hemelbal. Ik eet iets zonder halt te houden. Ik verslind de kilometers. Mijn beproevingen van vandaag zullen waarschijnlijk aangename herinneringen zijn in de hitte van het Nabije Oosten. Die gedachte doet me glimlachen en met een glimlach om mijn mond loop ik een dicht bos in. Om een lange omweg door de vallei te vermijden, besluit ik de kortste weg over de berg te nemen.

Voorbij Leoben, nog een industriestad in Steiermark, neem ik een weg die me naar mijn hoogste punt in de Alpen voert. Daarachter ligt Graz. En achter Graz ligt de poort naar Hongarije. Het is een belangrijk moment in mijn trek naar het Oosten. Urenlang loop ik in stilte omhoog. Het pad slingert zich tussen de naaldbomen. Ik adem op de maat van mijn stappen. Plots zie ik een paar meter van mij vandaan een statig hert. Het kijkt me met zijn grote zwarte ogen aan. Met een zekere onverschilligheid loop ik het dier voorbij. Het volgt me met zijn blik. Ik wil onze relatie niet verstoren door mijn gedrag te wijzigen.

Na een uitputtende, vijf uur lange klim bereik ik de top. Op een rotspunt staat een groot kruis. Daarachter ligt de berghut van de Oostenrijkse alpinistenclub. Op het terras houden enkele trekkers een pauze. Een jong stel zit te zoenen in de weldadige zon. Ik kijk verlangend naar het bord spek op hun tafel. Als ze genoeg gegeten hebben, gooien zij de restjes naar hun hond, die ze gulzig opslokt. Ik zoek in mijn rugzak wanhopig naar iets eetbaars. Mijn handen vinden een paar stukken droog brood, een overschotje van mijn maaltijd van gisteren. Ik eet mijn trieste maal terwijl ik mijn blik over de vallei laat dwalen. Lage wolken bedekken de heuvels. Het lijkt wel een zee van katoenen watten waaruit eilanden oprijzen. Ik beleef opnieuw zeer intens de scène van enkele dagen voor mijn vertrek aan zee. De zon staat op het punt te verdwijnen achter het wolkendek. De wind steekt op. Het landschap is verrassend. Ik haal mijn kaart tevoorschijn en bestudeer ze aandachtig. Het volgende dorp ligt uren lopen hiervandaan, op de andere kant van de berg. Het wordt moeilijk om er voor het donker aan te komen. En aan buiten slapen zonder tent valt in dit seizoen gewoon niet te denken.

Gisteren is er nog 10 cm sneeuw gevallen. Ik heb geen andere keuze dan onderdak te vragen in de berghut van de Oostenrijkse alpinistenclub. Ik heb nog zowat 20 euro... Ik speel open kaart tegen het stel dat de zaak uitbaat en leg hun de toestand uit. Ze kijken elkaar een ogenblik aan en dan antwoordt de man dat ik hun gast ben. Ik krijg een bed in de oude houten chalet. Ik laat me op het bed vallen. Ik ben uitgeteld. Een kwartier later komt Mauritz naar boven en klopt op de deur. 'Kom naar beneden, mijn vrouw heeft bloedworst voor je klaargemaakt. Dat zal je goed doen.' In de eetkamer heeft Lisa de tafel gedekt naast een knetterend haardvuur. Ze brengt me een bord met twee mooie worsten en wat mosterd. Mauritz komt naast me zitten. Ik leg hem de achtergronden van mijn reis uit en toon hem de kaart van Europa. Hij verklaart me gek, maar in zijn binnenste begrijpt hij me. 'Weet je, in de grond zijn we hetzelfde, al schelen we dan dertig jaar. Ik ben nu aan mijn pensioen toe. Ik zou me tevreden kunnen stellen met een gezapig leventje: overdag wat in de tuin werken en 's avonds televisiekijken. Dat is in ieder geval wat mijn oude collega's doen. Toen ik hun vertelde dat ik de berghut van de Mügel wilde overnemen, vonden ze dat een krankzinnig idee. Als in de winter alles is ondergesneeuwd, draag ik al het eten op mijn rug en dat is hard werk. Maar ik heb altijd gevochten in het leven. Ik kom uit een heel arme familie. Mijn vader had zeventien kinderen van verschillende vrouwen. Als kind kreeg ik voor mijn verjaardag een spiegelei.'

Mijn ogen vallen dicht van vermoeidheid en toch kan ik in het donker van mijn kamer de slaap niet vatten. Ik kijk door het raam. Ik zie dikke sneeuwvlokken vallen. In de vallei in de verte schitteren lichtjes.

De volgende morgen neem ik in alle vroegte afscheid van het paar en vervolg mijn weg over de besneeuwde kammen. Er waait een snijdende wind en het is Siberisch koud. Alles lijkt zo vanzelfsprekend en zo uniform van boven gezien! Ik loop langzaam over de bergkammen, als een log kruipdier dat moeizaam vordert in een reliëf dat steeds moeilijker wordt. Alleen door de kracht van mijn vastberadenheid weet ik mij te onttrekken aan de wetten van de zwaartekracht. Alleen de geest bereikt de omliggende toppen. Af en toe valt er nog wat sneeuw. Ik hoop dat het de laatste keer is dat ik zulke koude moet trotseren. Van een plateau waar ik letterlijk word omgeblazen door de wind, zie ik in de verte een vlakte liggen. Dat moet Hongarije zijn. *Mein Gott!* Een gevoel van vrijheid overspoelt me. De wind mag me dan ongenadig blijven striemen, mijn vreugde houdt stand. Ik lijk te zweven. Ik vlieg. Ik laat me meevoeren door de wind en weldra vlieg ik vrij over de bergen. Van daarboven ziet alles er zo klein en nietig uit. Ik vlieg tussen de wolken en het verpletterende gewicht van mijn rugzak voel ik niet meer. Wat voel ik me goed! Ik geniet van het zalige gevoel de toppen bereikt te hebben en kijk uit naar nieuwe horizonten...

Als ik uit mijn opgetogenheid ontwaak, heb ik de afdaling naar de vallei al aangevat. De bedwelmende hoge toppen blijven achter in de mist. Hoog op de rotsen staan steenbokken me aan te kijken. Urenlang loop ik tussen de dennenbomen. Er komt geen eind aan de afdaling. Soms loop ik naast riviertjes, soms volg ik bewegwijzerde paden. Steiermark is de dichtst beboste streek van Oostenrijk. Ik kom niemand tegen. Heerlijk is dat! Een reusachtige oude lork schudt zacht zijn takken. Dit is een ideale plek om een beetje van de natuur te genieten. Zittend op de wortels snijd ik een stuk van de worst die Lisa vanmorgen, voor het vertrek uit de berghut, in mijn rugzak heeft gestopt. Boven de bergkammen drijven de stapelwolken snel voorbij. Als ze de zonnestralen doorlaten, is het bijna warm. De natuur ontwaakt weer na de lange wintermaanden. Overal verschijnen jonge scheuten en de knoppen springen open. Eindelijk is de lente daar. Niet ver van de lork stroomt een bergriviertje. Het geluid van het stromende water maakt me rustig. Wat een osmose!

Door een krakend geluid schrik ik op uit mijn dromerijen. Ik kijk om me heen. Ik zie niets. Steunend op mijn stok, mijn trouwe reisgezel, kom ik overeind. Sinds mijn vertrek is mijn stok een centimeter korter geworden. Als dat zo doorgaat, zal ik kromlopen in Turkije.

Na een urenlange afdaling naar de vallei verschijnen de eerste alpenhutten. Twee uur later volg ik de Mur, de rivier die ook door Graz loopt, waar ik over twee dagen heb afgesproken met mijn moeder en mijn zus.

Het is 19 u en ik ben nog steeds aan het lopen. Ik ben uitgeput. Ik ben al 12 uur onderweg en heb vanmiddag maar een klein half-uur rust genomen. Ik loop als een robot. Op een bord lees ik: *Graz 15 Kilometer*. Als ik er stevig de pas in zet, kan ik er rond 21 u zijn. Maar ik heb geen kracht meer. Ik haal nog amper drie kilometer per uur. Ik moet stoppen. Mijn voeten zijn kanonskogels die ik nog met moeite krijg opgetild. Maar waar vind ik onderdak? Ik kom aan in een dorp. Niks aan te doen, als ik hier geen plek vind, ga ik naar het lorkenbos daarboven.

Ik zie een kerktoren met een huis ernaast: de pastorie. Ik bel aan. Op hoop van zegen! Een paar tellen later doet een man in een typisch Oostenrijks pak de deur voor me open. Hij heeft een glim-lach op zijn gezicht. Ik ben nog niet aan het eind van mijn litanie, als hij me zegt binnen te komen. Broeder Benedikt neemt me mee naar boven en wijst me een kamer met een douche. 'Als je klaar bent, kom je maar naar de keuken om een hapje te eten', zegt hij terwijl hij me een handdoek toestopt.

Opnieuw krijg ik het gevoel dat ik hierlangs móést komen. Ik heb de indruk dat ik telkens mensen ontmoet die ik al een hele tijd ken. Ik heb op deze tocht nog met vele vrienden een afspraak.

Voor ik de volgende ochtend vertrek, nodigt de pater me uit om de mis bij te wonen. Een vrouw in de kerk kijkt me misprijzend aan. Het is waar dat ik er niet geweldig uitzie. Ik heb een onverzorgde baard, mijn trui zit vol gaten en mijn broek begint duidelijk sleet te vertonen. Ik kijk naar mezelf. Mijn handen zijn gegroefd door de koude en getaand door de zon, en dat ondanks het slechte weer dat ik tot nog toe heb gehad. Ik kijk de vrouw breed glimlachend aan. Ze vertrekt geen spier. Het misprijzen voor de vreemdeling blijft. *Heer, laat me liefde brengen waar er haat is.* Ze verwaardigt zich niet mij de hand te drukken tijdens het vredesgebed na het Onze Vader. Wat zoekt zij in een kerk?

Ik loop heel traag over de rijksweg richting Graz. Ik voel me suf. Heel moe. Door gebrek aan eten en te weinig slaap begin ik door mijn reserves heen te zitten. De bergetappe van gisteren was er te veel aan. De machine stokt. De vijftien kilometer die op mijn pro-gramma staan, lijken me onoverkomelijk. Ik ben een uur aan het

lopen als aan de overkant van de weg een auto stopt in de berm. Een man kijkt me indringend aan. Ik vraag me af waarom die kerel zo naar me kijkt. Plots herken ik Mauritz, die me twee dagen geleden onderdak heeft gegeven in de berghut van de Mügel. 'En, nog altijd onderweg?'
Ik steek de weg over.
'Nee, maar! Ben je op één dag tot hier geraakt? Je moet gisteren in de bergen meer dan 55 kilometer hebben afgelegd! Kom, ik neem je mee, ik rijd naar de kantine van de fabriek. Maak je geen zorgen over je belofte, ik breng je daarna hier terug.'
Voor ik een woord kan zeggen, neemt hij mijn rugzak van mijn schouders en opent het portier van de auto. Na twintig minuten zijn we in de buitenwijken van de stad. We laten de auto achter op het parkeerterrein van een grote fabriek. Iedereen hier lijkt Mauritz te kennen en aan iedereen wil hij mijn verhaal vertellen. In de kantine maken de arbeiders plaats voor ons. Mauritz bestelt een reusachtige portie worsten met kaas. Terwijl ik onder de geamuseerde blikken van de mannen gulzig zit te eten, vertelt Mauritz hoe we elkaar hebben ontmoet. We zijn omgeven door zo'n tien mannen die naar hem luisteren. Wanneer de bel de arbeiders weer aan het werk roept, krijg ik felicitaties en bemoedigende schouderklopjes. In de auto vertelt hij hoe hij op zijn vijftigste helemaal van niks opnieuw moest beginnen. Zijn ex-vrouw had alles meegenomen. Hij had geen werk meer, geen huis, geen vooruitzichten, niets... Maar in plaats van zelfmoord te plegen nam hij zich voor om opnieuw te beginnen. Tegen alles en iedereen. Hij nam zijn werk van schilder weer op, kreeg opdrachten en begon een eigen bedrijf. En nu hij 60 en pensioengerechtigd is, heeft hij weer een andere job. Een zware job.
'In het leven heb je vaak de keuze. Blijven zitten en wachten op het einde of rechtopstaan en je eigen geschiedenis schrijven. Ik heb voor het laatste gekozen en ik weet dat het leven nog heel wat verrassingen voor me in petto heeft.'
We zitten op precies dezelfde golflengte. Mauritz brengt me terug naar de plaats waar hij me een uur daarvoor heeft opgepikt. We nemen broederlijk afscheid. Ik zal hem niet vergeten. Deze tocht blijft me verbazen. Elke dag brengt nieuwe verrassingen. Ik vertrek opgewekt en met opgeladen batterijen. Ik volg de Mur en zie in de verte al gauw de kerktorens van Graz.

Na twee verkwikkende dagen bij de franciscanen in Graz heb ik een afspraak met mama en mijn zus Catherine. Ze heeft haar nog geen jaar oude zoontje Augustin meegebracht. We treffen elkaar in het stadscentrum. Ik ben nu al ruim een maand onderweg en het geeft me een bijzonder gevoel om hen te zien: enerzijds ben ik nog maar een maand weg, maar anderzijds was die maand wel een van de meest intense uit mijn leven. Ik besef wat ik achter me heb gelaten: een hechte familie en vrienden op wie ik kan bouwen. Nu ik enkele familieleden terugzie, komt de angst naar boven voor het moment waarop ik weer afscheid zal moeten nemen en weer aan de eenzaamheid zal moeten wennen. Ik zie nu al op tegen dat moment. Ik krijg de laatste nieuwtjes van thuis, van de familie en van alle vrienden die me steunen. Ik weet ook dat ze in de stilte van de tocht dicht bij mij zijn. Ik krijg een paar foto's van mijn petekinderen, Antoine, Célestine, Angélique en Eliott, de zoon van Martin en Lilly, die me in Brussel onderdak hebben gegeven. Ik stop ze voorzichtig in mijn reisdagboek, waarvan de pagina's dag na dag verder gevuld raken.

Twee dagen lang leef ik als een toerist zonder te denken aan wat er komen gaat. We bezoeken de stad en de omgeving. Maar het afscheid komt altijd te vroeg. Ik heb de indruk dat ik het grote vertrek opnieuw beleef. Ik houd het afscheid kort en verdwijn in de bochtige straatjes van de stad. Mijn voeten lopen door, maar mensenlief, wat zou ik graag terugkeren en nog wat bij hen blijven! Ik bal mijn vuisten en bijt op mijn tanden. Ik voel opnieuw de twijfel en de angst voor het onbekende. Ik ben vlak bij Hongarije en hier moet het echt beginnen; hier ligt wat taal en cultuur betreft de echte grens. Voor het eerst sinds mijn vertrek voel ik me alleen. Echt alleen. Het is hard. Ik zit in een volkomen onbekende omgeving, weet niet waar ik kan slapen, weet niet of ik iets te eten zal vinden. Ik heb behoefte om wat te lezen. Ik haal de kleine reisbijbel boven die ik op mijn eerste voettocht naar Santiago de Compostela heb gekregen van een kloosterzuster. 'Die zal je op je hele tocht vergezellen.'

Nu zeven jaar later loop ik nog steeds. Hoeveel duizenden kilometers zou ik al afgelegd hebben op de wegen van Europa? Om de weemoed te verdrijven, zing ik. Ik zing voortdurend. *In Uw bijzijn is er geen Duisternis.* Gaandeweg maak ik me weer meester van de ruimte. De omgeving waar ik doorreis is niet langer bedreigend omdat ik tegelijkertijd over de drempel van mijn innerlijke ruimte stap, die verscholen zat achter een onnatuurlijke angst voor het onbekende. Hoe verder ik er doorheen loop, hoe meer er van de vrees afbrokkelt en verdwijnt. Op deze tocht laat ik stukken schors achter. Op de comfortabele dagen verzamel ik, op de moeilijke dagen laat ik los. In dit voortdurende komen en gaan van door de tocht opgewekte indrukken, voltrekt zich een deconstructie. Zoals een beeldhouwer het teveel van de steen weghaalt om de ideale vorm te vinden die in de materie verscholen zit, zo ontdoet de pelgrim zich van de muren die hem verhinderen de wereld te zien zoals hij werkelijk is. *Laat ik licht brengen waar er duisternis is.*

Terwijl ik over een spoorweg voorbij de Hongaarse grens loop, zie ik een Oostenrijkse militair. Hij bewaakt deze plek, die bekend is voor clandestiene immigratie. Veel mensen uit de Balkanlanden en zelfs uit Tsjetsjenië proberen hier de Europese Unie binnen te komen. Ik ril. En zeggen dat ik het tegenovergestelde doe! Ik verlaat hun beloofde land om er een ander te vinden. Van hier af worden de controleposten die proberen paal en perk te stellen aan deze immigratie steeds talrijker. Terwijl ik verder over de rails loop, denk ik terug aan de tijd dat ik als ambtenaar werkte voor het Commissariaat-generaal voor de Vluchtelingen en de Staatlozen. Als ik niet bezig was met het schrijven van negatieve rapporten over asielaanvragen, ondervroeg ik mannen en vrouwen die alles hadden achtergelaten om hun geluk in Europa te beproeven. Mannen en vrouwen die vaak heel veel geld hadden betaald aan mensensmokkelaars uit clandestiene netwerken. Hele dorpen brachten geld bijeen om de reis naar het beloofde eldorado te betalen. De werkelijkheid is totaal anders. Als ze in België aankomen worden ze aan hun lot overgelaten en worden ze het gemakkelijke slachtoffer van andere mensenhandelaars.

VI. Hongarije

In het laatste Oostenrijkse dorp vraag ik bij de politiepost of ik door het bos in Hongarije kan komen. Wegens de illegalen wordt het mij ten zeerste afgeraden. Ik leg er mij bij neer en ga via de weg. Daardoor moet ik een omweg maken van een twintigtal kilometer om daarna amper drie kilometer voorbij de grens uit te komen. Aan de Hongaarse grens bekijken ze mij wantrouwend. Hier wordt niet gelachen. Het is verboden om foto's te nemen. Ze vragen me van alles en nog wat. Als ik vertel dat ik te voet naar Jeruzalem ga, krijg ik mijn paspoort terug maar ik zie aan de oneerbiedige blik van de vrouwelijke douanebeambte dat ze niet veel geloof hecht aan mijn verhaal. Ik steek de grens over met gemengde gevoelens. Aan de ene kant ben ik blij dat ik opschiet, maar aan de andere kant voel ik de angst die dit nieuwe land mij inboezemt. Ik denk dat het hier menens wordt. Als ze mijn paspoort teruggeven, voel ik hun blikken in mijn rug.

De start in dit land is niet vrolijk. Ik maak slechts aarzelend vorderingen. Ik voel dit verschil aan als een dreiging. Ik kom aan in Szent-Gottard, het eerste Hongaarse dorp voorbij de grens. Als ik het dorp in oostelijke richting doortrek, komen er mensen naar mij die me staande houden. Ze doen me verstaan dat ze me eergisteren in de buurt van Graz hebben zien lopen. Ik krijg een beker koffie. Door die uitgestoken hand trekt de schaduw op. Door dat warme gebaar verdwijnen mijn twijfels. Mijn vertrouwen komt terug. Dit korte contact laat mij het ware gelaat van Hongarije zien en de indruk van hartelijkheid en authenticiteit zal niet meer weggaan. Beetje bij beetje ontdek ik het cachet van dit land, dat sinds kort deel uitmaakt van de Europese Unie.

In dit landelijke stuk Hongarije zijn er nog veel overblijfselen van de communistische periode: functionele woonblokken van een verbijsterende lelijkheid bepalen het beeld van de stad. Gelukkig is Hongarije vrij goed gespaard gebleven van de egalitaristische ravages. Ik ontdek een land dat toch erg verschilt van de landen waar ik tot nu toe was. Armer maar authentieker. Maar hun taal blijft onverstaanbaar voor mijn oren. De weg vragen is een vervelende beproeving. Ik probeer wel de namen van de gehuchten traag uit te spreken maar er is niets aan te doen: de gezichten blijven onbewogen en geven me in een ondefinieerbaar koeterwaals te kennen dat ze me niet begrijpen. Dat heb ik dan tenminste begrepen! Een Hongaar heeft me in het Engels uitgelegd dat ik beter niks kan zeggen dan de woorden foutief uit te spreken. Door de ingewikkelde woordenschat en uitspraak geef ik het plan op om enkele woorden Hongaars te leren. In de andere landen zal ik zien dat het gemakkelijker is om wat Turks of Roemeens te leren dan deze Fins-Oegrische taal.

Ik loop tussen twee seizoenen. Plots heb ik het warm en koud tegelijkertijd! Het is een zeer onaangenaam gevoel. Gelukkig ben ik tot nu toe niet ziek geweest. Gezien de staat van vermoeidheid waarin ik sinds weken ronddool, is dat eerder een mirakel. Hongarije is dichtbij en toch zo anders. Ik loop door heel beboste streken. De afstanden tussen de steden en de dorpen worden veel groter. In Öriszentpeter, een dorp in het westen van Hongarije, bots ik op een protestantse kerk in heel slechte staat. Daarnaast blijft een even bouwvallig huisje overeind. Een voorbijganger geeft me in flarden Duits te kennen dat ik me voor onderdak beter kan wenden tot de katholieke priester van de kerk aan de rand van het dorp. Een kwartier later ontdek ik een prachtig romaans kerkje dat verstopt ligt achter een paar hoge eiken. Op het fronton is een mooi Bijbels tafereel gebeeldhouwd. Ik loop rond de kerk. Er is niemand in de aanpalende pastorie. Pech, dan wacht ik maar. Ik ga op een bank naast de kerk zitten. Er gaat een bijzondere energie uit van deze plek. De avondzon hult het kerkje in een oranje gloed. De natuur ontploft. De bladeren van de oude kastanjebomen zijn bijna fluorescerend groen. Een auto komt in volle vaart de dreef van de pastorie ingereden. Er klinkt oorverdovende Hongaarse rockmuziek. Het is Otto Vargas, de priester van de parochie. Ik geef hem de tijd om naar binnen te gaan en bel even later aan. Een stevige vijftiger opent de deur en kijkt me vanachter het insectengaas vragend aan. Hij lijkt op Yul Brynner. Ik vraag hem of hij misschien Engels spreekt, of Duits, Italiaans, Nederlands, Spaans of Frans. Nee dus! Elke keer antwoordt hij 'Nem!, Nem!, Nem! Nee! Nee! Nee!'

'Ruska!'

Wel! Ik ben er nog niet uit! Ik haal de kaart van Europa tevoorschijn en wijs hem mijn traject en mijn uiteindelijke bestemming. Ik zie hem zijn wenkbrauwen fronsen en zijn hoofd van links naar rechts schudden. Zijn neusvleugels lijken iets op te snuiven. Op een bijna militaire manier geeft hij mij een teken om mijn spullen te pakken en binnen te komen. Hij duwt de deur open, wijst me een kamer aan, gaat terug naar zijn bureau en slaat de deur dicht. Ik voel toch aan dat ik hem een beetje stoor. Maar ik ben zo blij dat ik in Hongarije ben, dat alle ongemakkelijke gevoelens verdwijnen. Mijn eerste nacht in Hongarije! Ik ben de koning te rijk. Ik haal een minigids met een basiswoordenschat Hongaars tevoorschijn. Tijdens het eten laat ik hem lezen wat ik wil zeggen: 'Uw aardappelen zijn verrukkelijk!'

Hij antwoordt met een zwijgzame blik. Ik eet de knoedels en de kippensoep in stilte op en laat Yul met rust. Na de stille maaltijd roken we een sigaret. Hij is blijkbaar toch niet ontevreden met het bezoek. Hij haalt een fles rode wijn op en schenkt twee glazen tot aan de rand vol. Al voor mijn glas leeg is, val ik bijna voorover. Mijn barmhartige Samaritaan moet lachen en maakt me duidelijk dat ik de fles moet meenemen naar mijn kamer. Voordat de laatste zonnestralen door de luiken van mijn kamer schijnen, ben ik al ver weg.

Ik word gewekt door de ochtendklokken. Het is acht uur. Ik spring in mijn kleren en storm de trappen af. Ik vind mijn dorpspastoor in zijn bureau. Hij krabbelt enkele regels op een stuk papier. Ik groet hem.

Uit zijn antwoord hoop ik te begrijpen dat ik me voor mijn ontbijt maar moet bedienen in de keuken. Maar niks hoor! Zelfs geen homp brood. Jammer, ik zal proberen het beetje geld dat ik nog heb te wisselen om wat proviand te kopen. Ik ga terug naar boven en grabbel op de bodem van mijn rugzak. Daar vind ik gelukkig nog een korstje brood dat mijn honger stilt. Mijn maag is eraan gewend om met weinig tevreden te zijn. De klokken luiden opnieuw. Ik pak mijn rugzak in, gooi hem op mijn rug en haast me naar de kerk. Een blaar brandt op mijn voet. Het kerkje zit nokvol. De melodie van de gezangen is prachtig en sleept me helemaal mee.

Aan het eind van de dienst, als iedereen buiten is, neem ik afscheid van mijn weldoener. Hij legt zijn hand op mijn schouder, zegent me en kijkt me heel doordringend aan. Dan haalt hij zijn portefeuille uit zijn zak en drukt me een biljet van 5000 forint in de hand. Ik weiger het uiteraard maar er is niets aan te doen: ik moet het aannemen. En ik die dacht dat hij niet veel van mij moest weten! Als ik het kerkpaadje afloop, groeten de mensen mij heel vriendelijk. Sommigen geven me een schouderklopje. Deze vriendschappelijke gebaren helpen me door de volgende dagen.

De volgende dagen dring ik dieper de poesta in. Ik loop door landschappen die ik tot dan toe nog niet gezien heb: uitgestrekte vlakten bedekt met bemoste bomen. Ik leg grote afstanden af zonder een levende ziel tegen te komen. Maar als ik iemand ontmoet, is de ontmoeting altijd hartelijk. Mijn meest ontroerende ervaring in Hongarije heb ik in de buurt van het Balatonmeer. Ik heb in Zalaegerszeg net vruchteloos om onderdak gevraagd aan een priester en ik loop langs de brede, in de communistische periode heraangelegde straten, als een vrouw op een kleine fiets mijn richting uit komt gereden. Ze gebaart dat ik haar moet volgen. Ik herken haar. Ze was in de sacristie met de priester aan het praten toen ik hem om onderdak kwam vragen. Ze heeft ongetwijfeld medelijden met me gekregen. We zeggen bijna niets, de communicatie verloopt niet gemakkelijk. Ik loop naast haar en vraag waar ze me naartoe brengt. Margaret dringt aan dat ik mijn rugzak op haar bagagedrager zet. We lopen door enkele intrieste wijken en komen dan aan een bescheiden, grijs bepleisterd arbeidershuisje. Ze roept haar man die geenszins verbaasd lijkt over de vreemde bezoeker. Attila is ongeveer zestig. Hij is erg getaand en zijn witte haren zijn achteruitgekamd. Hij heeft iets indiaans. Hij neemt de rugzak en de wandelstok aan en zet ze in de keuken. Hij geeft me te kennen dat ik moet gaan zitten en haalt een fles wijn van eigen teelt uit de kast. Terwijl Margaret het eten klaarmaakt, toont Attila zijn wijngaardje achteraan in de tuin. Het is een honderdtal vierkante meter groot. Met het glas in de hand toont hij me de verschillende fases van de wijnbouw: van zijn tuin via zijn kelder tot het glas in mijn hand.

Margaret roept. Het eten zal klaar zijn. Attila plukt een sla en geeft die aan zijn vrouw. Ik zit aan het hoofd van de tafel, tussen de twee Hongaren. Ik laat me een bord vlees met aardappelen opscheppen. Eindelijk vlees... Dat heb ik in geen eeuwigheid meer gegeten. Wat een feest! Margaret geeft me het beste wat ze in huis heeft. We zitten aan tafel in het piepkleine keukentje dat door een zwak lampje wordt verlicht. De keuken is zo klein dat we bijna op elkaar zitten. Met de enkele Hongaarse woorden die ik vind op een blaadje dat ik uit een reisgids heb gescheurd, probeer ik wat over mijn voettocht te vertellen. Het gebrek aan woordenschat en de duidelijk foute uitspraak leiden soms tot absurde situaties, waar we om moeten lachen. Maar ondanks het tekort aan woorden heb ik de indruk dat we elkaar goed begrijpen. In de kleine keuken is een wereld zonder grenzen ontstaan. Allebei ontvangen ze mij alsof ik hun zoon was die na een te lange reis thuiskwam. Hebben ze kinderen? Boven de tafel hangt de foto van een jongen. Wie is hij? Ze zullen er met mij niet over spreken. Vermijden ze het onderwerp? Tijdens de maaltijd vallen er weinig woorden, maar veel andere dingen zijn wel aanwezig. Ze bekijken me alle twee met een vriendelijke blik. Eens te meer ben ik in de wolken over wat me overkomt. Ik haal de kaart van Europa en enkele wegenkaarten tevoorschijn. Ik toon hun waar België ligt en de weg die ik al heb afgelegd. Ze volgen met aandacht mijn vinger, die over België, Duitsland, Oostenrijk en Hongarije glijdt. Ik toon ook het vervolg van de reis: Servië, Roemenië en Bulgarije en daarna de islamitische landen en Israel. Hun ogen fonkelen en ik heb een ogenblik de indruk dat ze meereizen. Ik ontdek dat ik in de helft van het Europese gedeelte ben. Ze bekijken me allebei hoofdschuddend en met een glimlach op de lippen. Ik begrijp dat geen van beiden ooit buiten Hongarije is geweest en dat reizen voor hen te duur is.

Na het eten laat ik de enorme blaar op mijn voet zien. Margaret geeft me een heel pak pleisters. Ik ben al lang door mijn voorraad blarenpleisters heen. In ieder geval zijn ze niet bestand tegen de grote afstanden die ik dag na dag afleg.

's Morgens tref ik Margaret en Attila aan in de keuken. Ze hadden de deur gesloten en praatten met gedempte stem om mij niet wakker te maken. Attila is al wakker van 6 u. Als ik in de keuken kom, staat hij op om roereieren en spek te maken. Ondertussen gaat Margaret in de moestuin groenten plukken voor de picknick.

Een halfuur later is het tijd om afscheid te nemen. Margaret geeft me een paar sokken en Attila een fles wijn die ik in mijn zak stop. Ze hebben allebei tranen in hun ogen. Zien ze in mij hun verloren zoon? We omhelzen elkaar. Door op te stappen ruk ik mij los van hun vriendelijkheid. Ik kijk nog enkele keren om. Zij staan achter het hek en maken brede gebaren. Attila en Margaret, nooit zal ik jullie vergeten. Voorbij de bocht moet ik even stoppen om eens diep adem te halen. God, wat een vriendelijkheid... Ik besef iets heel belangrijks: hoe meer je bezig bent met geven, hoe minder je behoefte hebt aan spreken. Om te geven heb je geen woorden nodig. Terwijl ik dit overdenk kom ik op de grote weg naar het Balatonmeer. Deze verkeersas is heel druk maar gebed en meditatie behoeden me voor de agressiviteit van de auto's. Met een constant geraas zoeven de auto's rakelings langs me heen. Het kan me niet schelen, ik mediteer en bewaar de vrede.

Op drie dagen tijd ben ik in centraal Hongarije. Bij het naderen van het Balatonmeer verlaat ik de drukke verkeerswegen en loop ik door een beboste, licht heuvelachtige streek. Ik loop ofwel op bospaden ofwel op rustige secundaire wegen met weinig verkeer. Dan stuit ik op een snelweg in aanleg die Tsjechië met Slovenië moet verbinden.

De werken liggen blijkbaar stil en ik loop al uren over de onverharde weg, als ik in de verte een fietser zie naderen. Ik onderscheid een jonge, in het zwart geklede vrouw. Ik kijk naar haar en hoe dichter ze komt, hoe mooier ze wordt. In haar matte gelaat staan grote, groene, amandelvormige ogen. Het lange haar golft op haar brede schouders. De sierlijkheid van deze vrouw grijpt me aan. Haar fijne handen houden het stuur stevig vast. Ik ben door dit tafereel helemaal van de kaart en blijf als verlamd staan. Als ze langs mij heen rijdt, kijkt ze me aan; een glimlach speelt om haar lippen. Ik ben aangedaan. Ik kijk niet om om de betovering niet te verbreken. Bestond zij echt? Heb ik gedroomd? Ik weet het niet. Ik zie toch sporen van een fiets in het zand. Ik loop verder en denk aan haar gelaatstrekken, waarin de schoonheid van zuivere en juiste vormen besloten lag. Ik laat mijn ogen nog even dicht en zie haar vriendelijke gezicht dat me nog altijd toelacht. Een warme wind streelt mijn gezicht en verdrijft mijn hersenschimmen.

Ik loop op de oevers van het Balatonmeer. De schoonheid van het meer is geen legende. Gelukkig zijn er in dit seizoen geen toeristen. Het is blijkbaar wel hoogseizoen voor de muggen. Ik word bestookt door tientallen duivelse muggen die me prikken en leegzuigen. Ik heb nog een restje muggenmelk dat ik kwistig uitsmeer. Niks aan te doen. Ze zijn hardnekkig. Een beetje verderop ben ik getuige van een hilarisch tafereel. In een van de meertjes zie ik tientallen oudjes ronddobberen in rode zwembanden. Die mensen laten een huidziekte verzorgen in een van de talrijke meertjes naast het grote meer. Ze liggen te weken met een gelukzalige glimlach. Ik aarzel even om me bij hen te voegen, maar het is al laat en ik ga liever mijn internetsite updaten in een van de naburige dorpen.

Het teken '@' boven een deur trekt mijn aandacht. Het is een van de vele plaatsen die gratis toegang bieden tot het internet! De Hongaarse regering heeft ervoor gezorgd dat je in bijna ieder dorp gratis op het net kunt. Als ik naar binnen ga, zie ik dat het bureau ook een vertegenwoordiging van de Europese Unie is. De chef, Levente, lijkt heel geïnteresseerd te zijn in mijn reis. Hij stelt mij vragen in perfect Engels. Zijn collega's komen erbij staan. Ze bieden me drankjes en broodjes aan en willen me interviewen voor hun maandelijks tijdschrift. Ondertussen belt een medewerkster naar een journalist van de nationale radio. Een halfuur later word ik geïnterviewd. Ik sta versteld van zoveel aandacht.

Op de avond van 17 mei maak ik vreemde dingen mee. In Kezsthely, een klein plaatsje 30 kilometer ten zuiden van het Balatonmeer, sta ik te wachten voor de deur van de priorij. De priester kan niet lang meer wegblijven. Zijn kanarievogel lijkt even ongeduldig als ik om hem te zien aankomen. De zon gaat onder en de hemel wordt donkerder. Om 20 u is hij er eindelijk. Ik stel me voor, maar ik begrijp meteen dat het verloren moeite is. Erger nog, hij wijkt achteruit alsof hij de duivel zelf heeft gezien. Met wilde gebaren jaagt hij me weg en gooit de zware deur voor mijn neus dicht. Hij neemt net geen kruis om mij aan te manen om weg te gaan. Hij roept: '*Nem! Nem! Nem!* Nee! Nee! Nee!'

Wat krijgen we nu? Zie ik er zo angstaanjagend uit? Of denkt hij dat ik een van de talrijke zigeuners ben die volgens vele Hongaren de streek onveilig maken? Voor hij de deur dichtdoet, geef ik hem een duidelijk teken: ik wrijf over mijn mouwen en mijn broek om het stof achter te laten, zoals Christus aan zijn apostelen vroeg om te doen als ze niet welkom waren in een dorp. Het probleem is dat het veel te laat is om weer op pad te gaan. Door heel die komedie is het 21 u 's avonds en het volgende dorp ligt een vijftiental kilometer verder. Het is aardedonker en er is bovendien geen verlichting op de weg. Ik riskeer ook nog om oog in oog te komen staan met een van de vele zwerfhonden. Ik weet niet goed wat ik moet doen... Waag ik me toch in de duisternis tot aan het volgende dorp? Dat ligt op meer dan twee uur lopen... Nee, daar midden in de nacht ergens aankloppen is ondenkbaar. Goed! Ik moet iets doen. Naast de kerk heb ik dicht bij het kerkhof een piëta gezien die aan de achterzijde een betonnen plekje had. Maar de lucht ziet er dreigend uit. Niets aan te doen, het lijkt me dat ik geen andere keuze heb dan hier te slapen. Op het moment dat ik over het hek rond de piëta klim, hoor ik in een naburige straat bulderend lachen.

Misschien moet ik voor alle zekerheid toch eens gaan kijken. Ik loop in de richting waaruit het gelach weerklonk. In een donkere straat zie ik een lichtje en een deur die op een kier staat. Ik duw ze open en kom in een bar waar een walm blauwe rook hangt. Aan een tafeltje zitten een paar mensen bier te drinken. Dat iemand als ik dit café binnenkomt, lijkt hen te amuseren. Ze kijken me vol verwachting aan. Ik begin eraan. 'Spreekt hier iemand Duits?'

'Ja natuurlijk! Wij zijn allemaal Duitsers!'

Wat een geluk! Ik leg mijn situatie uit en vertel het verhaal van de priester en de piëta. Bulderend gelach. Nog voor ik mijn pleidooi heb afgemaakt, zegt een vrouw tot wie ik het woord had gericht, dat er geen sprake van kan zijn dat ik buiten slaap. Er is trouwens zware regen voorspeld. Twee minuten later vertrek ik met haar. Het gelach neemt weer toe. 'Walter, je vrouw gaat er voor je neus met een ander vandoor en je zegt niks!'

De klanten van het kleine café besterven het van het lachen. Buiten steekt de wind op en begint het te motregenen.

In plaats van naast het kerkhof te moeten slapen, krijg ik een kwartier later van Regina een mooie kamer en een badkamer waar ik een douche neem. Wat een geluk! Als ik uit de badkamer kom, nodigen haar kinderen me uit om aan tafel te komen. Ze hebben de tafel gedekt voor de onverwachte gast die ik ben. Regina dient een romige groentesoep op in een mooi porseleinen bord. Daarna schenkt ze wijn in een kristallen glas. 'Proef dit eens! Het is een cabernet sauvignon van 2000.'

Ik hef het glas op haar en op mijn beschermengel die me eens te meer het meest verwonderlijke en onverwachte plekje van het dorp heeft aangewezen. Ik zeg tegen mezelf dat het toch aangenamer is om cabernet te proeven dan om regenwater te drinken en buiten onder een piëta te slapen...

Terwijl ik het boeket van de cabernet opsnuif, hoor ik dikke regendruppels tegen de ramen kletteren. Walter stormt naar binnen. Het regent pijpenstelen. 'Daar ben je mooi aan ontsnapt, man!'

Hij is buiten adem. De kinderen gaan slapen en ik blijf nog aan tafel met Walter en Regina. Ze presenteren me een sigaret. Walter moet zo ongeveer 58 zijn en zijn vrouw 10 jaar jonger. Ze vertellen me dat ze behoren tot die talrijke Duitsers die zich in Hongarije hebben gevestigd. Alles is er goedkoper en de levenskwaliteit is er beter. Ze zijn lang niet de enigen die zich in dit deel van Hongarije hebben gevestigd.

'Het is hier goedkoper dan in Spanje en het is veel minder ver.'

'Ja maar het is wel minder mooi weer!'

De wind steekt op en het is ondertussen beginnen te stortregenen. Regina staat moeizaam op van tafel. Ze zucht. 'Wanneer krijgen we eindelijk een beetje zon in dit land?'

Ik blijf nog een tijdje aan tafel met Walter, die de ene sigaret na de andere opsteekt. Als hij vertelt dat hij bijna drie pakjes per dag rookt, ben ik niet verbaasd dat hij zo rood ziet als een kreeft en een schorre stem heeft. Voor we gaan slapen heffen we het glas en toosten we op Hongarije.

Als ik 's morgens opsta, zie ik vanuit mijn kamer de piëta achter de kerk. Wat is het leven toch gek. Wat zou er gebeurd zijn als ik hen niet had ontmoet?

De heilige Maagd kijkt naar de hemel en ik doe hetzelfde. Het wordt vandaag weer zo'n regendag zoals ik in Duitsland heb meegemaakt. Ik denk aan mijn peter die me altijd zei: 'de ochtendregen houdt de pelgrim niet tegen'. Ik zit naast Walter, die vanmorgen al een half pakje sigaretten gerookt heeft, en ik maak een grote picknick. Dochter Jessica geeft me een reep chocolade met gepofte rijst. 'Ik had hem normaal bewaard voor ons uitstapje maar ik geef hem liever aan jou!'

Ze doet me denken aan mijn petekind Célestine, die zes jaar is. Ik mis mijn familie.

Onderweg klettert de regen troosteloos op het landschap. In het volgende dorp zie ik een atelier van een kunstsmid. Ik kijk naar mijn wandelstok die in een onrustbarend tempo aan het verslijten is. Ik ga naar binnen en probeer mijn probleem uit te leggen. De twee mannen stoppen met werken en kwijten zich onmiddellijk van de taak. Ze maken een uiteinde in ijzer voor mijn stok. Als ik wil betalen met mijn briefje van 5000 forint, geven ze me te kennen dat het de moeite niet is. Ze tonen me een prent van de heilige Maagd, een piëta, en ze geven me te verstaan dat ik voor hen moet bidden. Als ik het atelier verlaat, draait een van hen zich om en pinkt een traan weg. Onderweg vraag ik me af met welk verdriet deze man te kampen heeft. Rouw? Ziekte? Scheiding? Ik kom onderweg zoveel mensen tegen die lijden. Het is tegenstrijdig maar hoe meer zin mijn tocht krijgt, hoe lichter ik zelf word. Waar zal dat eindigen?

In het zuiden van het land trek ik door enorme vlakten en bossen, zover het oog reikt. Ik loop hele dagen zonder een levende ziel tegen te komen. Dit is geen woud meer, dit is een groene woestenij. Er is geen enkele landbouwactiviteit meer, alleen wouden, moerassen, venen en prachtige bomen. Ik oriënteer me met behulp van een kompas en op de stand van de zon. Mijn algemene wegenkaart is totaal onbruikbaar in deze wirwar van weggetjes. Op goed geluk volg ik een weg die door de vlakte kronkelt. In het midden van het bos steekt een enorme boom boven alle andere uit. Ik heb de indruk dat ik in de buurt kom van een eerbiedwaardig wezen, van een stille getuige van de voortschrijdende tijd. Naast de stam vind ik enkele prenten van de maagd Maria en een paar brandende kaarsen. Ik krijg een hele rare gewaarwording. Het is alsof ik hier niet alleen ben. De plek lijkt bewoond. Ik keer me om en tuur het bos af dat me ondoordringbaar lijkt. Ik voel iets dat bijna fysiek is, een welwillende aanwezigheid. Een warme gloed gaat door me heen. Ik kijk naar de kaarsen. Ze beginnen te knetteren. Het valt me zwaar om deze plek weer te verlaten. Ik blijf nog heel even bij deze boom die hier al sinds lang vervlogen tijden moet staan. Toch vreemd hoe sommige plaatsen bewoond lijken.

Ik loop verder over de aardeweg door het bos. Zit ik nog altijd juist? Ik zou graag een teken zien. Een bevestiging van ergens krijgen. Ik heb deze wens nog maar pas geuit en ik hoor het geronk van een auto die mijn richting uitkomt. Dat is ongelooflijk! Uren en uren ben ik niemand tegengekomen en nu komt er ineens een auto. De inzittenden geven me te verstaan dat er enkele kilometer verderop een gehucht ligt en dat ik in de goede richting zit. Opgewekt zet ik er vaart achter. Plots haalt een gerommel mij uit mijn opgewektheid. Ik keer me om en zie de hemel boven mij veranderen in een antracietgrijze muur. Ik sta verstomd van dit apocalyptische beeld. Ik blijf een paar ogenblikken wezenloos staan en zet het dan op een lopen alsof mijn leven ervan afhangt. Zwarte wolken barsten open en vallen uiteen om daarna op te gaan in een nog donkerdere massa. Zo'n fenomeen heb ik nog nooit gezien. Enkele ogenblikken later breekt de hel los. Het onweer buldert achter mijn rug en donderslagen splijten de lucht. Mijn benen dragen me tot aan het gehucht waar ik beschutting zoek in het portaal van een vervallen kerkje. De bladeren van de bomen keren zich en tonen een zilveren glans. Een zondvloed ratelt op het pannendak van de kapel. Dat was op het nippertje. Beschut onder het dak kijk ik naar het danteske spektakel. De hel barst los! De wind giert door de halfopen deur. Ik houd mijn stok stevig vast. Als de zondvloed voorbij is ga ik weer op stap. Opgelucht. Voor mij klaart het landschap op, wordt het woud minder dicht en krijgen de zandwegen weer een bestrating. De kleur van het asfalt versmelt met de eenkleurigheid van het landschap. Er is bijna geen kleurverschil tussen het grijs van de weg en dat van de hemel. Op de donkere weg weerspiegelen de plassen de bleekheid van de lucht. Het zijn net lichtvlekken. Ik voel mij er goed bij.

De poesta is de meest ontvolkte streek die ik tot nu toe heb doorkruist. Ik kom aan in het dorp Somögyfajsz. Een paar afgeleefde huizen en een totaal bouwvallige kerk zijn de verblijfplaats van de kraaien geworden. Enkele bewoners begluren me wantrouwig vanachter hun vale gordijnen. Deze plaats lijkt behekst. Alle kleur lijkt verdwenen door ontgoocheling. Ik laat me leiden door mijn stappen die een afdruk nalaten in de vette modder. Voorbij een bocht in de weg ontdek ik een oud bouwwerk dat voor het sovjettijdperk een aristocratische villa moet geweest zijn. Een deur staat half open. Ik duw ze verder open en ga naar binnen. Ik kom in een vreemd interieur. De muren zijn bedekt met dierenhuiden. In de hoek knettert een oude haard. Ik kom wat dichterbij. Opgezette dieren kijken me aan. Wat een vreemde plek. Ik roep eens om te zien of er iemand is. Enkele ogenblikken later gaat een massieve deur open. Door de deuropening komt een man met een baard naar me toe. Grootmoedige ogen lichten zijn gezicht op. Hij steekt een grote hand uit en heet me welkom in zijn ecologisch centrum. Tibor is de verantwoordelijke van dit natuurcentrum in het hart van de poesta. Hij geeft me lekkere soep. Een kwartier later komt zijn collega Laszlo binnen. Hij draagt een enorme bril die de bovenste helft van zijn gezicht verbergt. Een grote grijze baard verbergt de rest. 'Hallo, iedereen noemt me *Tauchbrille* (duikbril).'

Tauchbrille is geboren in Roemenië. Hij heeft in Duitsland gewoond voor hij naar Hongarije kwam. Dat maakt de conversatie gemakkelijk. 'Weet je, hier in het centrum is het alsof we afgescheiden leven van de wereld. Rondom ons liggen duizenden hectaren natuur. Dit is een van de grootste natuurgebieden van Europa.'

Terwijl *Tauchbrille* met me praat komt een jonge vrouw de kamer binnen. Anna is een Duitse van 24 jaar. Ze studeert bosbouw in Bielefeld en doet hier een stage. Laszlo nodigt ons aan tafel. Hij haalt een fles plaatselijke alcohol tevoorschijn. Die stijgt meteen naar mijn hoofd. Ik ben niet meer gewend om te drinken. Ik ben er trouwens nooit aan gewend geweest. De tongen komen los en de harten storten hun teveel aan emoties uit. Deze dag is onwaarschijnlijk. *Tauchbrille* kijkt me aan met een ernstige blik en legt vaderlijk zijn hand op mijn schouder.

'Jongen, het is goed wat je doet, maar je zult door erg gevaarlijke en onstabiele streken trekken. Blijf jezelf, blijf trouw aan je zoektocht. Alleen zo zal het je lukken.'

Ik bekijk hem weer alsof het de eerste keer was. De uitdrukking op zijn gezicht is veranderd.

Na die ernstige momenten doet Laszlo nog een fles open. *One for the road.* We drinken nog een laatste glas en dan gaan de twee vrienden weg. We blijven met z'n tweeën achter.

Ik stop met drinken. Anna begint te praten over haar leven in het ecocentrum. Een weerbarstige haarlok verbergt een deel van haar zachte gezicht. 'Het leven is hier hard en je bent echt van de wereld afgesloten. In dit stuk van Centraal-Europa zijn de winters zeer hard. Maar de natuur is prachtig. Op dit moment beleven we het ontwaken van de natuur.' Anna vertelt lang over de dieren en het ongerepte woud. Ze is bezield door wat ze doet. 'Er zijn bijna geen oerbossen meer in Europa. Oerbossen zijn bossen waarin de mens nooit heeft ingegrepen. Het enige dat in Europa nog overblijft, ligt in Polen. Alle andere zijn veranderd en ingeperkt en maken gemiddeld nog slechts 30 % per land uit. In sommige landen zoals Groot-Brittannië beslaan de bossen nog slechts 8 % van de totale oppervlakte.'

Om 1 u 's nachts neem ik afscheid van Anna. Ik heb rust nodig. Ik duik in een zware, diepe slaap en heb een vreemde droom. Ik zie me opnieuw aankomen in dat onheilspellende dorp. Aan de kant van de weg zie ik *Tauchbrille*, gekleed in een raar pak met een kepie. Hij lijkt de bewaker te zijn van een heel bijzondere plaats. We beginnen een vreemde conversatie. Hij onderwerpt me eerst aan een ondervraging.

'Beroep?'
'Smokkelaar.'
'Smokkelaar?'
'Ja.'
'U staat onder arrest. Dat is illegaal.'
'Houd mij maar aan, maar het zal niets veranderen. Ik ben geschift.'
'Geschift?'
'Ja.'
'Dan interneer ik u. We houden niet van helden tegenwoordig.'
'Maar wat is heldendom?'
'Heldendom, dat is sterven aan je dromen als je 30 bent en weer geboren worden als je 60 bent.'
'En daartussen?'
'Dan leer je vergeten.'
'Vergeten?'
'Ja, vergeten. Vergeten dat je op 30 jaar een lichtsmokkelaar was à la Audiard: "Zalig zij die geschift zijn en barsten vertonen, want ze zullen het licht doorlaten".'
'En wat gebeurt er dan?'

'Jij vraagt wel veel hoor, jongen!'
'Dat schijnt normaal te zijn voor mijn leeftijd.'

Een glimlach tekent zich af op het gezicht van de oude man.
'Het is normaal voor mijn leeftijd, dus: waarom en hoe?'
'Goed dan! We worden allemaal geboren als spiegel van het licht. Elke lichtstraal is een droom. Je kindertijd is een vermenigvuldiging van lichtstralen. Dan komt de tijd van je jeugd. Sommigen weigeren te sterven aan hun dromen en zij worden ondoorzichtig. En dat blijven ze ook.'
'Brrr!'
'Ja, zeg dat wel. En dan zijn er anderen die aanvaarden om aan bepaalde dromen te sterven. Zij krijgen barsten. Zij worden lichtsmokkelaars.'
'En?'
'Sommigen worden een bron.'
'Een bron?'
'Ja, sommigen zijn in die mate gestorven aan hun dromen dat de dromen van anderen de hunne worden. De barst in het glas wordt groter en breekt en het licht komt erdoorheen.'
'Doet dat pijn?'
'Ik denk het niet, ik denk dat het zelfs… een genot is.'
'Waarom doe je het dan niet?'
'Omdat ik op dit moment mijn barsten nog nodig heb.'

Ik word wakker en ik weet niet waar ik ben. Wat een gekke droom. Ik denk aan *Tauchbrille*.
Misschien is hij, zoals Magdalena Strubel, de bewaker van mijn dromen geworden?

Ik ga naar beneden. *Tauchbrille* is er niet. In de grote vertrekken van het centrum vind ik Tibor en Anna. Ze lijken al druk bezig vanochtend. Ik wil hen niet storen en knabbel enkele koekjes op. Ik zoek mijn spullen bij elkaar en neem mijn wandelstok. Ik ga naar Tibor om hem te bedanken. 'Doe ook de groeten aan Tauchbrille.'
Anna loopt nog met me mee op het pad naar Kaposvar. Als we afscheid nemen en ik onderduik in de ochtendnevel, beeld ik me in dat ik hier samen met iemand loop en deze ervaring met z'n tweeën

beleef. Het is moeilijk om te omschrijven maar ik besef ten volle dat ik deze reis alleen moet maken. Ik heb geen keuze. De diepe werkelijkheid van deze reis toont zich slechts in de eenzaamheid van de tocht. Het is bij deze eeuwige overgang van bekend naar onbekend dat de twee zich verstrengelen en het stramien van de reis vormen. De wind steekt op en de regen is er weer. Ik houd toch het meest van alleen lopen in de natuur. In deze eenzaamheid heb ik de gelegenheid om de mensen van wie ik houd erbij te denken. Ik zet elke eenzame stap samen met een leger mensen. Ik weet op de ene of andere manier dat deze weg hun ook goed doet. In de grauwheid van de omgeving schittert een licht dat ons met elkaar verbindt. Op deze tocht ben ik nooit alleen. Ik vermoed dat er een hand is die over me waakt en die me leidt.

Ik vertrek weer door deze poesta voor vele uren solowandelen. Geen levende ziel te bekennen. Mijn voeten zinken weg in de modder en bij elke pas blijft een dikke klodder modder aan mijn schoenen plakken.

De stad Kaposvar lijkt op een citadel waarvan de ommuring bestaat uit zielloze gebouwen die zijn opgetrokken tijdens het communisme. Als ik de stad nader, kondigen het grijze weer en de miezerige regen een kleurloze agglomeratie aan. Reclameborden beloven een wereld waar wonderen mogelijk zijn. Het verschil tussen de belofte en de realiteit is flagrant.

Ik vind onderdak bij de kapelaan van de kathedraal. Hij heeft niet veel tijd voor mij en laat me alleen op het zolderkamertje van het huis. Ik betrap er mij op dat ik 'eindelijk alleen' zeg, terwijl ik al dagen in eenzaamheid doorbreng. Ik geniet trouwens hoe langer hoe meer van deze eenzaamheid. Op een keer heeft iemand me een kluizenaar genoemd. Maar zijn we niet allemaal kluizenaars op het moment dat we de lange reis naar onszelf ondernemen?

De volgende dag zet de kluizenaar zijn weg verder naar het zuidoosten.

Op de weg naar Pécs word ik ontvangen door Adam, een katholieke priester van 80 jaar. Hij wordt geholpen door een stel Roemeense ballingen die het regime van Ceausescu zijn ontvlucht en nooit zijn teruggekeerd naar Roemenië. Marika en Dacha laten me een lokaal gerecht ontdekken: gevulde paprika's. Dacha is verpleger in een psychiatrisch ziekenhuis in Pécs. Hij vertelt me over de dramatische omstandigheden waarin hij moet werken. Hij en zijn collega zijn de enige verplegers voor een dertigtal patiënten. Hij staat aan de rand van een inzinking. Als Dacha 's avonds naar zijn werk vertrekt, blijf ik alleen met Marika. Haar blik wordt somberder. Ze vertelt me over het groeiende racisme van de Hongaren tegenover vreemdelingen en vooral tegenover Roemenen. 'De mensen aanvaarden ons niet. Ze denken dat we hun werk afpakken. Op straat gaan ze op de andere stoep lopen en hoor ik hun bespottingen. Dat is heel hard.'

Haar trieste blik raakt me. Plots gaat de deur van de keuken open en verwijst pastoor Adam mij op een autoritaire manier naar mijn kamer. 'Het is tijd om te gaan slapen!'

Ik laat me gedwee naar mijn slaapplaats leiden.

Ik krijg de bank in de salon als bed. Ik vind een draagbare cd-speler en een cd met de cantates van Bach. Dat is een meevaller. Ik haal de juiste batterijen uit mijn tas en ook de oortjes van mijn videocamera. Ik duik de nacht in met Bach. *Gott erbarme dich*. Terwijl ik naar de cantates luister, passeren de beelden van de voorbije dagen voor mijn ogen. Ik zie eindeloze wegen, landschappen die in elkaar overvloeien en een hemel die zijn tranen uitstort.

Op zaterdag 21 mei kom ik aan in Pécs, een grote stad in het zuidoosten van Hongarije. Het is haast niet te geloven dat mijn voeten me tot hier hebben gebracht. Ik sta voor de poort van Oost-Europa. Ik ben nog maar twee dagtochten verwijderd van Servië. Ik herkauw die woorden om de draagwijdte van mijn daden goed te beseffen: 'Seb, je bent van Gent naar Pécs gestapt. Van Gent naar Pécs...'

Als ik de stad binnenkom, sta ik versteld van haar schoonheid. Ze ligt op 200 kilometer van Boedapest en heeft de rust en de charme van een provinciestad. De oude, geplaveide straten getuigen van een roemrijk verleden. Hier staat de oudste universiteit van het land. Ze dateert uit de 14de eeuw. Deze stad is net als Salzburg een prachtige ontdekking op mijn weg. Hier komt Sophie, een Franse goede vriendin, zich bij me voegen om een weekje samen te reizen. Het is haar droom om op een dag de hele voettocht te doen en in afwachting daarvan doet ze een stuk samen met mij. Om eens te 'proeven' van dit leven van omzwervingen...

Het vooruitzicht om met iemand samen te reizen verheugt me. Maar reizen met z'n tweeën is helemaal anders. Alles wat je beleeft, deel je onmiddellijk met iemand. Gedurende een week ruil ik mijn eenzaamheid voor onmiddellijk gedeelde indrukken. Samen gaan we op weg naar Kroatië. Een twintigtal kilometer voor de Kroatische grens verlaat Sophie me en legt de rest van de etappe liftend af. We spreken af voor de kerk van het laatste dorp voor de grens. Ik loop alleen door de onmetelijke velden van Mohacs. In het begin van de 16de eeuw vond hier de historische strijd tussen de Hongaren en de Ottomanen plaats. Het Ottomaanse leger was 80.000 man sterk en verpletterde de Hongaren. In de velden word ik tegengehouden door twee oude mannen die op de fiets terugkeren van hun akkers. Ze begroeten me in perfect Duits. Ze maken deel uit van de Duitse gemeenschappen waarvan er enkele overblijven in Oost-Europa. Een van hen nodigt me uit om een glas te drinken. Hij woont tegenover de kerk, op 300 meter van de grens, op de plaats waar ik met Sophie heb afgesproken. We lopen samen voorbij de lange rij vrachtwagens die wachten om de grens over te steken. Op weg naar zijn huis vertelt hij me dat hij tijdens de Tweede Wereldoorlog gevangen zat in Toulon. Zoals veel andere Duitstaligen werd hij gedwongen om in het Duitse leger te gaan. Toen na de Duitse nederlaag Hongarije bij het Sovjetblok werd ingelijfd, hebben zij nog verder geleden onder de onderdrukking. Als katholieken konden zij niet langer hun godsdienst beleven en bovendien hadden zij geen toegang tot de belangrijke functies in de communistische overheidsinstellingen.

VII. Kroatië

De route door Kroatië is op het laatste moment geïmproviseerd. Toen ik in Pécs de kaart goed bekeek, zag ik dat we zo enkele dagen voorsprong konden nemen op de planning. Bij de grensovergang vertelt de douanier ons dat er enkele jaren geleden een Zweed met een skateboard de grens overstak. Hij was op weg naar Medjugorie, een Mariabedevaartsoord in de bergen van Bosnië.

Deze nieuwe route trekt me aan. Door de korte doortocht van Kroatië stellen we Servië nog even uit. Bij Servië heb ik ondanks alles grote twijfels. Ik heb de indruk dat ik na Servië geen grote obstakels meer moet verwachten. Ik zal later merken dat zulke indrukken niet altijd aan de realiteit beantwoorden.

Deze 24 uur in Kroatië zijn een voorproefje van de ontvangst in Oost-Europa. Het licht is ongelooflijk zacht. De aankomst in Draz, een klein stadje dicht bij de grens, is prachtig. Overal voel je de oorlog die nog maar enkele jaren geleden deze streken heeft geteisterd. In de trieste ogen van de mooie Slavische gezichten zie je meer herinneringen dan ze met woorden zouden kunnen uitdrukken.

We lopen naast moerassen die ware dierenkerkhoven zijn en komen rond zonsondergang bij de kerktoren van het plaatsje. Het water en de krengen vormen een ideale kweekvijver voor de muggen die ons schaamteloos aanvallen en zich niets aantrekken van de producten waarmee we ons insmeren. Een paar krotten, een fabrieksschoorsteen en enkele boeren die op het land werken of hun kudde schapen hoeden. Waar zijn we terechtgekomen? Over een afstand van dertig kilometer hebben we rondgetrokken in een ondefinieerbare streek. Alles is er merkwaardig stil.

Veronika is de helpster van de parochiepriester; ze ontvangt ons met open armen.

'*Esta casa es su casa!* Dit huis is jullie huis', zegt ze ons herhaaldelijk in het Spaans. Die taal heeft ze geleerd als missiezuster in een weeshuis in Nicaragua. Ik probeer van haar wat meer te weten te komen over de wandaden van de Serviërs tijdens de Balkanoorlog.

Het antwoord blijft beperkt tot enkele woorden: 'Vreselijke dingen. Vreselijke dingen.'

Meer zal Veronika er niet over vertellen. Ze maakt lekkere soep voor ons klaar en de volgende ochtend een stevig ontbijt. We vertrekken heel vroeg. Vandaag is het eerste communie in het dorp en er moet nog veel worden voorbereid. We maken kennis met de priester, een heel joviale en goedlachse man. Als we de pastorie verlaten is hij al in de kerk. De luiken van het balkon van de kerktoren gaan open en hij verschijnt om ons vanaf het balkon een echte pauselijke zegen te geven!

Onze laatste passen in Kroatië onthullen even mooie landschappen als onze eerste. Een kronkelige geplaveide weg loopt naar beneden naar de Donau. Aan de overkant ligt Servië. Nieuwe grens, nieuw land. Het avontuur gaat verder. We verlaten dit land dat ons met veel schoonheid heeft verwelkomd maar zijn armoede niet kon verbergen.

VIII. Servië

Een eenvoudig bord met 'Voormalige Joegoslavische Republiek' en een wachthuisje met drie grenswachten vormen de grenspost aan de andere kant van de Donau. De formaliteiten beperken zich tot een vraag met antwoord: '*Belgium? Nice football!*' De stempel wordt geplaatst met een glimlach en zonder verdere verwikkelingen. Ik ga dit land binnen met een dichtgeschroefde keel. Hoe moet je spreken over deze streek waar zo gewelddadig is opgetreden tegen de talrijke minderheden die er het multiculturele landschap van vormen? In België, dicht bij de Duitse grens had een Serviër mij al gewaarschuwd: 'Als ik jou was zou ik een gewapende begeleider inhuren om Servië te doorkruisen.'

In Hongarije en Kroatië waren de berichten evenmin geruststellend. Toen ik Servië aankondigde als mijn volgende etappe, zag ik ook daar afkeurende gezichten die niet mis te verstaan waren. En toch... Na de eerste kilometers is mijn vrees weggeveegd: aan een klein bebost weggetje, verpest door de muggen zoals in Kroatië, nodigt een boerenvrouw ons bij haar thuis uit voor een kop koffie. Daarna toont ze ons trots haar dieren: koeien, stieren, konijnen, varkens. Ze haalt ook enkele foto's tevoorschijn en stelt ons alle leden van haar familie voor.

Je kunt niet zeggen dat Servië een ongastvrij land is. 's Avonds komen we aan in Sombor, een stad die ook door de oorlog geteisterd is. Enkele politiemannen laten zich ontvallen dat hier 4000 kinderen gedood werden... Het is nog zo kort geleden. Het mysterie van oorlog, geweld en lijden. Onder de platanen discussiëren de oudjes in de avondkoelte.

We zullen overnachten in het karmelietenklooster. Eens te meer krijgen we een stijlvolle en attente ontvangst. De overste, aan wie ik gezegd heb dat het de volgende dag mijn 32ste verjaardag is, wekt me met een cadeau: een kruisbeeldje van terracotta. Bij ons vertrek geeft hij me een enveloppe met dinars voor onderweg.

Op mijn verjaardag loop ik voorbij Sombor onder een loden zon die mijn stappen verschroeit. Sophie is met de bus vertrokken naar de volgende etappeplaats, een dorpje dat ons alleen maar interesseert omdat het een katholieke pastorie heeft. Onderweg ga ik in een kroegje mijn veldfles vullen. Binnen zitten vier jonge mensen aan een tafeltje. Ze nodigen me uit om bier te drinken met hen. Het is ten slotte mijn verjaardag... Na een paar algemene vragen, waar ik vandaan kom en voor welke voetbalclub ik supporter, zegt een van hen dat hij in Bosnië is geweest.

Zijn blik wordt somber. Korte stiltes benadrukken de woorden die er moeilijk uitkomen. De man is rond de dertig en gebouwd als een rots. Hij heeft een lichaam waar menig bodybuilder jaloers op zou zijn. Hij doet alsof hij met een machinepistool schiet. Bojan was 24 toen hij naar Srebrenica werd gestuurd om deel te nemen aan de moordpartij. De triestheid in zijn gelaat is aangrijpend. Hij is amper klaar met zijn verhaal als hij opstaat om naar het toilet te gaan. De anderen zwijgen. Als ik wegga, vraagt hij mij om hem niet te vergeten. Hij trekt zijn T-shirt uit en geeft het aan mij.

'De internationale gemeenschap vergeet ons. We zijn buitengesloten uit de wereld door de stommiteiten van enkele mannen die het Servische volk hebben meegesleurd in een spiraal van haat. Als ik niet schoot, dan werden wij gedood door onze generaals. Weet je wat het is als je voelt dat je voor de ander niet bestaat? De nazi's verboden de joden om hen in de ogen te kijken, op straffe van onmiddellijke executie. Mijn dromen zijn een nachtmerrie en we hebben geen enkel toekomstperspectief.'

Als ik vraag wat ze van de Europese Unie denken, antwoordt Bojan: 'We zijn een opgegeven generatie. We hebben niet alleen de oorlog gekend maar we zijn bovendien vergeten door de collectieve onwetendheid van de Europese Unie. Ze willen ons niet. Vergeet me niet daar in Jeruzalem.'

Ik heb nog een vijftiental kilometer voor de boeg. Ik zie steeds opnieuw het gezicht van Bojan die doet alsof hij een machinepistool afvuurt. De zon verblindt me. Op een bepaald moment zwijmel ik. Ik kom zoveel leed tegen op deze weg naar Jeruzalem...

We blijven twee dagen in Novi Sad, de hoofdstad van de autonome provincie Vojvodine. Niet minder dan zes officiële talen wijzen op de grote culturele verscheidenheid van de streek. De katholieke kerktorens rijzen op naast de orthodoxe. Als we ronddwalen door de levendige straatjes kunnen we ons amper voorstellen dat hier oorlog woedde.

We logeren in een hotel in het centrum, vlak bij de nachtclubs en de straten met terrasjes die altijd vol zitten. Met mijn baard trek ik de aandacht. Ik voel me met vakantie. Ik neem de tijd om wat te rusten. Ik voel me heel moe. Mijn lichaam is afgemat, uitgeput. Ik mis vooral een meer gevarieerde voeding en een betere nachtrust. Ik sleep me sinds zes weken naar het Oosten. Over iets meer dan een week zal ik de Roemeense grens bereiken. Als alles goed gaat.

Ik breng Sophie naar het station waar ze de trein neemt naar Belgrado. De trein vertrekt en ik ben weer alleen. Ik ga verder via landweggetjes. Ik denk terug aan die paar vrolijke dagen met Sophie. Zij moest mijn helse ritme volgen en haar kuiten hebben dat moeten bekopen: aan het einde van elke etappe voelden haar benen aan als palen. De warmte en de afmattende etappes naast tientallen kilometer spoorlijn deden er geen goed aan. Maar we kregen wel de slappe lach van de vormeloze aanblik van haar enkels.

Waar ik me voortsleep op de Servische wegen, steken automobilisten hun duim op en stoppen de boerenwagens van de zigeuners om te vragen of ik hulp nodig heb. De vriendelijkheid van de Serviërs raakt me en geeft me nieuwe kracht. Je moet je vooroordelen opzijzetten en je mag niet oordelen zonder kennis van zaken. Dat is een van de lessen die ik op mijn voettocht heb geleerd. Het onbekende dat ik ontdek wordt steeds mooier. Steeds veelbelovender. De ontmoetingen volgen elkaar op maar lijken niet op elkaar. Nu eens krijg ik een kamer in een kamerhotel, dan weer een canapé in een bejaardentehuis of een bed in het weeshuis van Zranjedin, een industriestad in het noorden van het land. Toen ik in deze stad een slaapplaats zocht, kwam de Servische politie mijn papieren vragen. Nadat ik alles had uitgelegd, besloten ze om me met hun politieauto naar de broeders salesianen te brengen. In de auto hoor ik hen spotten en ik denk aan de tegenstellingen tussen orthodoxen en katholieken. Veel katholieken zijn van Hongaarse origine. Tijdens de oorlog hebben de Servische Hongaren het niet gemakkelijk gehad. Nu nog beweert deze minderheid gediscrimineerd te worden. In de katholieke wijk vertelt een man mij dat nog steeds bendes van nationalistische Serviërs sommige streken doorkruisen, op zoek naar Serviërs van Hongaarse afkomst om in elkaar te slaan. Stoian, de overste van de salesianen, zet grote ogen op als hij hoort dat ik van Gent kom. 'Dan ken jij monseigneur Luc Van Looy?'

De bisschop van Gent, die ik voor mijn vertrek heb opgebeld, is salesiaan en heeft een tiental jaar geleden zijn broeders een bezoek gebracht. Stoian vraagt me om hem bij mijn terugkeer op te zoeken en hem te vertellen hoe moeilijk zij het hebben. Ik beloof dat ik het zal doen.

Het noorden van Servië lijkt op Nederland: immense vlaktes zover het oog reikt. Ik loop tientallen kilometers door de velden zonder dorpen te zien. Om de wegen te vermijden loop ik vaak naast spoorwegen. Over de onregelmatige biels lopen is geen pretje. Ze zijn heel onregelmatig geplaatst en ik slaag er niet in om het juiste ritme te vinden. Af en toe moet ik een trein doorlaten die zijn komst aankondigt met een schel gefluit. De afstanden zijn zo groot dat het een eeuwigheid duurt voordat de trein aan de horizon verdwenen is. Gelukkig zijn veel spoorlijnen in Servië niet meer in gebruik. Vaak volg ik een lijn en loop ik vast in doornig en dichtbegroeid struikgewas. Mijn benen worden gevild en ik word alsmaar kwader. Ik sta alleen op sporen die ik amper kan onderscheiden, in het midden van het maquis en roep uit volle borst: 'Wat doe ik hier in 's hemelsnaam? Ik ben het beu! Beu!'

Gadjo Sebastiano

Ik kom moeilijk vooruit. Door de doornen zitten mijn benen onder het bloed. Ik probeer op de sporen mijn evenwicht te vinden om nog een paar centimeters huid te sparen. Ik stamp als een gek op de beplanting om me een weg te banen. Ik ben ook bang voor de mijnen uit de oorlog. Hoe lang is dit spoor al niet meer in gebruik?

In een armzalig dorp houdt een Roma-zigeuner, die op de drempel voor zijn deur zit, me staande. 'Gadjo!'
Hij heeft een mond vol goud.

'Heb je geen sigaret?'

In zijn huis is een rist kinderen aan het roepen. Een zestal jochies komt op blote voeten naar buiten. Ze draaien om mij en maken zich vrolijk. De vader eist stilte en vraagt aan eentje om de oudste dochter te halen. Als het meisje er is, neemt de vader haar bij de arm en presenteert haar aan mij zoals je een koe toont. '*Gadjo*, wil je niet met haar trouwen? Ik heb papieren nodig om naar Europa te gaan, zie je.' De armen van het meisje staan vol littekens van brandwonden van sigaretten. God weet wat haar is overkomen. Ze is niet ouder dan vijftien jaar maar haar blik laat zien dat ze al te veel heeft meegemaakt. Ik zie in die blik het lijden van een gestolen kindertijd. Haar ogen vertellen veel. We bekijken elkaar een moment dat eeuwig lijkt te duren. Arm meisje. De vader krijgt hoogte van onze blik en stuurt haar onmiddellijk weer naar binnen. Hij glimlacht gluiperig. Ik heb zin om met mijn wandelstok op zijn gouden smoelwerk te timmeren. Ik sis iets afkeurends tussen mijn tanden en ga door zonder verder aandacht te besteden aan zijn getier. De weg is nog lang...

In de verte, voorbij een brug over een moeras, tekent zich in het avondlicht de bergketen van de Roemeense Karpaten af! De eerste juni kom ik aan de grens van het zesde land op mijn weg naar Jeruzalem. Met de bergen in zicht krijg ik opnieuw een einde-van-de-wereldgevoel. Ik loop door korenvelden die zich uitstrekken zover je kunt zien. De bergen worden steeds indrukwekkender. In dit verheven landschap stop ik regelmatig om wat tarwe te knabbelen en me te voeden met de vruchten die in de weelderige natuur in overvloed te vinden zijn. Ik laaf me ook aan de talrijke waterputten. Op de hele reis zal ik geen enkel waterzuiveringstablet gebruiken.

In de laatste Servische dorpen zie ik aan de blik van de mannen dat ze twijfelen over mijn afkomst. Ik zie er vast niet uit als iemand van de streek. Jonge zigeuners komen mij de hand schudden.

'*What's your name?*'

'Sebastien!'

'*Gadjo* Sebastiano!'

Vier mannen in een dikke zwarte Mercedes met getinte ramen stoppen bij ons. Een kerel met een gouden horloge vraagt half in het Duits, half in het Engels: 'Wil je een meisje?'

Ik antwoord scherp: 'Nee, bedankt, het is oké zo.'
'Wil je geld wisselen?'
'Eh, nee. Ik heb geen geld!'
De man begint opnieuw: 'Wat wil je dan wel?'
'Ik? Niets! Stappen.'
De man met het gouden horloge maakt een misprijzend gebaar.
Het getinte raampje gaat weer omhoog en de auto vertrekt op de
zandweg. Met mij zal hij geen zaken doen.

Als ik weer vertrek laten de jonge Roma's mijn hand los en roepen: 'Goodbye Gadjo!'
Ik zie er al lang niet meer uit als een westerling. Ze kunnen me
niet plaatsen. Als ik me spiegel in het water, zie ik een ruig hoofd
en een dikke, volle baard. Mijn gezicht is gebruind door de overvloedige zon in Servië. Ben ik op een dag vertrokken? Ik blijf kijken
naar het gezicht alsof ik het voor de eerste keer zie. Het lacht naar
mij. God, wat is het leven mooi! De bergen voor mij bewijzen me
dat ik vooruitga. Ik dans van vreugde op een weggetje in Centraal-
Europa. Bij de ondergaande zon krijgen de korenvelden een gouden
gloed. Het licht laat bij alles wat het aanraakt een blauwe schaduw
achter. Zwerfhonden komen blaffend op mij toegelopen. Ik ben zo
blij dat ik me weinig zorgen maak. Als ze dicht bij me komen verandert hun geblaf in gehijg en gekwispel met hun staart. Wat heb
ik te vrezen? Ik ben toch op weg naar Jeruzalem.

Geen kwaad zal over je komen
Geen plaag dringt door tot je tent.
Zijn engelen zal hij opdragen
Om je te beschermen, waar je ook gaat. (Psalm 91)

Ik verlaat Servië met een vleugje nostalgie. Ik heb zoveel beleefd in
dit deel van Europa dat zo dichtbij en toch zo ver weg is.

IX. Roemenië

Mijn eerste nacht in Roemenië is een van de meest pittoreske. Voorbij de grens beland ik in een andere tijdzone en verlies ik een uur. Het gevolg is dat ik redelijk laat aankom in Moldavita, de Roemeense grensstad. Geen pastoor noch orthodoxe pope te bespeuren. Wel merk ik twee douanebeambten op en ik loop naar hen toe. Ik leg hun mijn situatie uit. Ze vragen me te wachten: ze zullen zien wat ze voor me kunnen doen. Terwijl ze hun controles voortzetten, overladen ze me met limonade en chips. Twee uur gaan voorbij. Een chique Mercedes met Italiaanse nummerplaat houdt halt. In plaats van de auto te controleren, vragen de douaniers aan de bestuurder of ze een ritje met de snelle auto mogen maken... Roemenië, welke verrassingen heb je voor me in petto? Terwijl ik geduldig wacht, komt een collega van de twee douanebeambten langs. Ze vraagt me wat ik hier doe. Uit medelijden neemt de vrouw me mee naar de kruidenier op de hoek, waar ze koekjes, groenten en water voor me koopt. Wanneer ik terugkeer, zijn de twee anderen nog steeds niet terug. Braafjes neem ik weer plaats en knabbel ik wat op de kervelstengels die de douanierster me heeft gegeven. Intussen houd ik de activiteiten aan de grens in de gaten. Na een kwartier duiken de twee kerels dan toch op. Aan de eerste passant die opdaagt, vragen ze om me mee te nemen. Zonder werkelijk te weten waar hij me heen leidt, volg ik hem. Wat kan het me trouwens schelen, zolang ik mijn rugzak maar ergens kan neerploffen. Wegens de ochtenddauw vermijd ik het om buiten te slapen. Ik volg mijn gids in een grauwe bar. Hij vraagt me of ik achter de tapkast wil slapen. Ik probeer hem duidelijk te maken dat dat me niet echt ideaal lijkt. De man loopt verder en ik ga hem achterna. Iets later duwt hij de deur van een opslagplaats open. 'Kijk, daar kun je slapen!' De man wijst naar een stuk karton naast een olievlek. 'Uitstekend! *Multsumesk!* Bedankt.'

Ik spreid mijn slaapzak op het karton uit en val als een blok in slaap.

Als ik 's morgens weer op pad trek, lijkt het of de mensen me anders bekijken. In een dorp achttien kilometer verderop slingert een tandloze dame me enkele verwijten naar het hoofd, terwijl ze met haar priemende vinger naar mijn gezicht wijst. Ik loop naar een kruidenierszaak en spiegel me in de etalage. Mijn gezicht zit onder de zwarte smurrie! Vorige nacht moet ik terwijl ik sliep met mijn gezicht door de olievlek zijn gerold. En deze ochtend ben ik zonder me van enig kwaad bewust te zijn gewoon op pad gegaan! Ik lijk meer dan ooit op een zwerver die sinds lange tijd zijn thuishaven achter zich heeft gelaten. Rond mijn ooghoeken vormen zich kleine groeven. Mijn lippen zijn door zon en zout gebarsten. Mijn huid is ongevoelig geworden voor weer en wind. Ik ben een kleine tien kilo afgevallen. Bijna zestig kilometer per dag stappen maakt me niks meer uit. Ik rijg de kilometers aaneen, bijna zonder te stoppen. Ik loop zonder ophouden, in een ritmische pas. Alleen 's middags las ik even een korte pauze in, om snel wat fruit te eten dat ik aan de kant van de hobbelige wegen bij elkaar sprokkel. De wegen voorbij de grens zijn in een erbarmelijke staat. De diepe kuilen zijn misschien leuk voor voetgangers, maar een ergernis voor elke automobilist. Wat mij vooral opvalt, is dat de Roemeense wegen met fruitbomen zijn afgeboord. Ik doorkruis Roemenië precies in het kersenseizoen. Dit fascinerende land leeft op een ander ritme. Het doorgedreven kapitalisme heeft hier de sociale relaties nog niet aangetast. De Roemenen stoppen hun Dacia, een populaire Roemeense auto, en vragen me vanwaar ik kom. Vaak toveren ze een fles Tswika tevoorschijn, een plaatselijke sterkedrank op basis van appels, ongeacht het tijdstip van de dag. Elke gelegenheid is goed om de fles en de glazen tevoorschijn te halen. Het is een voorwendsel om te klinken en iets met elkaar te delen. Daarna vertrekt de nieuwsgierige bestuurder en ben ik weer overgeleverd aan de stilte van het platteland. In bijna elk dorp dat ik tegenkom, nestelen ooievaars op schoorstenen of elektriciteitsmasten. De nesten maken integraal deel uit van het plattelandsplaatje. Het is werkelijk een genot om te stappen. Af en toe onderga ik een controle van de politie die veeleer haar eigen nieuwsgierigheid wil bevredigen dan dat ze haar ambt wil uitoefenen. Intussen beginnen ze me op deze weg in het zuiden van het land te kennen. Meer dan 150 kilometer van de Servische grens kom ik nog Roemeense politieagenten tegen die me aanhouden en zeggen: 'Jij bent die pelgrim naar Jeruzalem die in Moravitza de grens is overgestoken! We kennen je, onze collega's hebben het over jou gehad! Welkom in Roemenië. Indien je ergens problemen ondervindt, aarzel dan niet om een politiebureau binnen te stappen. Daar zul je altijd geholpen worden!'

Maar de edelmoedigheid van iedereen die ik ontmoet, is de reden waarom ik op hun diensten geen beroep hoef te doen. Op een avond in de stad Oravitza, na een lange en zware dag stappen in de richting van de bergen die ik moet oversteken, word ik verwezen naar de enige plek waar ik onderdak kan krijgen: bij Virgil, de jonge katholieke priester. Ik bel aan. Niemand die opendoet. Aan de andere kant gaat een luikje open en een oude vrouw zegt me nog even geduld te oefenen. Tien minuten later komt er door de smalle straatjes een zwarte Dacia aanscheuren. Piepende banden. De auto slipt en stopt rakelings voor een andere auto die aan de kant van de straat geparkeerd staat. Het portier van de auto zwaait open. Een jonge, breed grijnzende kerel stapt uit. Hij lijkt op punt te staan me te vragen hoe ik zijn rijkunsten vond. Dat is mijn kennismaking met Virgil. 'Kom binnen en help even om deze zakken met levensmiddelen te dragen. Vanavond maken we er een feestmaal van.'

Virgil stelt me voor aan zijn nicht die non is in het klooster van Timisoara. Het is in die stad dat de revolutie tegen Ceausescu begon. Hun discrete ontvangst is hartverwarmend. Daniela maakt in de salon een bed op terwijl Virgil de maaltijd bereidt. Ik geef hun mijn spullen die gewassen moeten worden en neem een douche waar ik helemaal van opknap. Daarna voeg ik me bij Daniela en Virgil die intussen de tafel onder de grote kersenboom mooi hebben gedekt: kleine schotels met groenten en vlees, wijn bij sloten, aards geluk! De warme wind is de voorbode van de zomer. We brengen een fantastische avond door. De Roemeense sterrenhemel is adembenemend. We praten over de kracht die uit geloof voortvloeit. Rond deze tafel zijn we als oude vrienden die elkaar na een al te lange afwezigheid eindelijk terugzien.

Na een verkwikkende nacht ga ik 's ochtends op zoek naar Virgil, die catecheselessen aan adolescenten geeft. Hij nodigt me uit om een verslag van mijn reis te doen. In de parochiezaal word ik hartelijk ontvangen door een twintigtal jongeren. Op hun beurt praten ze over vrijheid en over hun plannen voor de toekomst. Hun wensen verschillen nauwelijks van die van de kinderen in België. Kosti wil dokter worden, Roman advocaat en Ciprian ziekenwagenbestuurder. Wat Jekatarina betreft, in het diepste van haar hart hoopt ze danseres te worden. Allemaal zijn ze geboren vóór de val van de dictatuur van Ceausescu.

Ik verlaat de samenkomst en wens hen veel succes in hun toekomstige beroepsleven.

Ik neem mijn pelgrimsstok weer op. Terwijl ik over het platteland trek, zie ik in de verte reusachtige schoorstenen opduiken. Een tiental kilometer verderop kom ik voorbij een immense, compleet verlaten fabriek. Een werkelijk akelig beeld. Grote raven vliegen rond de gebouwen. Verderop legt een man me uit dat dit de elektriciteitscentrale van Anina is, gebouwd tijdens het bewind van Ceausescu. De bouw duurde langer dan tien jaar, maar uiteindelijk is de fabriek niet langer dan twee maanden in gebruik geweest. De productiekosten bleken naderhand veel te hoog. Deze streek ademt melancholie en de teleurstelling is bijna tastbaar. Hier heeft het communisme het enthousiasme van twee of drie generaties vermoord. Meer dan vijftien jaar later zijn de littekens in sommige streken in Oost-Europa nog verre van geheeld. En dan te bedenken dat sommigen nog steeds dromen van dit soort ideologieën... Niet ver daarvandaan trekt een ander gebouw mijn aandacht. Het is het sanatorium van Steiersdorf. Alweer een reusachtig gebouw dat volledig staat te verkommeren. De zigeuners die in de hutten ernaast wonen, vertellen me dat in de tijd dat de centrale in werking was, elke ochtend de grond en de bossen onder een dikke aslaag werden bedolven. In dit gebied in het zuidwesten van Roemenië leven net zoals in Servië veel zigeuners. Ondanks herhaalde waarschuwingen van de Roemenen bereiden ze me altijd een hartelijk welkom toe. '*Gadjo*, hoeveel verdient men in België? Waarom ben je te voet?'

Na het altijd wat vervelende praatje over financiële zaken wordt steeds weer de zelfgestookte drank tevoorschijn gehaald. Er is niks aan te doen, de alcohol strijkt alle plooien glad.

Sinds ik vertrokken ben, heb ik alle soorten water gedronken. Water van de kraan, het bekertje water dat me onderweg door groentekwekers werd toegestopt, maar ook gewoon bronwater. In elk dorp is wel een waterput. Ik word voortdurend door dorst gekweld en ik heb het al lang opgegeven om de nodige voorzorgen tegen ziekten te nemen. Mijn lichaam lijkt zich met spreekwoordelijk gemak aan te passen aan de hoge eisen die ik het opleg. Ik voel me in dit land bijzonder goed thuis. Tijdens mijn verblijf bij Virgil heb ik ook enkele adressen gekregen van mensen die me met plezier onderdak zullen willen verlenen. Een van hen is Brigitte Dornstauder. Deze dame van een zekere leeftijd is een afstammelinge van Oostenrijkse kolonisten die zich in de 19de eeuw in dit afgelegen deel van Roemenië hebben gevestigd. Ze brachten hun knowhow op het gebied van land- en bosbouw mee. De grote herenhuizen met Oostenrijks vakwerk stammen nog uit die tijd. In het communistische tijdperk werd echter een aantal van die huizen vernietigd.

Brigitte woont in een huis dat aan die vroegere gloriejaren herinnert. Aan de muren hangen zilverhoudende beeldplaten in verlepte lijsten. Daarop poseren fier mannen en vrouwen voor hun huizen die vandaag verdwenen zijn. Brigitte spreekt vlekkeloos Duits. 'Duits is mijn moedertaal! Eertijds was dit gebied voor 85% bewoond door Duitstaligen uit het Oostenrijkse Steiermark. Vandaag is het droevig gesteld. Alle jongeren zijn uit de dorpen vertrokken en naar het land van hun voorouders teruggekeerd. Alleen oude mensen zoals ik zijn gebleven. En wij zijn katholiek. Wat zal er gebeuren met onze kerken, nadat de laatste van ons is heengegaan? Onze dorpen sterven uit, er is immers geen werk.'

Ik verblijf twee dagen bij Brigitte. Ze leidt me rond in haar groentetuin en in het mooie huis ernaast dat staat te vervallen. Er is geen geld om het op te knappen. Brigitte heeft een pensioen van 70 euro per maand. Gelukkig sturen haar zonen die in Duitsland wonen en werken haar maandelijks een bijdrage.

Als ik haar vraag waarom ze niet bij hen gaat wonen, antwoordt ze me dat ze hier haar hele leven al gewoond heeft. Haar twee echtgenoten zijn hier gestorven. En hoe zou ze de enkele resterende vriendinnen, met wie ze af en toe een kaartje legt, haar groentetuin en haar huis vol souvenirs kunnen inruilen voor een bejaardentehuis in een grote Duitse stad? 'Ik ben als vrij mens geboren, ik heb zowel het naziregime als het communistische tijdperk gekend. Ik heb mijn leven lang voor mijn vrijheid gestreden en het is niet aan het einde van mijn leven dat ik die strijd zal opgeven, om te eindigen als een gevangene in een bejaardentehuis dat door mijn zonen wordt betaald.'

Na een goede maaltijd met lekker vlees en groenten uit haar tuin neemt ze me mee naar het kerkhof. Het regent pijpenstelen. Op het steile pad erheen nemen we elkaar bij de arm en schuilen we samen voor de regen onder dezelfde paraplu. Ze neemt me onder haar vleugels als was ik een kleinzoon die zijn overleden grootvader een bezoekje brengt. We gaan slechts traag vooruit. Brigitte heeft het aan haar hart. Aangekomen op het kerkhof toont ze me de graven van haar twee echtgenoten. Ze liggen zij aan zij. 'Het waren fantastische mannen! Ik heb veel geluk gehad dat ik met hen getrouwd was. De eerste is de vader van mijn kinderen. Hij was ingenieur in de elektriciteitscentrale.'

Het wolkendek breekt open en in de verte zien we de enorme schoorstenen. Vanaf dit kerkhof, dat de vergane glorie van dit gebied weerspiegelt, roept de aanblik van deze enorme industriële ruïne danteske taferelen bij me op. De dreigende lucht maakt de zaken er ook niet beter op. Dikke wolken pakken zich samen rond de toppen van de Karpaten. Het dorp in de diepte lijkt een slinger van huizen bij een modderige weg. De hele omgeving lijkt niks dan droefenis te ademen.

Brigitte vertrouwt me toe: 'Ik weet wat je voelt bij het zien van dit alles. Vroeger was alles zo mooi en verzorgd. Rond het kerkhof stonden erg mooie bomen, maar een apparatsjik van het plaatselijke communistische partijbureau heeft ze allemaal laten omhakken en de opbrengst van de verkoop van het hout in zijn zak gestoken. Na de val van Ceausescu werd hij gelyncht. Je kunt je niet voorstellen hoe goed het leven hier was. Overal in de bergen stonden fraaie, goed verzorgde huizen. De tuinen waren netjes onderhouden en de wegen proper, met overal bloemen in de bermen. Nu is het dorp dood. Hier is geen toekomst meer.'

Ik huiver. We keren terug zoals we gekomen zijn: gearmd. Maar Brigitte is niet langer opgewekt. Plots lijkt ze oud en heel erg moe.

Ze veegt een traantje weg en ze steunt. We stoppen even. Ze keert zich van me af en verbergt haar gezicht achter haar handen. Plots breekt ze in tranen uit. 'Ik voel me zo alleen.'

Weer thuis bereidt ze me een kop hete thee en probeert ze haar verdriet te vergeten door de gaten in mijn trui te stoppen. Ik hou haar gezelschap terwijl ik intussen mijn dagboek bijwerk. Eigenlijk wil ik haar iets zeggen, maar toch blijf ik stil zitten. Ik gooi enkele blokken hout in de knisperende kachel. Dikke regendruppels tikken tegen de ramen van de kleine veranda met felgekleurde rode geraniums. 's Avonds kijken we samen op de Duitse televisie naar de Chinese film *Crouching Tiger, Hidden Dragon*. Daarna kruip ik vol genoegen onder de gesteven lakens van het dikke donsdekbed.

De ochtend van mijn vertrek bakt Brigitte pannenkoeken voor me. Ik had haar toevertrouwd dat dat een van mijn lievelingsgerechten was. Ze stopt me een pakje boterhammen en groenten uit haar tuin toe. Wat een ontmoeting! Ik vind het erg moeilijk om haar daar zo moederziel alleen achter te laten.

Brigitte loopt met me mee tot de rand van het dorp. Wanneer ik haar een dikke kus wil geven, houdt ze me tegen en zegt:

'Laten we elkaar de hand schudden, dit is slechts een klein dorp!'

'Tot weerziens, Brigitte!'

De dagen in Roemenië rijgen zich aaneen en brengen telkens iets nieuws. Ik passeer de 45ste breedtecirkel.

Om een omweg van 90 kilometer rond het bergmassief van Svinecea Mare te vermijden, beslis ik de bergen over te steken, in de hoop in één dag de stad Orsova aan de Donau te bereiken. Op 7 juni waag ik me op een hachelijk pad dat door de Karpaten slingert. Terwijl ik langzaam de voet van het gebergte nader, lijkt het of de tijd beetje bij beetje wordt teruggeschroefd. Op deze wegen van aangestampte aarde is geen spoor van machines te zien. De inwoners van de plattelandsdorpen zijn op het veld aan het werk. Het is volop oogsttijd. Het stro in de vers gemaaide stoppelvelden wordt tot mooie oppers opgestapeld. Zover het oog reikt niks dan karren met ossen of paarden die hooibalen naar de schuren voeren. In deze tijd van het jaar gonst het hier van een vreedzame opwinding. De boeren lijken tevreden over de opbrengst. Wanneer ik voorbijkom, stoppen de arbeiders op het land even met werken en kijken me aan, terwijl ze het zweet van hun voorhoofd wissen. De fles wijn wordt tevoorschijn gehaald en ik word uitgenodigd om mee te drinken. Als antwoord hef ik mijn stok omhoog en wijs ik de richting van het oosten aan. Het lijkt wel of ik rondwandel in een van de schilderijen van Constant Permeke of van Jean-François Millet. Het licht is goddelijk, zacht en liefkozend zoals in het *Angelus* van Millet, het schilderij dat zo op een droom lijkt. En niet alleen het licht is goddelijk, het leven ook. Het is zo verschillend van het leven in het Westen, dat te jachtig, te stresserend, te alles is! In het laatste dorp voor het gebergte tref ik alleen bejaarden en heel jonge kinderen aan. Het harde werk vordert niet alleen alle jonge armen en sterke mannen op, maar ook de vrouwen die het stro tot schoven binden.

Het woud dat ik binnenkort moet doorkruisen, is even groot als Oost-Vlaanderen. Ik waag me erin zonder een gedetailleerde kaart, zonder zelfs enig idee te hebben van het aantal kilometers dat ik moet afleggen. Het is puur speculatie. Aan de rand van het bos kom ik door een laatste dorp, voor ik me in het onherbergzame gebergte riskeer. Wanneer de laatste huizen in zicht komen, net voor het begin van het woudpad, houdt een oude man die op een houtblok zit me aan: 'Je kunt beter rechtsomkeer maken en de weg rond het bergmassief nemen. De kans dat je in het bos verdwaalt is groot, want er zijn geen bewegwijzerde paden. Er leven wolven en beren en bovendien wijst alles erop dat er slecht weer op komst is.'

Ik ben echter vastbesloten om door te zetten. Na zes uur stappen door een steeds ongereptere natuur en zonder enig levend wezen te ontmoeten, kom ik op de top van de berg. Ik begin een pad te volgen dat na verloop van tijd steeds vager wordt, tot elk spoor van gebruik uiteindelijk verdwijnt. Ik blijf rechtdoor lopen en baan me een weg door het struikgewas. Voorbij de top zie ik slechts bos, zover het oog reikt. Hardop denk ik: 'Voor me, ergens in de verte, ligt de stad Orsova.'

Ik heb echter geen flauw benul van de afstand die ik nog moet afleggen. Toch wil ik de stad vandaag nog bereiken. Orsova ligt aan de Donau die ik over meer dan 200 kilometer moet volgen om in Bulgarije te komen. Het is een belangrijke psychologische etappe.

Maar te midden van het dichte, eindeloze woud ben ik elk spoor van een pad sinds lang bijster geraakt. Het is 14 u en de hemel slibt dicht. Er resten mij drie mogelijke richtingen: links naar het noorden, rechts naar het westen of rechtdoor over het gebergte, over een afstand die ik op een dertigtal kilometer schat. Ik kies de laatste optie en zet de afdaling in. Na een halfuurtje wordt de begroeiing steeds dichter. Ik kom amper vooruit. Wortels en struiken versperren me de weg. Mijn voeten raken in de wortels verstrikt en ik struikel voortdurend. Plots, op slechts enkele meters van me, hoor ik een diep, dreigend gegrom. Takken kraken onder het gewicht van een dier dat wellicht een aantal malen mijn lichaamsgewicht heeft. Ik blijf verstijfd staan. Het bloed stolt in mijn aderen. Ik herinner me de woorden van de oude man die me waarschuwde voor de gevaren in het gebergte. Ik bevind me op enkele meters van een van de talrijke beren die in de bergen leven. Ik voel hoe hij mijn aanwezigheid bespeurt, aan de andere kant van het kreupelbos. Zijn gehijg verlamt me en zijn gebrul weerklinkt steeds luider. Langzaam draai ik mijn hoofd zijn richting uit. Door het gebladerte onderscheid ik een dichte, donkere pels. Zal hij aanvallen? Mijn keel zit dicht en ik slik moeizaam mijn speeksel door. Zachtjes breng ik mijn handen naar de riemen van mijn rugzak, klaar om hem af te gooien en voor mijn leven te rennen. Neen, ik moet mijn zelfbeheersing terugvinden! Indien ik de benen neem, komt het dier ongetwijfeld achter me aan en slikt hij me in een hap door. Ik voel mijn hart in mijn slapen kloppen. Hoe komt het toch dat ik nu aan een soortgelijke situatie tijdens mijn adolescentie moet denken? Toen ik met twee vrienden aan het stappen was op het platteland van Umbrië en we plots belaagd werden door een kudde wilde paarden. Onze eerste reactie toen was om ons te verstoppen achter struiken van amper 50 cm hoog.

Ik voel hoe alles zich in de volgende seconden zal afspelen. Plots, zonder dat ik me er zelf van bewust ben, stoot ik een enorme dierlijke oerschreeuw uit, die wel eeuwig lijkt te duren. Mijn instinctieve noodkreet dompelt het woud in een korte stilte, het lijkt of de tijd even stilstaat. De beer stoot een laatste kreet uit, zwakker en korter, en gaat er dan vandoor. Het trillen van de grond wordt minder naarmate hij zich verwijdert. Net als de beer begin ik op mijn

beurt te rennen, in de tegenovergestelde richting, naar de top van de berg die ik een uur eerder verlaten heb...
Terug op mijn vertrekpunt voel ik de ontreddering opkomen. Rechtdoor door het woud is dus echt geen goed idee. Maar wat te doen? Ik ben de uitputting nabij. 'Seb, geef niet toe aan de paniek! Neem je moed in beide handen.'
Ik denk hardop en besluit dat ik mijn doel om vandaag de vallei te bereiken moet opgeven. Wat kan ik anders doen dan een bivak in het gebergte improviseren? Het vooruitzicht is echter weinig aanlokkelijk. Ik heb geen tent en het regent pijpenstelen. In de verte hoor ik de donder rommelen. Het water stroomt over mijn gezicht. Ik moet mijn angst en verwarring in de hand houden. Ik moet me absoluut hervatten. Toegeven aan de angst is zoveel als de levendige bron afsnijden die in me borrelt. Ik concentreer me, tot ik constateer dat een vredig gevoel zich in mijn binnenste nestelt. Ik merk hoe een spoor van een glimlach zich op mijn gezicht aftekent. Een goed teken. Aan mijn mentale weerbaarheid mankeert niks. Voor ik op zoek ga naar een rotswand waaronder ik kan schuilen, besluit ik om eerst nog een stukje in westelijke richting te lopen en nogmaals de top van dichtbij te onderzoeken. Misschien is er toch een pad dat ik over het hoofd heb gezien? Terwijl de bliksem overal om me heen inslaat, stap ik met gekromde rug voort. Het zou er nog aan mankeren dat ik me door de bliksem laat roosteren! Net voor ik aan de afdaling begin, naar het lage struikgewas waar ik me voor de donkere nacht kan verschuilen, zie ik een piepkleine hut. Uit de schoorsteen komt een dikke witte rookpluim. Ik begeef me ernaartoe. Als ik nog enkele passen van de strooien hut verwijderd ben, gaat de deur open en verschijnt er een jong, bruinverbrand gezicht. De kleine man heeft me nauwelijks opgemerkt of hij gaat terug de hut in om een kostuumvest aan te trekken. Zo maak ik kennis met Sergu, de herder van de bergtoppen. Hij ontvangt me in stijl in zijn bescheiden woning. Zes maanden per jaar leeft Sergu in zijn eentje in het gebergte, om de 37 koeien van het dorp Eftmie Murgu te hoeden, op de hoogvlakte die door een dicht bladerdak is omringd. Hij wijst me een springbox zonder matras aan. Ik neem mijn altijd te zware rugzak af en trek andere kleren aan. Ik ben tot de huid doorweekt. Herinneringen aan de eindeloze regen in Duitsland dringen zich op. We wisselen enkele woorden. Sergu is van het

zwijgzame type. Op zijn gezicht staat echter af te lezen dat hij maar wat blij is met een beetje gezelschap. Samen schillen we enkele aardappelen die hij vervolgens in twijfelachtig vet laat bakken. Wat een opluchting om hier te zijn! Ik droog mijn spullen aan de snorrende kachel. Ik ben uitgeput en afgejakkerd, opgebrand als een kaars. Ik strek me uit op de matrassenbak zonder matras en sla Sergu gade die rond de kachel in de weer is. Hij biedt me een sigaret aan. Net zoals elke andere avond tijdens deze tocht daalt een vredig gevoel van alles loslaten, zelfs mijn denkvermogen, over me neer. Ik herbeleef de sterke momenten van deze bewogen dag die nu ten einde loopt. Ik doe Sergu het verhaal van mijn ontmoeting met de beer. Zijn blik wordt somber en streng. Ik begrijp dat hij me wil vertellen hoeveel geluk ik wel heb gehad. De avond valt en hij steekt een gaslamp aan om de duisternis buiten de hut te houden. Tijdens de donkere nacht brandt uiteindelijk altijd wel ergens een lamp en schijnt er een licht, dat heb ik zelf mogen ondervinden. Terwijl mijn gastheer alle spullen netjes opbergt, bedenk ik dat alles een kwestie van vertrouwen is. Die nacht rookt Sergu verscheidene sigaretten. Zijn kleine radio speelt onafgebroken. Wil hij misschien de eenzaamheid verdrijven?

Ik probeer me een voorstelling te maken van de denkwereld van deze kleine man die afgesloten van de rest van de wereld leeft, omringd door dit dreigende woud. Alhoewel we elkaar niet goed begrijpen, kunnen we toch onze vreugde delen.

's Morgens verlaat Sergu zijn veilige haardstede en zet hij de waterketel op de houtkachel. Uit zijn provisiekast haalt hij enkele stukken vlees die hij in het opspattende vet gooit. Hij schenkt me een kop koffie in. Het vlees is nauwelijks eetbaar, zo zout is het. Niks aan te doen, ik moet in elk geval iets achter de kiezen hebben. Een uur later ga ik weer op pad. Ik stop de eetwaar die Sergu me gegeven heeft in mijn tas: een reep vet spek, een kilo kaas en enkele droge worsten. Op zijn gezicht staat droefenis te lezen, maar ik moet weer verder. Binnen een week wil ik de oevers van de Donau bereiken. Ik zou nog een tijdje hier kunnen blijven, maar ik weet dat ik me daar geen voordeel zou mee doen. Mijn geest is immers al onderweg.

TE VOET NAAR JERUZALEM

De weg roept hem die hem aflegt om steeds verder naar de horizon te gaan, om het doel in hem te bereiken. In een dikke mist begeleidt Sergu me door dit woud dat hij zo goed kent, maar dat hem tegelijk afschrikt. Het is volslagen stil. We horen zelfs onze eigen stappen niet. Aan de rand van het pad drukken we elkaar de hand. 'Multsumesk, Sergu. Bedankt!' Ik wacht tot de nevelslierten zijn silhouet weer helemaal hebben opgeslokt. Voor me verdwijnt het pad in het woud. De hele omgeving ziet er onheilspellend uit. En dan is er steeds die oorverdovende stilte. Urenlang loop ik zonder ook maar iets te horen. Geen gefluit van vogels of geritsel van een konijn dat voorbijflitst. Wat is er met de bewoners van het woud gebeurd? Ik vind mijn tred van eenzame wandelaar terug. De manier van stappen waar ik in een vroeger leven van droomde. Vandaag wandel ik als een vrij man. Ik kan mijn dromen bewust realiseren. In dit mysterieuze woud heb ik mijn angsten achtergelaten.

Want uw gedachten zijn niet mijn gedachten en mijn wegen zijn niet uw wegen, godsspraak van de Heer. Want zoals de hemel hoger is dan de aarde, zo gaan ook mijn wegen uw wegen te boven en mijn gedachten uw gedachten. (Jesaja 55, 8-9)

De afdaling naar de beschaafde wereld is lang en vermoeiend. Het lijkt bijna of ik beter niet aan de afdaling was begonnen. Het regent dat het giet. Wanneer ik onder het wolkendek kom, zie ik opnieuw het reliëf. Niks dan bergen, zover het oog reikt. Wat een geluk dat ik gisteren boven gestopt ben! Zelfs indien ik niet was verdwaald, zou ik toch nooit in een dag de stad hebben kunnen bereiken. Uur na uur daal ik af in het diepe dal dat de bedding van een bergrivier volgt. Het regent onophoudelijk. God, waarom heeft U me op deze hachelijke en onbekende wegen geleid? Ik voel hoe de vermoeidheid me weer overmeestert. Een loden last rust op mijn schouders. Ik eet enkele centimeters van het gerookte spek. Steeds verder lopen, de ene stap na de andere zetten. Zonder ophouden dezelfde mechanische bewegingen blijven maken. Ik ben zo afgepeigerd. En dan, alsof het een voorbode van betere dagen is, zie ik in de verte Orsova en de Donau die als een zilveren slang door het landschap slingert. En ver daarachter verschuilt zich Bulgarije.

De volgende dagen bereik ik eindelijk de vlakte. Het mooie weer is teruggekeerd. Eindelijk liggen de Karpaten achter me. Ik kom steeds dichter bij de immense, majestueuze stroom die de natuurlijke grens tussen Roemenië en Bulgarije vormt. Ik kies de richting van het kloofdal Portile de Fier, de IJzeren Poort, dat ik binnen drie dagen hoop te kunnen bereiken.

Deze keer staat het vast dat ik in de vlakte veel kilometers zal kunnen afleggen. Dat was in elk geval wat ik me voornam toen ik vanuit de hoogte op de machtige rivier in de vlakte neerkeek. Vooruitkomen zonder rekening te houden met de talrijke uitnodigingen van de mensen op de weg is echter onmogelijk. De zeldzame automobilisten vertragen en vragen me waar ik heenga. De voermannen stellen me voor om op hun kar te springen. Op een ochtend vind ik 10.000 lei in de berm van de weg. Precies voldoende om twee broden te kopen!

In dit gebied in het zuidwesten van Roemenië leeft een grote zigeunergemeenschap. De Roemenen hebben me voor hen gewaarschuwd. Volgens hen moet ik in dit gebied angstvallig op mijn spullen letten.

En toch… Niet een keer heeft een zigeuner geprobeerd me iets te ontfutselen. Integendeel, bij elke ontmoeting maakte hun nieuwsgierigheid al snel plaats voor een grenzeloze gastvrijheid. Jammer genoeg kan ik niet alle uitnodigingen aannemen. Keer op keer gaan er deuren open van armoedige huisjes waaruit kindergelach opklinkt en word ik uitgenodigd om in hun nederige optrekje te schuilen voor de hitte. Zo volgen de invitaties elkaar dag na dag op.

Op een dag wandel ik in alle rust door een bijna onbevolkt gebied, genietend van de schoonheid van het landschap en in gedachten verzonken. Plots hoor ik achter me een stem die me met een onvervalste, Amerikaanse tongval aanroept. '*Hey, man! Where are you walking to?*'

Ik keer me om en zie een grote sportieve kerel op een fiets, die me op een brede glimlach trakteert. Hij stapt af en begint met me op te lopen. Prima! Laten we wat samen stappen. George doorkruist op zijn fiets de streek om producten op basis van aloë vera aan de man te brengen. Uiteindelijk zal hij me anderhalve dag volgen. Hij heeft zich immers voorgenomen me te 'redden'. George is getuige van Jehova. Ik bedank hem diverse malen voor de welwillendheid waarmee hij me tegen het op handen zijnde armageddon waarschuwt en beken hem dat ik het gezang van de vogels verkies boven zijn apocalyptische symfonie. George is echter van het volhardende type en geeft zo snel niet op. Hij gunt me geen seconde rust. Zonder ophouden bestookt hij me met uiteenzettingen over de terugkeer van Jehova en waarschuwt hij me dat ik verloren ben indien ik me niet bekeer. 'Hey, man, je hebt geen seconde te verliezen!'

Geleidelijk begin ik mijn kalmte te verliezen en ik maan hem aan om me eindelijk met rust te laten. Tevergeefs, hij blijft aandringen. We beginnen te kibbelen, hij behandelt me als een 'new-agehippie'. Ik sta werkelijk op het punt om hem met fiets en al zijn aloëveraproducten in de Donau te kieperen. Maar ik houd me nog net op tijd in. Een politiepatrouille daagt precies op het goede moment op. De agenten beginnen een nauwkeurige controle. Geen van beiden schenken we aandacht aan hun vragen: we kibbelen gewoon voort. De agenten krijgen al snel door dat ze de situatie niet in de hand hebben en besluiten ons gewoon verder te laten bekvechten. George snauwt me toe: '*They are all shit here, this whole country is shit!*'

Uiteindelijk kalmeren we een beetje. Af en toe onderneemt hij nog een nieuwe poging, maar ik laat hem praten en slaag er zelfs in om dezelfde innerlijke rust te vinden die ik ook tijdens mijn tocht op de drukke Duitse wegen had opgeroepen. Ik hoor hem niet meer. Het valt me zelfs op dat ik met een glimlach op de lippen wandel, terwijl ik denk aan het komische plaatje dat we ongetwijfeld vormen: ik die met mijn rugzak te midden van het platteland stap, hij die me volgt, met de fiets in de hand en theatraal pratend over het op handen zijnde einde van de wereld. Dit grappige tafereeltje zou in een film van Kusturica niet misstaan...

Pas 's avonds, voor de deur van een pastorie in Turnu Severin, laat George me eindelijk gaan.

's Ochtends verlaat ik de stad, speur ik angstvallig de omgeving af om zeker te zijn dat George niet weer ergens opduikt. Nog een dag naar zijn praatjes luisteren, zou ik echt niet kunnen opbrengen. Het staat hem uiteraard vrij te geloven wat hij wil, maar ik aanvaard niet dat iemand me een geloof opdringt. Ik ben ten slotte vrij om te geloven wat ik zelf wil. Indien God ons de vrijheid van geloof schenkt, wie zijn wij dan om een ander ons geloof op te leggen?

De Donau is op deze plaats verscheidene kilometers breed. Aan de overkant ligt Servië. Ik stap richting Bulgarije dat nu vlakbij ligt. De rivier stroomt nu eens door uitgestrekte vlakten, dan weer door steile kloven. Op de Servische oever, aan de andere kant van de rivier, schittert de vergulde koepel van een orthodoxe kerk in de volle zon. Tijdens de sombere jaren van het dictatoriale bewind van Ceausescu hebben talloze mannen en vrouwen geprobeerd om naar Servië te vluchten door zwemmend de Donau over te steken. De republikeinse wacht liet hen echter geen enkele kans. Ik begin aan een laatste rechte lijn van 80 kilometer om verderop opnieuw bij de Donau te komen, die hier een grote lus in oostelijke richting maakt.

De kersenbomen bezwijken bijna onder het gewicht van hun vruchten. Ik kan me nog steeds voeden met wat ik onderweg vind. Bovendien heb ik ook nog de reep gerookt spek die Sergu me heeft toegestopt. Ik wandel met bijna lege veldflessen. In elk dorp is immers een put met heerlijk fris en lekker water. Ik tel ontelbare karavanen met huifkarren, gemend door zigeuners die me stilzwijgend bekijken. Anderen werpen me een brede lach toe, waarbij ze al hun gouden tanden tonen. Het is of ze hun hele fortuin in hun mond meedragen...

In Vanju Mare spreek ik een nogal slecht geklede politieagent aan. De man is vuil en bezweet. Wellicht heeft hij een zware dag achter de rug. Zelfs zijn pet staat nogal wankel op zijn hoofd. Bijna alle knopen van zijn beduimelde hemd zijn er ter hoogte van zijn enorme pens afgesprongen. Hij houdt twee toevallig voorbijkomende tieners aan en vraagt hen of ze een 'menslievende daad' willen stellen door me een onderdak voor de nacht te zoeken. De agent lijkt heel opgelucht dat hij twee personen heeft gevonden aan wie hij een deel van zijn taak kan overdragen! Als je de grootte van dit afgelegen gat in aanmerking neemt, zal hij inderdaad wel veel werk te verzetten hebben... Oana en Veronica spreken beiden vlot Engels. De twee meisjes nemen me eerst mee naar de pope. Pech, de man is ladderzat. Hij maakt ons duidelijk dat hij geen tijd heeft om zich met mij bezig te houden en dat zijn vrouw het hem erg kwalijk zou nemen om iemand in huis te laten zonder dat ze de tijd had om op te ruimen. Twee kippen stappen parmantig de deur van zijn huis uit. Om hem problemen met zijn Dulcinea te besparen, beslissen we onze weg te vervolgen, naar het plaatselijke ziekenhuis waar de moeder van Oana kinderarts is. Oana gaat het ziekenhuis binnen en vraagt aan de directeur of ik daar kan overnachten. Enkele minuten later komt ze huppelend buiten. 'Het is in kannen en kruiken! Je kunt hier slapen, er is een bed vrij!' Ze laten me op de drempel achter en vertrekken opgeruimd. Binnen ontdek ik een andere wereld. Ik kan mijn ogen nauwelijks geloven. Voorbij de ingang kom ik in een erg vervallen ziekenhuis. Het verkeert in een erbarmelijke staat. De muren zijn volledig afgebladderd en het meubilair heeft ongetwijfeld de Tweede Wereldoorlog nog meegemaakt. Een verpleegster nodigt me uit om samen met haar collega's te eten. Ze overleven op een armzalig salaris van vijftig tot honderd euro per maand. We delen een zure soep en eieren. Mijn kamer lijkt wel een gevangeniscel. Vier kale muren, twee witgeschilderde ijzeren bedden en tralies voor het raam. Ik deel de kamer met Alin. Hij is 24 jaar en moet zich van een appendicitis laten opereren. Zijn vriendin Alina is bij hem op bezoek. In het geheim, want hun ouders willen niet dat ze elkaar zien. Zij stamt uit een redelijk welgesteld gezin, maar Alin heeft minder geluk. Hij zou economie willen studeren, maar het inschrijvingsgeld bedraagt 200 euro, evenveel als een goed maandloon in Roemenië. Ze leggen een kaartje op het bed van Alin en we raken aan de praat. Beiden spreken goed Engels. Ze zijn tien jaar jonger dan ik en dolverliefd. Dat is zo klaar als een klontje. Hun liefde is echter onmogelijk. Ik ga naar het toilet. De wc's zijn vreselijk vies. Er is geen water om door te spoelen en de uitwerpselen stapelen zich op. Alles is even goor. Ik loop door de gangen en zie hoe de zieken op smerige matrassen liggen. Sommige kamers hebben niet eens een deur. Ik denk aan Alin. Tweehonderd euro zou zijn leven een heel andere wending kunnen geven. Ik heb nog een biljet van 50 euro dat ik al sinds Graz met me meedraag. Waarvoor zou ik het nodig kunnen hebben? Heb ik onderweg niet geleerd dat je alles krijgt als je alles geeft? *Vrees niet!* Terug in de kamer overhandig ik het geld. Hun gezichten klaren op. Ik voel een misplaatst gevoel van trots in me opborrelen. 'Aanvaard het gewoon zonder iets te zeggen. Ik heb het zelf ook gekregen en ik heb het niet nodig.'

Wat betekenen die 50 euro nou voor mij? Een zorg die ik met veel plezier loslaat. Zo hoef ik niet bang te zijn dat ik het biljet verlies of laat stelen. Voor Alin echter biedt het geld nieuwe perspectieven. Een vreemd gevoel maakt zich van me meester. Hoe meer ik me van dat alles onthecht, hoe vrijer ik me voel. De schrik voor het onbekende is door een diepe vreugde vervangen. We gaan buiten een sigaret roken. Alin is houthakker in de wouden van Transsylvanië. Hij wil zijn positie verbeteren om met Alina te kunnen trouwen.

's Avonds, nadat de nachtzuster haar laatste ronde heeft gemaakt, verlaat Alin de kamer om zich bij Alina in de stad te voegen. Hij wil niet in het ziekenhuis slapen. Ondanks de gratis gezondheidszorg aarzelen sommige dokters niet om te proberen hun patiënten geld af te troggelen. Bij weigering worden ze gewoon aan hun lot overgelaten. 'Ik keer rond een uur of vijf 's ochtends terug!'

Ik blijf alleen achter in de naargeestige kamer. De nacht is afschuwelijk. Ik word wakker gehouden door het onafgebroken heen-en-weergeloop en het gesteun van de zieken. Rond 5 u keert Alin terug en gaat hij slapen. Hij trakteert me op een brede glimlach. Twee uur later sta ik op. Ik raap mijn spullen bij elkaar en gesp mijn zak aan. Alin slaapt als een marmot. 'Dat je mag slagen in je opzet, Alin'.

Zachtjes sluit ik de deur en verdwijn ik in de ochtendmist die boven de vlakte van de Donau hangt.

Het weer is schitterend... Ik betrap me erop dat ik verwonderd ben hoe mooi het leven wel is. Terwijl ik enkele bessen pluk van de struiken bij de weg hoor ik achter me een accent dat ik hoopte nooit meer te moeten horen: 'Sebastian!'

Met gebalde vuisten keer ik me om: George! Het is niet mogelijk! Hij weer! *Hey man! So nice to see you again on the road to Heaven!*

Ik houd me in. Eigenlijk weet ik niet of ik in lachen of vloeken moet uitbarsten. Hij werpt me zijn brede, typisch Amerikaanse glimlach toe, met enkele tanden minder. Hij stapt van zijn fiets en begint met me mee te lopen. Ik laat hem begaan. Met stille bewondering kijk ik naar de vlucht van de ooievaars in de lucht. Wanneer hij toch zijn sessie hersenspoelen begint, stop ik en maak ik hem duidelijk: 'Luister George, in de grond ben je ongetwijfeld een heel sympathieke kerel, maar je hangt me de keel uit met je fatalistische visie op de wereld. Datgene waarin ik geloof, bevalt me best. Ik voel een diepe vreugde en vrede, en dat is voor mij voldoende.' Hij antwoordt: 'Maar man, je moet je voorbereiden!' 'Het is waar dat de wereld niet goed ronddraait. Maar het is niet door iedereen tot elke prijs je gezichtspunt op te leggen dat je de intenties van de mensen kunt veranderen! George, nu neem je je fiets en zet je je weg voort. Misschien komen we elkaar in de hemel tegen, misschien ook niet. Het ga je goed!' *'Be prepared!'* Hij doet er eindeloos lang over om aan de horizon te verdwijnen. De weg is een lange rechte lijn en met uitzondering van enkele karren van zigeuners ontmoet ik geen levende ziel meer.

Het is erg warm. Ik eet wat koekjes en snij enkele grote stukken van het gerookte spek dat Sergu me geschonken heeft. Daarbij snoep ik van de heerlijke kersen die overal aan de weg staan.

Tenica, een zigeunerweduwe, nodigt me bij haar thuis uit, in het kleine dorp Goicea. In principe is dit een van de laatste nachten die ik op Roemeens grondgebied doorbreng.

Ze heeft last van haar schildklier en ze heeft vaak koorts. Ik laat een groot deel van mijn reisapotheek bij haar achter, waarbij ik haar de werking van elk medicijn zorgvuldig uitleg. Tot vandaag heb ik nog geen enkel medicijn nodig gehad. Toch houd ik enkele aspirines. Je weet immers maar nooit.

De twee kinderen van de buurvrouw helpen ons om te communiceren. Beiden spreken redelijk goed Engels. We krijgen aardbeien, soep, groenten en koffie voorgezet. Tenica gaat zelfs een worst kopen bij de slager. Iets later komt ook haar zus Flori met haar kinderen op bezoek. Ook zij is ontzettend aardig. Terwijl Tenica even weg is om verse koffie te zetten, geeft Flori me uitleg over de gezondheidsproblemen van haar zus. Ze hebben geen geld om de nodige medicijnen te kopen. De nacht valt en onder de Roemeense zigeunerhemel met vallende sterren zetten we onze dialoog verder.

De ochtend van mijn vertrek vullen Tenica en Flori mijn waterflessen en overstelpen ze me met verse voedingsmiddelen. Allebei geven ze me een kruisje op het voorhoofd.

Tijdens mijn doortocht door het dorp aan de grens lees ik een e-mail van mijn neef Jan Dossche, die een grote tapijtfabriek in Boekarest runt. Hij vraagt me om hem te bellen.

'Seb! Waar ben je?'

'Ik bevind me op vijf kilometer van de Donau en de Bulgaarse grens!'

'Wat zou je ervan zeggen om in Boekarest enkele dagen rust te nemen? Ik haal je op met de auto en daarna kun je je reis voortzetten.'

Na een paar minuten bedenktijd neem ik het aanbod aan. Ik kan van de gelegenheid gebruikmaken om een bezoek te brengen aan mijn vriend Athanase de Theux, die samen met zijn vrouw in Boekarest woont. En waarom eigenlijk ook niet? Bovendien voel ik dat mijn lichaam heel erg moe is. Enkele dagen rust zullen me zeker geen kwaad doen. Het is nu al een hele poos dat ik het uiterste van mijn lichaam verg. Als ik mezelf bekijk, zie ik de sporen van de reis op mijn lijf. Nergens is nog een grammetje vet te bespeuren. Alles is een en al spier. Mijn benen zijn hard als staal, de spieren in mijn armen en schouders daarentegen zijn ingevallen. Ik gebruik ze immers weinig en mijn lichaam gebruikt alle reserves die ik nog heb. Nadat het alle vet heeft opgeslorpt, valt het de spieren aan die het minste gebruikt worden.

'Jan, kom maar langs!'

'Seb, in een goed uur ben ik in Bechet. Wacht op me in de plaatselijke bar.'

Een uur later zie ik in de verte een stofwolk waaruit iets later een dikke 4x4-jeep opduikt. Het is Jan!

Wanneer ik hem bekijk, zie ik in zijn verraste blik de lange weg die ik al heb afgelegd. Ik neem plaats in zijn leren interieur. Enkele ogenblikken later spoeden we ons over de zuidelijke wegen van Roemenië. Ik weet niet wat me overkomt. Ik ben zo gewend aan een langzaam ritme en nu raast het landschap met een duizelingwekkende snelheid aan me voorbij. Het lijkt wel of ik stilsta en het landschap op me afkomt. Precies het tegengestelde van wat ik de laatste drie maanden heb beleefd dus. Een hond die oversteekt, komt onder de wielen terecht. De jeep maakt een sprongetje en vervolgt zijn razende rit. Ik kleef vast in het leer van de te comfortabele stoelen. Het hart klopt me in de keel. Schimmen van mensen schieten voorbij. Ik werp een blik in de verte, waar alles zo vreedzaam lijkt.

Ik zie de rustige loop van de Donau door het landschap. Voor mij betekent honderd kilometer meer dan twee dagen stappen.

Een dik uur later hebben we de honderd kilometer tot Boekarest afgelegd. Ik ontdek de stad achter haar gekleurde ruiten. Enkele jaren geleden heb ik samen met Athanase de stad bezocht. We waren met een bestelwagen uit België vertrokken voor een rit naar de Donaudelta aan de grens van Moldavië. De stad waren we slechts snel doorgereden. Ook in die tijd al had ik plannen gemaakt voor een tocht naar Jeruzalem. Terwijl ik van achter het stuur de landschappen van Centraal-Europa voorbij zag flitsen, vroeg ik me af of ik op een dag gek genoeg zou zijn om al deze streken te voet te doorkruisen.

Vijf jaar later sta ik opnieuw in deze stad. Een bezoek aan de stad stond echter niet op mijn programma omdat dat me te ver van mijn oorspronkelijke route zou brengen.

Grote verlichte uithangborden sieren de daken van de grote vierkante gebouwen. We komen voorbij het presidentiële paleis van Ceausescu. Hoe bestaat het dat een man zo megalomaan is dat hij zich een dergelijk paleis laat bouwen? Het bouwwerk is het op een na grootste van de wereld, na het Pentagon. Om zijn gigantische paleizencomplex te bouwen, liet Ceausescu het hele oude centrum met de grond gelijkmaken. Daarbij gingen talrijke historische pareltjes voorgoed verloren.

Toch hield de waanzin daar niet op. In een tijdspanne van twintig jaar liet de autocraat ook een twintigtal kerken vernietigen, alhoewel sommige daarvan als historisch waardevol erfgoed waren beschermd. Andere godshuizen verdwenen voorgoed achter de hoge gevels van enorme nieuwe gebouwen.

Die machiavellistische plannen pasten helemaal in zijn logica van systematisering. De despoot wilde niet alleen de stadsplanning veranderen, maar ook de duizenden dorpen op het platteland vernietigen, om de bewoners te dwingen naar de stad te verhuizen.

De uitgestrektheid van het paleis slaat me met stomheid. Jan vertelt me dat in het gebouw tegenwoordig diverse staatsinstellingen zijn gehuisvest. Binnenkort zou ook het museum voor hedendaagse kunst er onderdak vinden.

Het is te laat voor een bezoek aan het restaurant waarover Jan me in de auto verteld had. We moeten ons troosten met fastfood. Het is al laat en het doorbreken van het ritme van de voorbije maanden heeft me plots uitgeput. Ik voel me als een ontheemde in deze stad.

Terwijl ik mijn chipkaart in het slot van het hotel stop, denk ik aan het huisje van Tenica dat ik vanmorgen verlaten heb. Ik heb nog wat groente uit haar tuin, die ik opeet terwijl ik in het reusachtige bed in gedachten de laatste dagen herbeleef. Er rest me slechts nog één land te doorkruisen, voor ik in het land van de moslims kom: Bulgarije.

Ik breng een bezoekje aan het tapijtenbedrijf van mijn neef. Hij zet me af bij Athanase die in het centrum van Boekarest een Bretons pannenkoekenhuis heeft geopend. Hij lijkt geen haar veranderd in de twee jaar waarin we elkaar niet hebben gezien. In tussentijd is hij met een Roemeense getrouwd en leeft hij samen met haar in Boekarest. Athanase heeft zich na een verblijf van een jaar op de berg Athos tot de orthodoxe godsdienst bekeerd. Hij laat me kennismaken met de boeiende wereld van de orthodoxen en voert me mee naar enkele kerken die de waanzin van de despoot hebben overleefd. Uiteindelijk breng ik vijf dagen door in hun mooie appartement in Boekarest en ik bezoek alle belangrijke plaatsen van de orthodoxie in de stad.

Ik lever een inwendige strijd: aan de ene kant wil ik graag nog wat blijven, aan de andere kant heb ik ontzettend veel zin om mijn weg voort te zetten. Ik breng een laatste avond met mijn neef door die me samen met zijn vrienden meeneemt naar het beste restaurant van de stad. Het zijn allemaal Vlaamse ondernemers en bankiers. De drank stroomt rijkelijk en het eten is overvloedig. Te overvloedig! De volgende ochtend sta ik op met een ernstige indigestie. Ik ben het al lang verleerd om me zo vol te proppen. Het is hoog tijd voor me om dit zondige leven achter me te laten! Mijn zwerverslot roept me. Het uur van vertrek is weer aangebroken. Samen met Athanase en Denis, een van zijn Belgische vrienden die eveneens in Roemenië woont, rijden we met een bestelwagen naar de grens.

X. Bulgarije

Samen steken we de grens over. Op deze plek is er geen brug over de rivier. We moeten met de boot de Donau oversteken. Op de andere oever ligt Orjahovo, een grensstadje zonder enige betekenis. Na enkele grensformaliteiten begeven we ons naar het centrum van het stadje. Te midden van de weg vol kuilen staat een oude, kanariegele volkswagen Golf die volledig is ontmanteld. Niemand heeft zich de moeite getroost om het vehikel te verplaatsen. Enkele jongeren kijken ons lusteloos aan. We slenteren door de smalle straatjes met ronde keien, op zoek naar iets eetbaars. Ik ben bezorgd. Het is bijna twee uur en ik moet nog een dertigtal kilometer afleggen wil ik Kneza, de volgende stad, bereiken. Athanase stelt me voor om even het plaatselijke orthodoxe kerkje binnen te gaan. Ik antwoord hem: 'Ik heb geen tijd, ik moet nog dertig kilometer afleggen!' Daarop antwoordt Denis heel terecht: 'Je gaat te voet naar Jeruzalem en je hebt geen tijd om een kerk binnen te gaan?'

Natuurlijk heeft hij overschot van gelijk. Door tegen alle prijs te willen vooruitkomen, riskeer ik in de val van de overhaasting te lopen: het contact verliezen met wat essentieel is. Het onderweg zijn naar Jeruzalem beschermt me niet tegen een dergelijk gevaar. Vrijheid is nooit verworven, het is veeleer een toestand die altijd weer moet worden vernieuwd, een geestelijke staat van afstand te kunnen doen. Ik geef me over aan overpeinzingen in deze rijk versierde kerk. De iconen zijn verrassend mooi. Naarmate onze ogen beter aan de duisternis van de kerk wennen, ontdekken we steeds meer de rijke pracht. Een tiental iconen hangt her en der in de oude kerk. Ze zijn klein, maar door hun schitterende kleuren trekken ze alle aandacht naar zich toe. Allemaal beelden ze taferelen uit het leven van Christus of een heilige uit. Een icoon van een Maagd met Kind heeft mijn volle belangstelling. Te midden van de afbeelding staat de Maagd met open armen en daartussen prijkt de stralende Christusfiguur. Honderden details verschijnen wanneer onze ogen zich langzaam aan het zwakke kaarslicht aanpassen. De rand van de icoon is versierd met een cyrillische tekst die de schoonheid van de Zoon van God beschrijft. Bulgarije is een gelovig land en dat merk je ook. Iedereen die voorbij de kerk loopt, jong of oud, stopt en maakt een kruisteken vooraleer hij zijn weg voortzet. Zwaluwen roepen en scheren in volle vlucht door de smalle straatjes. Kleine kinderen hinkelen. Achter de luiken braken slecht afgestelde radio's melancholische liederen. We zoeken een plekje op een terras en verorberen enkele smakeloze broodjes.

Er hangt een drukkende sfeer. Binnen enkele ogenblikken zal ik de eenzaamheid terugvinden. Deze eenzaamheid die ik binnenkort drie maanden met me meedraag, bezorgt me een zeker angstgevoel. Elke keer als ik van mijn normale ritme afwijk, duurt het een tijdje voor ik mijn draai heb teruggevonden. De hemel kleurt diepblauw. Ik verzink in gedachten. In de verte weerklinkt de hoorn van de veerboot die klaar is voor vertrek. Ik neem afscheid van Denis. Athanase houdt me gezelschap tot de splitsing van de weg die naar het oosten loopt. Op het moment dat onze wegen scheiden, wenst hij me nadrukkelijk veel goede moed. Hoe waardevol is zijn vriendschap voor me. Ik ben weer alleen met het vertrouwde geluid van mijn stok die op het asfalt tikt. Het helpt me om mijn passen een zeker ritme te geven.

Vanaf de top van de uitloper boven de Donau zie ik hoe de veerboot de andere oever bereikt. Een erg mooie zigeunerin spreekt me aan en ik bekijk haar geamuseerd. Ik begrijp geen snars van wat ze me probeert te vertellen, toch blijft ze rustig haar zegje doen. Ze spreekt me vol vertrouwen toe, als was ik een oude kennis. Haar prachtige ogen fascineren me. Ik antwoord met een brede glimlach. Dan stopt ze plots met praten, alsof alles wat gezegd moest worden, gezegd is. Ze herinnert me aan de vrouw die naar me toe kwam fietsen in Hongarije, daar waar men bezig was met de aanleg van de autosnelweg.

Ik heb de indruk dat bepaalde gezichten me tijdens deze tocht achtervolgen. Wat hebben ze me te zeggen? Ik kijk hoe ze langzaam terug naar het dorp loopt.

Als ik me omdraai zie ik de eindeloze vlakte die zich tot de horizon uitstrekt. De zon brandt. Ik begeef me op de smalle weg naar Kneza, een rechte lijn van om en bij de dertig kilometer. Ik zie af en raak met moeite vooruit. Die enkele dagen in Boekarest hebben me loden benen bezorgd! Het uitzicht op het lieflijke Bulgaarse platteland maakt echter een onzegbare vreugde in mij los. Ik ontdek weer hoe zalig eenzaamheid kan zijn. Om mijn dorst te lessen neem ik enkele slokken van de stroperige vloeistof die Veronika, de vrouw van Athanase, me heeft bereid. Bah! Het lijkt of ik vloeibare suiker drink!

Hotel apparatsjik

Na een tiental kilometer wordt de dorst onhoudbaar. Nergens een waterput of huis te bespeuren. En hoe meer ik van het zoete spul drink, hoe meer dorst ik krijg. Ik zweet als een paard en sleep met mijn voeten. Dertig kilometer stappen onder een loden zon zonder iets te drinken, dat is lastig. Vreselijk lastig. Ik ben zelfs bereid om mijn klein digitaal fototoestel of mijn camera in te ruilen tegen een fles koel water. Rond acht uur kom ik eindelijk in het onbetekenende stadje Kneza. Ik stap onmiddellijk een kruidenierszaak binnen en vraag een fles water. Ik heb nog een biljet van 5 euro dat ik aan de kruideniersvrouw overhandig. Ze bekijkt het misprijzend en neemt haar fles terug. Niks aan te doen. Ik maak haar duidelijk dat ik sterf van de dorst. Met een sarcastisch lachje vertrekt ze naar de achterkant van de winkel. Ze keert terug met een fles, gevuld met troebel water. Het is niet anders, ik verlaat de winkel met de fles, die ik in één slok leegdrink. Aan de andere kant van de straat bemerk ik een dikke Mercedes met een Franse nummerplaat. Een meisje stapt uit en komt in mijn richting. Ze vraagt me of ik haar wat geld wil geven. Ik begrijp niet waarom ze tot elke prijs zo'n luxueuze auto willen, als ze met hun inkomen niet eens het einde van de maand halen... 'Ik kan je niet helpen, ik heb geen geld!'

Terwijl ik me in de ruiten spiegel, vraag ik me af hoe ze me voor een rijke westerling kunnen aanzien. Ik zie er absoluut niet bemiddeld uit. Mijn kleren vallen zowat uiteen, mijn schoenen zijn bijna volledig versleten. Sinds Graz hebben ze meer dan tweeduizend kilometer afgelegd. Bovendien zie ik er indrukwekkend uit. Mijn baard is meer dan vol en de huid van mijn gezicht is getaand door de late lentezon. De zakken onder mijn ogen verraden hoe moe ik wel ben. Ik ben dicht tegen de uitputting aan. Toch weet ik dat het er niet beter op zal worden in de landen die me nog te wachten staan. Ik moet er alleen voor zorgen dat mijn toestand niet ver-ergert.

Ik loop naar twee dames toe, maar die steken snel de straat over, naar het trottoir aan de overkant. Verdorie! Een oude, minder angstige man knikt met het hoofd wanneer ik vraag of er een pope in het stadje woont. Het duurt niet lang of ik heb begrepen dat ja knikken in Bulgarije gelijkstaat met ons neen! Er zit niks anders op dan mijn licht op te steken in het politiebureau en later in het benzinestation. Er helpt geen lievemoederen aan, ik ben hier niet welkom. Een oude man maakt me duidelijk dat ik er goed aan zou doen om in het plaatselijke hotel te overnachten! Iedereen barst in lachen uit. Met zijn wandelstok wijst hij me een braakliggend terrein aan, met in het midden een onheilspellend, compleet vervallen gebouw. Tijdens het communistische regime was dit bouwwerk wellicht een luxehotel, een hotel voor de apparatsjik.

Het hotel werd nooit afgewerkt. Er staan nog slechts enkele muren overeind. Met mijn zaklamp zoek ik me een weg. De muren staan vol graffiti en doodshoofden. Glasscherven zwerven overal rond. Via een onafgewerkte trap loop ik naar de bovenverdiepingen. Overal liggen menselijke uitwerpselen. Het lijkt wel het plaatselijke openbare toilet. Uiteindelijk vlij ik me neer op een plekje dat nog min of meer netjes is. Wat een akelig krocht is dit! Ik rol mijn matje uit en haal wat ik nodig heb uit mijn rugzak. De wind raast door de lege gangen. Ik verdiep me in mijn kleine Bijbel voor op reis: 'Het licht schijnt in de duisternis, voor jou schijnt het licht dag en nacht'. Ik werp een blik door de kier van het raam. In de verte fonkelen de sterren. God, wat is de weg naar Jeruzalem geplaveid met verrassingen!

Onderweg langs de orthodoxe kloosters

Ik ontwaak in dezelfde houding als ik ingeslapen ben. De eerste zonnestralen kleuren de rode bakstenen en lijken de muur in brand te zetten. Wat staat me vandaag te wachten? Ik strik mijn schoenen,

zonder te weten waar ik ze vanavond zal uittrekken. Die onzeker-
heid is mijn dagelijkse lot. Ik kijk door de gapende opening die ooit
een venster moet zijn geweest. Net boven de grond hangt een lichte nevel. Vandaag zal ik letterlijk op wolkjes lopen. Vanaf het balkon zie ik hoe in de verte een man stenen naar een hond gooit.
Enkele handelaars zetten hun kraampjes op. De zwaluwen vliegen
hoog, het wordt ongetwijfeld een mooie dag. Ik rol mijn matrasje
op en haak het vast aan mijn rugzak. Met het bodempje water dat
me rest, poets ik mijn tanden. Ik krijg haren van mijn te lange baard
in de mond. Op de tast probeer ik wat voedingsmiddelen uit mijn
tas op te duiken. Leeg. Niks aan te doen. Ik voed me wel met het
fruit dat ik onderweg zal plukken. Langzaam ploeter ik voort door
dit onbekende land. Het verkeer op de weg naar Lovec staat helemaal stil. Mensen rennen in alle richtingen. Sirenegeloei komt
dichterbij. Het klinkt vals. Een auto heeft zich tegen een boom te
pletter gereden. De twee inzittenden zitten geklemd. Ze bewegen
niet meer. Het ongeluk is net gebeurd, er ontsnapt nog rook uit de
motorkap. Bij gebrek aan efficiënt materiaal proberen de omstan-
ders de inzittenden met de blote hand te bevrijden. Tevergeefs.
Stukken koetswerk hebben zich in hun vlees geboord.

Het verkeer is in beide richtingen volledig stilgevallen. De mannen bespreken onderling wat ze kunnen doen, de vrouwen en kinderen blijven braaf in de afgeladen volle auto's zitten. Wanneer ik
voorbijkom, steekt een vrouw haar hand door het raam en overhandigt me wat fruit. '*Welcome to Bulgaria!*' De wegen zijn afschuwelijk slecht en de talrijke kruisen aan de kant van de weg herinneren aan evenveel ongevallen. Het is vreselijk warm.

De afstanden tussen de dorpen worden nog groter. Soms moet
ik twintig tot veertig kilometer stappen tot het volgende gehucht.
Telkens als ik een waterput zie, vul ik mijn veldflessen dan ook tot
de rand. Het idee om het water te zuiveren heb ik reeds lang opgegeven. Vanaf de eerste warme dagen drink ik zes liter per dag. Ik
draag twee waterzakken van elk drie liter, onderling verbonden
door een slangetje. Daardoor kan ik drinken zonder te moeten
stoppen en mijn veldfles uit mijn tas te moeten halen.

Ik voel hoe een nieuwe vlaag van vermoeidheid me overmant. Ze
komen nu sneller na elkaar. Sinds mijn vertrek uit Boekarest eet ik

heel slecht. Wellicht ben ik nog één of twee kilo vermagerd. Mijn lichaam put tevergeefs uit zijn reserves. Ik voel hoe mijn armen steeds dunner worden. Die ledematen gebruik ik ook het minste. Mijn benen daarentegen zijn keihard. Nergens zit nog een grammetje vet, mijn lichaam heeft elk restje opgesoupeerd. In deze staat van oververmoeidheid heeft ook mijn geest het zwaar. Soms glijd ik af in geestelijke irrealiteit. Onsamenhangende hersenspinsels volgen elkaar op. Plots gaat alles te snel. Waarom alles achterlaten om dan dezelfde vergissingen te begaan? Ik voel me verkrampt en gespannen. Mijn kaarsje is weer helemaal opgebrand. Wanneer ik de controle over mijn geest verlies, verbruik ik dubbel zoveel kracht. Ik voel hoe ik mijn contact met de werkelijkheid en mijn innerlijke rust verlies. Een stop is noodzakelijk. Ik loop voorbij een veld waar oude boeren het vers gemaaide hooi op een kar stapelen die door twee paarden wordt getrokken. Ze wenken me. Een man met een grote strooien hoed biedt me een slok plaatselijke brandewijn aan. Ik bedank hem en zet mijn weg verder. Ik heb er plotseling zo genoeg van! In de koelte van een oude eik leg ik mijn stok neer en ga zitten. Ik wil niet meer overeind komen. Een lichte bries streelt mijn gezicht. Ik ril. Ik voel niks anders dan de rilling die door mijn hele lichaam trekt. Alles is wazig in mijn hoofd. Waarom ben ik eigenlijk vertrokken? Ik begin te twijfelen. Ik ben helemaal in de war. Mijn ogen sluiten zich en ik zie de gezichten van de mensen die ik onderweg heb ontmoet aan mijn geestesoog voorbijtrekken. Ik val in een diepe slaap. Wanneer ik wakker word, heb ik mijn pelgrimsstok nog steeds in de hand. Ik omklem hem zoals een koene ridder die op veroveringstocht naar een ver land zijn zwaard vasthoudt. Ik voel me uitgerust. Ik begrijp dat wanneer ik mijn innerlijke rust verlies, dat gebeurt omdat ik me laat meeslepen door het verlangen mijn leven te leiden zoals ik dat wens. Indien ik in mijn onderneming wil slagen, zal ik alles wat onderweg gebeurt, moeten aanvaarden. Ik zal afstand moeten kunnen nemen van mijn verlangen om alles zelf in de hand te houden, zeker op deze onzekere weg. Ik ben een toneelspeler in mijn eigen leven en het draaiboek geeft zich maar bladzijde per bladzijde bloot. Indien ik erin slaag de toegang tot mijn ziel open te stellen voor de voorzienigheid, dan pas zal ik erin slagen te komen waar ik zijn moet. Ik voel een nieuw vertrouwen en nieuwe kracht in me opborrelen. Hoe lang heb ik onder het bladerdak van deze boom doorgebracht? Ik zou het niet weten. De hervonden innerlijke rust houdt me weer overeind en ik voel hoe ik een nieuwe innerlijke barrière heb doorbroken. Muren van angst zijn geslecht en hebben een onbekend, veelbelovend terrein blootgelegd. Meer dan ooit voel ik me vervuld en geïnspireerd. Inspiratie is niks meer dan ja zeggen tegen de bijna onhoorbare schreeuw van de ziel. Het bewustzijn is waar de kracht van God woont. Ik heb mijn grenzen verlegd. Mijn vreugde houdt stand. In mij ontwaakt een donquichot die tegen de windmolens ten strijde trekt.

Met grote passen loop ik over de kronkelige weg naar het hogerop gelegen, erg oude klooster van Sokolski. Na anderhalf uur klimmen kom ik aan de ingang van het klooster, opgetrokken van hout en leem. Ik betreed het binnenplein, een ongelooflijk lieftallig plekje. De laatste bezoekers zijn reeds vertrokken. Ik nestel me op een bankje onder een oude naaldboom. Grote cumuluswolken bepalen de kleuren van het verdwijnende daglicht en zetten de witte muren van het klooster in vuur en vlam, net zoals de muren van hotel apparatsjik vanochtend. Tussen het vlammende ochtendlicht en het licht van de ondergaande zon heb ik uren van twijfel en hoop gekend. Toch volgen deze twee tegengestelde gevoelens elkaar altijd op, zoals geheime minnaars tijdens hun verboden liefde elkaar telkens terugvinden, maar ook telkens weer afscheid moeten nemen. De hele omgeving baadt in een roodgouden gloed. De rozenperken nemen de kleur van de hemel aan. Een oude dame met een gebogen rug zit diep met haar hoofd in een bloemperk gedoken. Ze is bezig onkruid te wieden. Ik spreek haar aan en probeer haar mijn situatie uit te leggen. Ze bekijkt me wantrouwend. Ik meen te begrijpen dat de moeder-overste, de starets, niet beschikbaar is. Ze maakt me duidelijk dat ik op de bank onder een oude ceder moet wachten. Een kwartiertje later komt de starets mijn richting uit. Ik zie haar de houten trap naar beneden komen. Net zoals alle orthodoxe kloosterzusters is ze helemaal in het zwart gekleed, met een doek die haar haren bedekt. Haar blik is helder. Ik toon haar mijn dagboek en mijn Europese wegenkaarten waarop de reeds afgelegde kilometers met een viltstift zijn aangeduid. Ze geeft me te kennen dat ik haar moet volgen. Ik laat mijn rugzak en mijn stok achter. We dalen af in een kleine tuin die uitkomt op een bescheiden kerkje met een koperen koepel. Binnen beschrijven prachtige fresco's de handelingen van de apostelen. Ze beduidt me plaats te nemen op een kleine bank. Ze steekt enkele kaarsen van bijenwas aan en neemt ze in haar hand, terwijl ze met een monotone stem psalmen reciteert. Ze is de laatste religieuze zuster van het klooster van Sokolski. Ik houd me op de achtergrond en laat me meeslepen door de intensiteit en vurigheid van haar gebeden. Het lijken klaagbeden en ik meen de zin ervan te raden: 'Waarom hebben de gelovigen Uw kerk verlaten? Alleen ik ben er nog om U te dienen.'

Deze prachtige omgeving ademt een sfeer van melancholie.

Na de dienst begeleidt de dienstbode mij naar een kloostercel met minimaal comfort: een smeedijzeren bed, een kast en een icoon van de heilige Macarius. Aan de voet van het bed is de plankenvloer diep uitgesleten. Ik doe mijn rugzak af en plof neer op de harde matras. Mijn lichaam is loodzwaar! Maar mijn ziel jubelt van vreugde. Enkele ogenblikken later wordt er op de deur geklopt. De dienstbode brengt me een dienblad met soep, brood en kaas. Ik zoek een plekje op het lange balkon dat over de hele lengte van het klooster loopt en eet mijn soep, terwijl ik naar het licht- en wolkenspel in de lucht kijk. Er is een zwaar onweer op komst. Binnen tien dagen zal ik Turkije bereiken. Dat betekent dat ik bijna de helft van mijn tocht heb afgelegd. Een diepe rust nestelt zich in me. Ik houd erg veel van deze eenzame momenten aan het begin van de avond. Bij het laatste daglicht schrijf ik wat in mijn dagboek. Wanneer ik terug op mijn kamer onder de dekens kruip, hoor ik in de verte de elementen tekeergaan. Ik slaap in met een glimlach op de lippen. Enkele uren later, in het holst van de nacht, haalt geritsel me uit de zoete armen van Morpheus. Ik steek mijn zaklantaarn aan en vraag me af welk dier een dergelijk geluid zou kunnen voortbrengen? Ach! Laat de nachtelijke mysteries aan de nacht.

In de verte weerklinken nog enkele donderslagen. Ik duw de luiken open. Lichtflitsen, gevolgd door gerommel verbreken de rust van de duisternis. Bij elke bliksemflits tekenen zich de contouren van de bergen af. Na dit verrassende spektakel sluit ik de luiken weer.

De ochtendwind heeft de onweerslucht van de voorbije nacht helemaal gezuiverd. De dienstbode klopt aan en wijst me een dienblad met koude koffie en wat koekjes aan. Ik neem plaats aan het tafeltje op het balkon. Enkele duiven drinken en koeren aan de fontein met het gewijde water. De ochtendlijke zonnestralen zijn heerlijk helder. De lucht is nog fris. Na het ontbijt breng ik eerst een bezoekje aan de kerk. Jonge poesjes spelen op het voorplein en koesteren er zich in de zon. In de kerk weerklinkt dezelfde klagerige stem die de psalmen opdreunt. Ik neem plaats in de achterste rij banken, ervoor wakend dat ik niemand stoor. Het plafond is koningsblauw, met gouden sterren rond een fresco van de Heilige Maagd. De starets mediteert met enkele bijenwassen kaarsen in de hand. Een zonnestraal verlicht de door de tijd uitgesleten plavuizen. Boven de lessenaar verlicht een zwak peertje de bladzijden van haar grote, vergeelde brevier. Ik laat me op het ritme van haar gebeden wiegen. Aan het eind komt ze naar me toe en geeft me haar zegen. Ik neem haar handen en dank haar voor haar gastvrijheid.

Ik vul mijn watertassen aan de fontein en werp een laatste blik op de omgeving, die intussen reeds een plaats gevonden heeft in mijn korf met souvenirs. Die korf zit vastgeklonken aan het stramien dat mijn passen achter mij weven. Elke ontmoeting betekent een nieuwe lading met ondoofbare vonken. In mij draag ik de vonk van het vertrek die aanwakkert en uitgroeit tot een niet te blussen vuurgloed. Ik verlaat de heuvels en begin aan het pad dat naar de Vallei van de Rozen leidt.

In de vallei loopt de oogst ten einde. Tijdens de bloeitijd van de rozen is de hele vallei scharlakenrood gekleurd. In de dorpen hangt een doordringende rozengeur. Door de geopende deuren zie ik tapijten van duizenden rozenbladeren die een exquis parfum ademen. De dorpen in de vallei leven op het ritme van de seizoenen. Ik heb de indruk door streken te lopen die aan de wetten van deze moderne tijd zijn ontsnapt. De traditionele huizen zijn in de hoogte gebouwd, met een onderbouw van leem en hout. Grote, platte stenen worden als dakbedekking gebruikt.

Op de weg naar het klooster van Sipka krijg ik nog maar eens met een lokaal onweer te maken. De wolken verdwijnen echter even snel als ze gekomen zijn. Na elk onweer lijkt de lucht gewassen en oogt het azuurblauw nog intenser. De bomen bezwijken onder hun vracht kersen. Ze zijn een bron van vreugde voor mijn voortdurend grommende maag. Ik eet tot ik niet meer kan. De dorpelingen hier, in het uiterste oosten van Europa, zijn heel wat minder nieuwsgierig dan in Roemenië. Ze beperken zich tot een vriendelijke groet en proberen niet echt een praatje te maken. Ik zoek een plekje in de berm van een pad door een veld. Ik eet wat van de koekjes die de dienstbode van het klooster van Sokolski me heeft gegeven. Plots duikt een tiental vrouwen op, netjes naast elkaar en elk met een zeis in de hand. Ik maak de doorgang vrij en kijk hoe ze als soldaten door het veld marcheren en zich aan hun taak wijden. In minder dan geen tijd zijn deze naarstige mieren met hun werk klaar. Ze maaien het lange gras in een gezamenlijk ritme. Ik vraag me af waar de mannen gebleven zijn. Ik ga weer op weg. In de verte fonkelen de gouden koepels van de kerken. Ze zijn als uitnodigende bakens in het uitgestrekte platteland en lijken me te wenken. Ik profiteer van de schoonheid van de kloosters om mijn etappes iets in te korten. Ik hou het bij een veertigtal kilometer per dag, een achttal uur stappen dus. Nog niet eens zo lang geleden was dat de gemiddelde tijd die ik dagelijks voor een computerscherm doorbracht. Ik bewonder de Vallei van de Rozen en bedenk hoeveel geluk ik wel heb. Ik heb alles achter me gelaten. Vandaag stap ik als een bevrijde mens.

Wat een zorgeloosheid, wat een zoete waanzin! En als het leven nu eens niet meer is dan dat? Wat ben ik toch bevoorrecht. Mijn grote geluk is dat ik naar de schreeuw van mijn ziel geluisterd heb: 'Sta op, vertrek, laat alles achter en marcheer.' En dat is wat ik heb gedaan. Elke dag weer is een bevestiging van mijn 'ja' van toen. Ik heb me op de Grote Weg aangesloten. Als een heilig en intiem verbond tussen God en mij.

Al vanaf mijn vertrek weet ik dat Hij in mijn bewustzijn woont. Hij is het die mij de weg aanwijst die ik moet volgen in de stilte die in mij woont. Het luisteren naar Zijn gefluister is het kunnen luisteren naar de stem die sinds het begin der tijden door de woestenij klinkt. Maar laat het geroezemoes van de moderne wereld ons wel de mogelijkheid?

Ik volg de hellingen van de Vallei van de Rozen in oostelijke richting. Ik ben verrukt over het idee dat ik deze even prachtige als onbekende streek kan doorkruisen. Innerlijke eenzaamheid is iets van voorbijgaande aard. Ze is gewoon nodig om zich een tijdje in zichzelf te kunnen terugtrekken, tenzij het vuur van de ziel van die aard is dat dat volstaat voor een constante relatie met God.

Het middendeel van Bulgarije is redelijk bergachtig. Het platteland is grandioos. Ik kom door afgelegen dorpen, geklemd tegen de flank van de bergen.

In de stad Kazanlak, ongeveer 150 kilometer van de Turkse grens, krijg ik een onverwachte boodschap van Jan en Valérie, het stel vrienden dat ik voor het laatst in Luik had ontmoet. Binnen enkele dagen komen ze in Bulgarije aan en ze rekenen erop om samen met mij de Turkse grens te overschrijden. Dat vooruitzicht trekt me erg aan. Ik dwaal rond door de stoffige en lawaaierige straten van de stad. Op een van de straathoeken ontdek ik een moskee. Ze is een voorbode van de moslimwereld die steeds dichterbij komt. In de aanpalende zaal wordt een Turkse bruiloft gevierd. Oude luidsprekers braken volksmuziek. De vierkante zaal wordt met onregelmatig flikkerende neonlampen verlicht. Mannen en vrouwen dansen elk aan hun kant.

De stad bulkt van de oude auto's, Lada's en Volga's in alle uitvoeringen. De restanten van de communistische geest krijgen hier een folkloristisch trekje. Kippenhokken en vogelkooien sieren de balkons van de goedkope woonflats. Er heerst een uitbundige opgewonden sfeer in de stad. Een moslim biedt me het eerste glaasje thee van de reis aan.

'*Where do you go?*'

'*I go to Jerusalem!*'

'*Very good my friend! You will be surprised by the kindness of the Turkish people!*'

Met dit hoopvolle vooruitzicht verlaat ik deze bruisende stad. Ik heb haast om de rust van het platteland terug te vinden. Ik probeer zo veel mogelijk de verkeersdrukte op de nieuw aangelegde wegen te vermijden. Sinds koning Simeon uit ballingschap is teruggekeerd en er onderhandelingen zijn over toetreding tot de Europese Unie krijgt het land op grote schaal hulp om zijn wegennet te verbeteren. Dat is echter niet altijd in het voordeel van de stapper. Karren en allerhande rook spuwende voertuigen passeren me voortdurend. Ik ontdek een kleine weg die naar Măgliž voert. Men geeft me te verstaan dat er een erg mooi klooster ligt. Na enkele uren stappen bereik ik het dorp.

Ik volg de weg die zich diep het gebergte in slingert. Op de richtingborden die ik volg, kan ik met moeite het woord 'klooster' ontcijferen. Ik moet eerst door het dorp Măgliž en dan hoger het gebergte in.

Het dorp is werkelijk schilderachtig. Oude mannen spelen schaak onder eeuwenoude lindebomen, terwijl kinderen in de kersenbomen klimmen en toevallige voorbijgangers met fruit bekogelen. Ik krijg de volle lading. De witgekalkte muren vertonen recente sporen van kersengevechten. Door met stilzwijgen geplaveide straatjes begin ik aan de klim naar het klooster.

Onder een loden zon kom ik bij de zware houten poort van het klooster. Een van de kloosterzusters haalt boontjes af in de schaduw van een enorme cipres. Ik loop naar haar toe en steek mijn gebruikelijke litanie af, met behulp van mijn wegenkaarten en dagboek. Ze geeft me een teken om naast haar plaats te nemen, in afwachting van de komst van de starets. Ik zet mijn rugzak en stok aan de kant en nestel me naast haar, onder de grote cipres. Ze stopt me tegelijk ook enkele boontjes om af te halen in de hand. Er worden niet veel woorden aan vuilgemaakt.

De starets vertoont zich en ik begrijp dat ze een kamer voor me gaat klaarmaken. Een dame die de zomermaanden in de kleine kloostergemeenschap doorbrengt, spreekt vrij goed Duits en vertaalt mijn woorden. Wanneer de gemeenschap van Măgliž verneemt dat ik op pelgrimstocht naar Jeruzalem ben, reageert ze emotioneel. Ik krijg een kleine, zonnige kamer met een balkon dat een verrassend uitzicht op de Vallei van de Rozen biedt. De oude plankenvloer kreunt onder mijn stappen. De starets komt aanzetten met enkele blokken hout die ze in de geiser stopt. Tien minuten later stroomt het

warme water langs mijn lichaam. Hoe zalig! Ik maak van de gelegenheid gebruik om ook mijn kleren te wassen. Het spoelwater is bruin. Er blijft niet veel meer over van het stuk marseillezeep. Ik hang het natte wasgoed te drogen in de buurt van de cipres van de kloostergang, aan de achterkant van de kerk. Nicolaïa, de dame die Duits spreekt, brengt me een groentesoep. Ze draalt een beetje en zegt dan: 'De reden waarom ik hier ben, is dat ik niemand meer heb. Mijn man is acht jaar geleden gestorven en mijn enige zoon is vier jaar geleden overleden. Hij was pas 44 jaar. Dit klooster is nu mijn familie. In de winter keer ik terug naar Kazanlak, waar ik een klein appartement heb. Weet je, de winters in het gebergte kunnen ongemeen streng zijn.'
Na die woorden vertrekt ze weer.

De pope komt langs en drukt me met een brede glimlach de hand. Hij woont in de kamer naast de mijne. Vier kloosterzusters en een pope vormen de hele gemeenschap van Sint-Nicolaï van Măgliž. De kerk met haar iconostase is een onvervalst pareltje. Prachtige fresco's sieren de muren. Morgen is het zondag. Ze vragen me of ik zin heb om nog een dag te blijven. Dat voorstel neem ik met plezier aan. Ook mijn lichaam protesteert niet. Ze voelt versleten aan, die arme machine die ik zo hard laat knokken…

's Avonds vind ik dezelfde rust weer als in het klooster van Sokolski. Ik vouw de kaart van Europa open. Weer ben ik enkele millimeters in oostelijke richting gevorderd.

In mijn kamer ronkt de geiser nog. In dit seizoen zijn de nachten nog relatief koel. Vandaag ben ik drie maanden onderweg.

De orthodoxe diensten doen me denken aan de aankondiging van de film *Le Grand Bleu*: 'Ga er niet heen, hij duurt drie uur!' Het is zondag. De dorpelingen verdringen zich in de kleine kerk. Ze gaan naar binnen en naar buiten, en knielen voortdurend. Ik begrijp niet veel van de mis. Ik probeer te gissen op welk punt van de viering we zijn aanbeland. De pope loopt voortdurend af en aan tussen het altaar en de sacristie. Iedereen staat rechtop. De orthodoxe gezangen zijn prachtig. Achteraan wordt er voortdurend heen en weer gelopen. De bakken met zand staan vol kaarsen. Nicolaïa maakt me duidelijk dat sommige iconen uit de 16de eeuw stammen. Hun kleuren hebben nog niets aan levendigheid ingeboet. Ze zegt me: 'Weet je, aan sommige iconen wordt een miraculeuze werking toegeschreven. Toch is het niet de icoon die wonderen verricht, maar datgene waar ze voor staat...'

Plots houdt ze op met praten en haar gezicht krijgt een vreemde uitdrukking. Ik volg haar blik in de richting van de pope, die het gordijn van het koor opent. Ik heb niet veel tijd nodig om in de verte, achter het raam van de sacristie, mijn eigen sokken te onderscheiden!

Verdorie! Ik ben vergeten ze weg te halen nadat ik ze gisteren aan het venster te drogen had gehangen. Een gefluister gaat door de menigte. Ik kijk bedremmeld naar Nicolaïa. Ze lijkt plezier te hebben in het ongewone schouwspel. De pope schraapt fijntjes zijn keel. Nadat hij het gordijntje heeft dichtgetrokken, glip ik stilletjes de kerk uit om mijn gewassen sokken op te halen.

Na de middag, wanneer de laatste gelovigen het klooster verlaten hebben, nemen de pope en de kloosterzusters in een halve kring plaats en nodigen me uit om tussen hen plaats te nemen. Ze kijken me welwillend en geamuseerd aan. Met bemiddeling van Nicolaïa doe ik het verhaal van mijn lotgevallen tijdens de reis.

De pope stelt de eerste vraag: 'Waarom ben je thuis vertrokken?'

'In mijn land leef ik in een wereld die met een sneltreinvaart vooruitgaat. Wie niet tijdig op die rijdende trein kan springen, is hopeloos verloren. En wie wacht tot de trein halt houdt, kan er zeker van zijn dat hij altijd ter plaatse zal blijven trappelen. Ik heb ervoor gekozen de trein te negeren die me op een spoor zette dat ik niet wilde volgen. Sindsdien heb ik het afgebakende pad verlaten en ben ik te voet op weg naar Jeruzalem. Ik ervaar zowel licht als duisternis en doorkruis onbekende landen en continenten op zoek naar het onbekende. Ik klop aan de deur van deze onbekende en in de blik van degene die openmaakt, herken ik Hem die me inspireert. Het is een tocht in een spel van licht en schaduw, maar ik heb geleerd dat de draagwijdte van de schaduw minder ver reikt dan die van het licht. Bijgevolg weet ik dat voorbij mijn eigen vrees en voorbij mijn eigen schaduwzijden steeds het licht schuilt.'

De starets neemt het woord: 'Wij zijn allen kinderen van het Licht. Hoe duisterder de nacht, hoe helderder de vonk die in het diepste van ons hart sluimert. Zodoende pelgrim, hoe verder je zult stappen over een verdeelde en naargeestige wereld, hoe meer de bezieling van je tocht dat zal opwekken wat in eenieder verborgen ligt. Wij zijn niet alleen getuigen en deeltjes van het goddelijke Licht, maar ook deeltjes van Zijn bezieling. Indien je je onderwerpt aan Gods Geest zal Hij je leiden om de spranken te doen ontvlammen.

Alle mensen die je tot dusver ontvangen hebben en alle mensen die dat nog zullen doen, doen dat niet alleen voor jou, maar ook omdat ze er zelf behoefte aan hebben. Het staat ons allen vrij om in alle vrijheid de deur van onze geest te openen als God aanklopt. Dat betekent ook dat we kunnen beslissen om Hem niet binnen te laten. Maar in realiteit is het niet jij die voor de deur blijft staan indien men weigert open te doen, maar zij die een gelegenheid om zich te bekeren hebben gemist.'

Ik voel me overstelpt. Het is alsof ik een prop in de keel heb. De religieuzen kijken me vol goedheid aan. Wanneer we ons gesprek beëindigen, is er alweer een dag voorbij. De avond valt en de hemel kleurt van turkooisblauw naar goudrood. Venus licht helder op. De zwaluwen scheren onophoudelijk hoog door de lucht. Morgen zal het weer mooi weer zijn.

Bij het aanbreken van de dag, na een soep met tuinkruiden uit de moestuin, ontvang ik de zegening van de starets. Ik neem van elke kloosterling afzonderlijk afscheid. We kennen elkaar sinds lange tijd en nu is de tijd van scheiden aangebroken. Vreugde en afscheid horen bij elke ontmoeting onderweg. De vreugde van de ontmoeting van gisteren is de pijn van het afscheid van vandaag. In de blik van mijn gastvrije broeder en zusters lees ik niks dan goedheid!

Tijdens mijn afdaling naar het dorp Măgliž merk ik dat elk huis over een fleurig pleintje beschikt. Terwijl ik door dezelfde straten loop, lijkt het of de bevolking haar onverschilligheid heeft afgeworpen. Ik hoor de woorden 'Jeruzalem, Jeruzalem'. De dorpelingen komen me tegemoet en maken een kruisteken. Deze taferelen spelen zich als een vertraagde film voor me af. Ik kan nauwelijks bevatten wat ik zie.

Een doodarm echtpaar komt dichterbij. De vrouw knielt en kust me
de hand. Ze slaat een kruis. Ik ben verward, volkomen van de kaart.
Uit haar tas haalt ze een pakje schapenkaas dat ze me overhandigt.
Ze stamelt enkele woorden tegen haar echtgenoot, die diep in zijn
zak grabbelt en een klein muntstuk bovenhaalt. Twintig stotinki, een
vijfde van een lev of 10 eurocent. Ik aanvaard zijn gift. God, maak
dat ik waardig ben! Wat me vooral van de wijs brengt, is dat al deze
mensen die in alle eenvoud leven, een kruis slaan voor mij die uit een
zo ingewikkelde maatschappij kom. De woorden van de starets van
Măgliž indachtig aanvaard ik wat ze me schenken.

Ik zet mijn weg voort, onthutst door wat me overkomt.

De riemen van mijn rugzak verhinderen een goede bloeddoorstro-
ming in mijn armen. De pijn zet me weer met beide voeten op de
grond. Ik zal niet zover gaan te beweren dat ik van pijn houd, maar
in elk geval voert ze onmiddellijk terug naar de realiteit. Lijden doet
men niet in het verleden of in de toekomst. Het is nu dat ik lijd, op
dit eigenste moment en niet gisteren of morgen. Door de pijn word
ik me bewust van alles wat op dit moment door me heen gaat. En
dat is fenomenaal. Heel wat meer dan de kortstondige vreugde van
een blik op de toekomst of de zoete herinnering aan een bezield
moment. Jawel, deze tocht maak ik voor mezelf, jawel, deze weg is
bezaaid met onverwachte ontmoetingen die ervoor zorgen dat bij
elke ontmoeting mijn bagage zwaarder wordt en mijn weg verandert. Net zoals druiven zich rond de tros aan een tak vormen, vormt
mijn weg zich rond de mensen waarmee ik kennismaak. Bij elk ontmoeting krijgt mijn reis een universeler karakter. Ik ben reeds lange
tijd van het idee afgestapt dat ik deze reis alleen voor mezelf zou
maken. Alleen als ik mijn eigen begeerten aan de kant kan zetten,
zal ik in mijn opzet slagen. Ik heb slechts één doel, me overgeven.
En ik weet dat elke dag die voorbijgaat, vooral in de staat van vermoeidheid en uitputting waarin ik me bevind, alles afhangt van de
genade die zich bij volledige overgave openbaart.

Al sinds mijn vertrek bid ik bij elke grens voor het land dat ik ga
doorkruisen. Ik verzamel wat aarde die ik door mijn handen laat
glijden, terwijl ik God vraag de grond te zegenen. Dan vraag ik dat
God de fouten uit het verleden, het heden en de toekomst vergeeft.

Het geeft me een goed gevoel. Ik kan het niet precies uitleggen, maar ik weet dat ik juist handel. Regelmatig laat ik de steen uit Dachau door mijn handen gaan. Ik bekijk hem en draai hem in alle richtingen. Bijna nooit herken ik hem. Ondanks zijn kleine formaat lijkt het of ik telkens weer nieuwe kantjes ontdek wanneer ik hem aan een nader onderzoek onderwerp.

Alsof de redenen voor deze reis eindeloos zijn. Elke ontmoeting is een bijkomende reden om verder te gaan. Dat alles maakt deel uit van het mysterie.

Sluipende twijfel maakt de steen groter en brengt nieuwe aspecten aan het licht van de steen die gepolijst wordt door de blik van wie ernaar kijkt.

Met z'n drietjes

Ik schud de bespiegelingen waarin de Vallei van de Rozen me heeft gedompeld van me af. De landelijke weggetjes van de vallei heb ik ingeruild voor een grote weg, waar slecht afgestelde auto's me wolken blauwachtige uitlaatgassen in het gezicht spuwen. Vanmiddag zie ik Valérie en Jan terug. We zullen een kleine week samen optrekken. Dat moet meer dan voldoende zijn om samen de Turkse grens over te steken. Ik wacht hen zoals afgesproken op in het stadspark, waar ik plaatsneem op het enige vrije bankje: dat precies tegenover het politiebureau. Het duurt niet lang of ik heb begrepen waarom geen mens hier wil zitten. Ik eet een stukje worst, terwijl ik kijk naar een van de agenten die een sigaret rookt. Als hij me opmerkt, gooit hij zijn peuk weg en komt in mijn richting. Hij snauwt: 'U heeft net een papier weggegooid! Ik heb het gezien!'
'Excuseer? Ik eet gewoon rustig een plakje worst. Ik heb helemaal geen papier op de grond gegooid.'
De agent keert zich om en gaat het politiebureau binnen, op zoek naar enkele collega's. Binnensmonds foeter ik: 'Shit! Wat staat me nu weer te wachten.'
De kerel komt terug met een andere agent. 'Paspoort!'

BELGIË. 1) *Op 27 maart 2005 is het zover. Vrienden en familie laat ik voor minimaal zes maanden achter. Zal ik ze ooit wel terugzien?*

DUITSLAND. 2) *In Duitsland vertelt Klaus dat hij tijdens WO II verschillende keren zwaar getroffen is geweest. Nu staat hij er alleen voor.* 3) *Voor deze poort sta ik stil. Ik ril. Op mijn tocht door Beieren had ik niet gepland om langs Dachau te komen. Ik weet nu dat mijn tocht een nieuwe wending krijgt.* 4) *De verbrandingsovens van Dachau.* 5) *In Dachau maak ik de belofte om een steentje op te rapen daar waar de slaapkamers van de gedetineerden zich bevonden. Dat steentje moest mee naar Jeruzalem.* 6) *Noodweer in Beieren.*

7) *In het oude benedictijnenklooster van Donauwörth, dat nu ingericht is als kostschool, geeft de overste me een kleine replica van een kruis dat in 1026 door een plaatselijke vorst werd meegebracht uit Byzantium. Om me te beschermen tegen wat er kan gebeuren…*

OOSTENRIJK. 8) *Lautten, een van de talrijke pittoreske dorpjes in Oostenrijk.*

9) *Op 1500 meter ligt er, zelfs nog in april, een flink pak sneeuw.* 10) *Berghewoonster van Steiermark.*

11) *Op naar de Hongaarse grens. Het vierde land op mijn lange tocht.*

HONGARIJE. 12) *Margaret en Attila geven me onderdak in Zalaegerszeg, op een dertigtal kilometer van de Balaton.*
13) *Al maakt Hongarije deel uit van de EU, de sporen van het communisme zijn vandaag de dag nog goed merkbaar.*

КРОАТIË. 14) *Na vijftig kilometer gaan gebeurt het weleens dat je voor verrassingen staat wanneer je je schoen uittrekt.*
SERVIË. 15) *Men kan mijn verhaal maar niet geloven. Wat doet een Belg in deze verlaten streken van Servië?* 16) *Servië binnen.*

17) *Bijna een tijdloze scène, een trein slentert traag voorbij en geraakt moeizaam tot de horizon.* 18) *Een populaire auto in Servië: de Zastava.* 19) *Ik waag me op oude spoorwegen, wat het grote voordeel biedt dat ik recht door het landschap kan stappen.*

ROEMENIË. 20) *Na meer dan twee maanden kom ik in Roemenië aan. Dit is het voorlaatste land van Europa dat ik nog moet doorkruisen voor ik in de moslimwereld terechtkom.* 21) *Mijn neef Jan, die in Roemenië een grote tapijtzaak runt, heeft mij twee dagen in de watten gelegd: steak met frieten à volonté!*

22) *Ik ontmoet na uren dolen mijn redder: Sergu. Hij leeft alleen in deze zeer uitgestrekte gebieden.* 23) *Sergu, mijn gastheer, nodigt mij uit in zijn kleine hutje midden in het woud. Als ik hem niet ontmoet had, dan had ik buiten tussen de wolven en de beren moeten slapen.*

24) *Transsylvaanse boerin.* 25) *Ambulante spiegelmakers.*

26) *Tussen het woudmassief van Transsylvanië en de Donau leeft er een zeer grote concentratie zigeuners.*

BULGARIJE. 27) *Bulgaarse goedheid.* **28)** *Het klooster van Sokolski.* **29)** *Jan en Valérie brengen mij een bezoek in Bulgarije. Het duurt wel een poosje eer ik ze begin te vertellen over de reis. En ik ben nog niet eens halfweg…* **30)** *De laatste tientallen kilometers in Bulgarije valt vooral de hoge concentratie zigeuners op. We komen door dorpen met barslechte wegen. Kinderen en oude vrouwtjes hoeden er ganzen en kinderen spelen met een hoepel die ze met behulp van een stok aandrijven.*

31) *Lang hoef ik niet te stappen om welwillende mensen te ontmoeten.*

TURKIJE. 32) *Op 30 juni kom ik aan de Turkse grens. Ik ben vandaag drie maanden en drie dagen onderweg. Voor de gelegenheid heb ik mijn baard afgeschoren. 33) Istanbul strekt haar tentakels uit tot zeventig kilometer van het centrum. Immense onpersoonlijke flatgebouwen schieten er als paddenstoelen uit de grond. 34) De Aya Sofia werd gebouwd als kathedraal van Constantinopel onder het Byzantijnse Rijk en is nu een museum nadat het ooit een moskee was. 35) Kalligrafieën van Mohammed en Allah in de Aya Sofia.*

36) *De plaatselijke slager.*

Terwijl de zon op haar hoogtepunt staat, meen ik in de verte de minaret van een moskee te bespeuren. Ik weet echter niet of het echt is of dat mijn verbeelding met mij op de loop gaat. Langzaam kauw ik wat van de graankorrels die ik uit het zand raap. Mijn gezwollen tong lijkt een lap leer. Ik heb nog nauwelijks speeksel om de graankorrels door te slikken. De zon staat pal boven mijn hoofd en ik loop over mijn eigen schaduw. De omtrek van de minaret wordt duidelijker. Ik heb niet gedroomd. Een half uur later betreed ik het dorp Beykisla. Aan de rand van het dorp wacht een man me op. Ik weet dat hij op mij wacht, want hij doet me teken om hem te volgen. Als een automaat loop ik achter hem aan. Eigenlijk begrijp ik niet goed wat me overkomt. Ik ben trouwens al een tijdje geleden opgehouden met overal een reden achter te zoeken. Ik ben enkel nog een lijf dat zich verder sleept. Meer niet.

37) *Te gast bij de bakker. Ik word om drie uur 's nachts wakker gemaakt om samen een theetje te drinken.* 38) *In Bozüyük word ik op sleeptouw genomen door een groep plaatselijke muzikanten. Ze nemen me mee naar een kroeg, waar een foto van Atatürk boven de rest van overvloedige versiering hangt.*

39) *Broeder François nodigt me uit enkele dagen bij hem thuis door te brengen. Hij leeft tussen 'zijn moslimbroeders' in een piepklein huis in een van de straatjes van het oude Antiochië.* 40) *De kerk van de heilige Petrus. In de eerste eeuwen van onze jaartelling hielden de eerste christenen hier geheime bijeenkomsten. Het is op deze plek, die uit de rots is gehouwen, dat Petrus, Paulus en Barnabas de eerste christelijke gemeenschappen zouden hebben opgericht. Voor de moslims is deze plek niet meer dan een museum. Ze poseren op het altaar voor een foto en tonen geen enkel respect voor deze heilige plaats.*

SYRIË. 41) *Mijn eerste nacht in Syrië: op het dak van een kruidenier in Iskenderun.* 42) *Oude Amerikaanse auto's maken deel uit van het straatlandschap in Syrië.* 43) *Overnachting in een grot, midden in de woestijn.*

44) *Straatscène in Damascus.*

45) *Ontmoeting met de bisschop van Homs.* 46) *In Damascus, de christelijke wijk.* 47) *Moderne hoofddoeken in de soeks van Damascus.*

48) *Een laatste wenk naar de gastvrijheid van de Syriërs.*

JORDANIË. 49) *Jordaanse pronk.* 50) *Laatste blik in Jordanië, koning Abdallah knikt welwillend. Zal ik zorgeloos Israël kunnen binnentreden?* 51) *De afdaling naar de Jordaan, de rivier die de grens vormt met Israël, vierhonderd meter onder de zeespiegel.*

ISRAËL. 52) *In de Armeense wijk van Jeruzalem.*

53) *Jeruzalem, 126 kilometer.* 54) *De Muur: langs de ene kant zijn de weiden groen, langs de andere kant, de Palestijnse, is alles stofferig en droog.* 55) *Lachen achter de Muur.* 56) *Met het steentje van Dachau, aan de Klaagmuur.*

57) *Volgens het joodse geloof zal God aan het einde der tijden de overledenen tot leven wekken van op de Olijfberg.*

58) *Nauwelijks kan ik het vatten. 184 dagen lang heb ik hierop gewacht. Ik ben voor de Jaffa Gate, nog maar enkele passen verwijderd van de ingang van de stad.*

Braafjes overhandig ik mijn paspoort.'Weet u dat het op de grond gooien van papier in Bulgarije streng wordt bestraft?' De man begint me aardig op de zenuwen te werken. Ik kom overeind, kijk hem recht in de ogen en vraag hem of hij rookt. Ietwat onthutst antwoordt hij: 'Welja, ik rook.' Ik steek de straat over en raap het peukje op dat hij even tevoren heeft weggeworpen. Het smeult nog. Ik houd het onder zijn neus en vraag aan zijn collega of het in Bulgarije dan wel toegelaten is om peuken op de grond te gooien. Die knippert even met zijn faraonische ogen en beantwoordt mijn vraag met een sullige glimlach. Indien dat kereltje denkt dat hij me de 5 euro in mijn zak zomaar kan ontfutselen, heeft hij het echt wel bij het verkeerde eind. Een officier aan de overkant lijkt zich af te vragen waar al die herrie goed voor is. Mijn klier van een agent lijkt tot bedaren te komen. Met een schijnheilige glimlach geeft hij mijn paspoort terug en zegt: 'Welcome to Bulgaria!'

In de verte, aan de overkant van de fontein, zie ik Valérie en Jan met hun rugzakken aankomen. Ik kan me nauwelijks voorstellen dat ze er echt zijn. Wat een lange weg heb ik sinds onze ontmoeting in Luik niet afgelegd...
We zoeken een plekje op een druk caféterras aan de rand van het park. Ik drink mijn eerste biertje sinds Duitsland en doe hen het verslag van mijn tocht, beginnend bij de politieagent die me het beetje geld dat ik bezit wilde aftroggelen. Dan volgt natuurlijk het berenverhaal in Roemenië, de ontmoeting met Bojan in Servië, de eindeloze kilometers door de Hongaarse poesta, de ontvangst in de berghut in Oostenrijk en de overstromingen in Duitsland. Al snel wordt het me duidelijk dat wat ik vertel, slechts een fractie is van wat ik tot nu toe heb beleefd.
Valérie brengt me enkele nieuwtjes uit België: de begrafenis van mijn oudoom-pastoor en de opschudding die hij bij de plaatselijke geestelijkheid veroorzaakte met zijn wens zijn lichaam aan de wetenschap af te staan, de scheiding van de ene en het huwelijk van de andere. Zonder nog te spreken van de Belgische politiek. Wanneer ze me over het communautaire gekibbel vertelt, voel ik mijn bloed koken. Ik denk aan al die mensen die ik tot nu toe in Oost-Europa heb ontmoet, die in volslagen armoede leven of met een

honderdtal euro per maand de eindjes aan elkaar moeten zien te knopen. België is een rijk land, met een van de beste systemen voor gezondheidszorg ter wereld. Waarom moeten Vlamingen en Walen dan voortdurend zo lastig doen? We eindigen ons betoog met een goede Belgische Stella.

'Zouden we niet op restaurant gaan?' stelt Valérie voor.

'Een uitstekend idee!' We kiezen een eethuis in het hart van de stad. De dienster brengt ons de spijskaart. We begrijpen er geen snars van, alles is in het cyrillisch geschreven. Op goed geluk kiezen we onze gerechten naar de lengte van hun naam. Kleine honger, korte naam, grote honger, lange naam. Uiteraard ga ik voor het gerecht met de langste naam. Valérie doet het omgekeerde.

We lachen ons een breuk wanneer de dienster mij een kom kekererwten voorzet, terwijl Valérie een enorme schotel schapenbout onder de neus geduwd krijgt. Het doet deugd om nog eens onder vrienden te zijn. Het lijkt eindeloos lang geleden dat ik nog zo gelachen heb. De tranen stromen me over de wangen, met hun dwaze streken. Met elk lachsalvo lijkt ook een deel van de opgekropte gevoelens van mijn gepijnigde lichaam af te glijden. Ik lach tot ik niet meer kan. Na het eten van mijn kleine kom kekererwten zit ik barstensvol. We gaan op zoek naar een hotel. Het hotel van de apparatsjik in Stara Zagora is het beter vergaan dan dat in Kneza. Het is keurig onderhouden. Ik stap mijn kamer binnen, als was ik een indiaan in de stad. Alhoewel het slechts een tweesterrenhotel is, voel ik me toch onwennig in al die luxe. Een kamer met een bed, televisie en een badkamer met een echt ligbad. Ik laat het bad vollopen. In de spiegel onderwerp ik mijn gezicht en mijn sterk vermagerde lichaam aan een grondige inspectie. Mijn enorme baard is werkelijk niet handig. Vooruit dan maar! Weg met al dat haar op mijn kin. Ik haal het schaartje van mijn Zwitsers zakmes tevoorschijn en begin verwoed te knippen. Dikke plukken haar vallen in de wastafel. Met het knippen alleen ben ik bijna een uur zoet. Dan nog even afwerken met het scheermesje dat ik van Jan gekregen heb. In de spiegel herken ik mijn gezicht van vroeger. Toch is het niet helemaal hetzelfde. Ik ben veranderd, verouderd en door het toeknijpen van mijn ogen tegen het sterke licht onderweg hebben zich rond mijn ogen rimpeltjes ontwikkeld. Ik bestudeer mezelf en zie dat de Sebastien die ik achter zijn computer gelaten heb, dood is. Aan de andere kant zie ik hoe lippen zich langzaam omhoog krullen. Ik glimlach niet naar mijn spiegelbeeld, maar mijn spiegelbeeld naar mij. Dat is een wereld van verschil. Ik voel me niet langer afhankelijk van dat beeld. Er wordt op de deur geklopt. Ik doe open, het is Valérie. 'Hé, dat is heel wat beter. Kom mee, we gaan nog een laatste glas drinken...'

Samen ontdekken we het uiterste oosten van Bulgarije. Deze streek lijkt nog landelijker en armer dan de regio die ik tot dusver heb doorkruist. De afstanden tussen de dorpen zijn groot. De weinige gehuchten onderweg zijn straatarm. Overal zien we nog sporen van het communistische tijdperk. Niet alleen de muur, maar het volledige totalitaire systeem heeft diepe sporen in de mentaliteit van de mensen nagelaten. In Opan, een triest grensdorpje, hangt een drukkende, negatieve sfeer. De weinige mensen die we ontmoeten, lopen met gebogen hoofd. Aan de rand van het dorp liggen enkele resten van muren, de eenzame getuigen van wat tijdens het communistische regime een fabriek moet zijn geweest. Sommige huizen zijn verlaten en staan te verkommeren. Te midden van het dorp verrijst echter een modern en knap gebouw. Het is het plaatselijke hotel-restaurant. Het gebouw is nieuw en vol marmer. De ober ontvangt ons in stijl, als kwamen we recht van de opera om een heerlijke avond muziek in een chic restaurant te besluiten. We zijn vuil, afgemat en compleet verbijsterd dat we in het midden van zo'n naargeestig dorp een zo luxueus restaurant vinden, mijlenver verwijderd van de grote verkeersassen.

Na de maaltijd brengt de boss ons naar een aanpalend, voor de helft leegstaand huisje waar we kunnen overnachten. Met zijn drieen zitten we in een piepkleine ruimte. Door het oorverdovende gesnurk van Jan doe ik geen oog dicht. Ik fluit, ik zing, niets helpt, hij blijft rustig die knoert van een boom doorzagen. Plots wordt hij wakker van zijn eigen gesnurk. Hij merkt op: 'Er is hier wel veel lawaai, hé!'

Dat is een goeie! En dan, alsof er niets gebeurd is, zinkt hij weer weg in een zalige slaap en begint het gesnurk opnieuw.

De volgende ochtend ben ik kapot. Een nachtje naast Jan is ver-
moeiender dan vijftig kilometer stappen! Met een stevig ontbijt in
het restaurant bereiden we ons voor op onze voorlaatste dag in Bulgarije én in Europa. Het is lang geleden dat ik nog zo'n uitgebrei-
de maaltijd voorgeschoteld kreeg. Beetje bij beetje komen mijn
krachten terug. Gisteren werd ik me er tijdens het eten al van
bewust dat ik een razende honger had. Ik ben echter helemaal
gewend geraakt aan het hongergevoel. De laatste tientallen kilometers in Bulgarije valt vooral de hoge concentratie zigeuners op. We
komen door dorpen waar geen wegen zijn, met uitzondering van
enkele karsporen voor vermoeide trekdieren met een wagentje.
Oude vrouwtjes hoeden er ganzen en kinderen spelen met een hoepel die ze met behulp van een stok aandrijven. De laatste stad,
Svilengrad is al net zo deprimerend als het dorp Opan. De kazer-
neachtige woonblokken uit het communistische tijdperk verlenen
de stad geen schoonheid. En toch moeten deze steden ooit schitterend zijn geweest. Daarvan getuigt de prachtige brug uit de
16de eeuw.

XI. Turkije

Mijn laatste kilometers op Bulgaars grondgebied herinneren me aan mijn voettocht door Toscane tijdens mijn reis naar Rome in 2000. Cipressen sierden er de randen van de okerkleurige aarde. Het landschap is hier bijna identiek, met dat verschil dat er in Toscane geen paarden met karren meer rondrijden. We lopen voorbij velden met olijfbomen. De krekels zingen dat het een lust is. We volgen een pad bij de Griekse grens, die slechts drie kilometer verderop ligt. Zo vermijden we de razend drukke weg Sofia - Edirne waarover al het vrachtverkeer tussen Turkije en de rest van Europa moet passeren. Ik voel een zekere vrees bij het naderen van de grens. Vandaag is het de eerste juli. Drie maanden en drie dagen ben ik reeds onderweg. Jan en Valérie zullen me gezelschap houden tot in Edirne, de eerste grote stad over de Turkse grens. Een paar kilometer voor de grens herinnert een laatste schildering op een smerige muur aan het vroegere communisme. De rode vlag is verkleurd, de raket die symbool is voor de verovering van de ruimte is nog nauwelijks zichtbaar.

De lange rijen wachtende vrachtwagens en auto's voor de eerste grenspost strekken zich schijnbaar eindeloos ver uit. We lopen tussen de auto's door, luxewagens met Duitse, Belgische, Franse en Nederlandse nummerplaat. De inzittenden zien er vermoeid uit en de hitte van de julizon maakt de zaken er niet beter op. Autoradio's spuwen deuntjes, afgewisseld met nieuwsberichten. Een Franse Turk maakt me duidelijk dat hij al meer dan zes uur aanschuift. Wij bereiken de eerste grenspost binnen het kwartier. De Bulgaarse douanebeambte stempelt zonder me aan te kijken mijn paspoort af. Verderop bemerk ik enorme opschriften: 'Türkiye'. Ik onderdruk een rilling. Ik loop verder, mijn paspoort in de hand en mijn ogen strak gericht op de enorme vlag naast het portret van Mustapha Kemal Atatürk. Bij het zien van de imposante grenspost besef ik hoeveel de Turken van hun vaderland houden. Een vrouwelijke douanebeambte met een grote, donkere Ray Ban op de neus en een kauwgum in de mond vraagt me waar ik heen ga.

'Syrië.'

'Autopapieren!'

'Ik ben te voet.'

'Te voet?'

Lachend haalt de jonge vrouw er een collega bij, tegen wie ze iets onverstaanbaars brabbelt. Ze zet een visumstempel in mijn paspoort en wenst me een prettig verblijf in Turkije. Voortaan zal ik de ultieme bestemming van mijn reis aan de autoriteiten verzwijgen. Israël heeft in moslimlanden nu eenmaal geen goede naam. Ontroerd zet ik mijn eerste stappen op Turkse bodem. Ik ben nu de negende grens overgestoken. Op het parkeerterrein staat een moskee. Daar kunnen moslims die het land verlaten een laatste keer bidden op moslimgebied, voor ze zich op christelijke bodem begeven.

Ik sta versteld van de goede staat van de wegen. Ze zijn breed en uitstekend onderhouden. Op een richtingbordje staat te lezen: Istanbul 270 kilometer. Volgende week heb ik er een afspraak met mijn ouders en dus moet ik de stad binnen zeven dagen bereiken. Dan zal de helft van mijn pelgrimstocht volbracht zijn en om dat heuglijke feit te vieren zal ik mezelf op vijf dagen rust trakteren.

Het is onmogelijk om een rustige zijweg naar Edirne te vinden. Op de landkaart van Turkije lijkt het of die stad maar een tiental kilometer van de grens ligt. Jan draagt werkschoenen met een versterkte, stalen neus. Hij begint serieus last te krijgen van blaren en een peesontsteking. We stappen naast de autosnelweg. Grote internationale vrachtwagens zoeven ons voorbij en zorgen telkens weer voor een enorme luchtverplaatsing die ons uit evenwicht brengt. Het is onmogelijk om tegen elkaar te praten. Daarvoor is de geluidsoverlast van het voorbijrazende verkeer te groot. De dag loopt ten einde, de lucht is verstikkend en onze monden zitten vol stof. Waar blijft die stad toch? Ik leen mijn stok aan Jan, opdat hij erop zou kunnen leunen. Hij strompelt. Valérie lijkt haar kalmte te bewaren. Ze is dan ook bekend met het op weg zijn. In 2002 is ze in haar eentje uit Gent vertrokken voor een tocht naar Santiago de Compostela, met achter zich een karretje met daarin haar spullen.

De nacht valt en we zijn nog steeds op pad. We houden even halt bij een verlaten benzinestation. Een Koerd biedt ons koffie aan. Het is volslagen donker wanneer we in de verte eindelijk de majestueuze moskee van Edirne zien opduiken. Deze stad was verscheidene jaren de hoofdstad van het Ottomaanse Rijk. De moskee van Selimiye is ontegensprekelijk een van de mooiste die ik onderweg zal tegenkomen. Ze omhelst de hele grandeur van de islamitische wereld. We staan versteld van de omvang en de pracht en praal van het gebouw. De muezzin roept de gelovigen op tot het gebed. Dit is een andere wereld. Het feit dat ik uit mijn land vertrokken ben, te voet de christelijke wereld doorkruist heb en nu voor dit prachtige gebouw sta, versterkt nog het gevoel dat er talrijke verschillen maar ook gelijknissen zijn tussen onze beide culturen.

De oproep van de muezzin overstemt het stadsrumoer. We brengen onze laatste nacht samen in een Koerdisch pension door. Voortaan zullen *durum*, opgerolde tarwekoeken die met vlees en groente zijn gevuld, mijn dagelijkse dieet uitmaken en dat voor de hele verdere duur van mijn reis door het land. Sinds ik in het gezelschap van Valérie en Jan verkeer, laat ik me verwennen met gratis overnachtingen en maaltijden. Hun gulheid aanvaarden is een luxe die ik me veroorloof. In de vroege ochtend van mijn eerste nacht in de moslimwereld word ik gewekt door de roep van de muezzin. Vanaf nu zullen gebeden tot Allah me begeleiden, tot ik voor de poorten van Jeruzalem sta.

Voor de grote moskee van Edirne leveren mijn vrienden me weer over aan mijn eenzame bestaan van pelgrim. Ze nemen de bus tot Sofia en vandaar het vliegtuig naar Brussel.

De weg tussen Edirne en Istanbul is van een verpletterende monotonie. De heuvels volgen elkaar als golven op, het lijken wel plooien in een gewaad. Elke top die ik beklim, biedt uitzicht op weer een volgende top van een reliëf waar maar geen einde aan lijkt te komen. Ik volg de oude weg naar Istanbul. Die is op 200 kilometer van de wereldstad gelukkig nog niet te druk. Turkije is het grootste land dat ik moet doorkruisen. De te overbruggen afstand is even groot als die van België tot het Balatonmeer in Hongarije. Ik ben vooral bang voor de Anatolische hoogvlakte: meer dan duizend kilometer door een extreem eentonig landschap, waar dorpen op meer dan een dag lopen van elkaar liggen.

Met het beetje geld dat mijn vrienden me toegestopt hebben, kan ik me af en toe de luxe van een bed in een pension permitteren. Niet dat het in de moslimlanden aan gastvrijheid ontbreekt, integendeel, maar het is wel vermoeiend om telkens weer kostbare slaap te moeten missen door urenlang met mijn gastgezin over mijn tocht te spreken. In elk dorp word ik met vragen bestookt en op de thee uitgenodigd. In mijn toestand van extreme vermoeidheid geef ik er dan ook de voorkeur aan om met gebogen hoofd door de dorpen te stappen en te doen of ik de invitaties niet hoor. Uitgenodigd worden in een gezin is buitengewoon en heel verrijkend, maar heeft ook één groot nadeel. Er wordt immers verwacht dat je heel beleefd elke vraag beantwoordt. Vaak is het na middernacht voordat ze me wat respijt gunnen en ik me kan terugtrekken. Na veertig kilometer stappen is dat niet alleen aandoenlijk maar vooral lastig!

In een dorp in de buurt van Lüleburgaz liggen diverse theehuizen aan de weg. Wanneer ik er voorbijloop, vliegen de uitnodigingen van de mannen aan tafel me om de oren. Ik laat me verleiden en houd mijn passen in. Wanneer ik aanstalten maak om me naar een welbepaald etablissement te begeven, nodigen de klanten van het caféterras aan de overkant me uit. De gasten op het terras waar ik naar op weg was, laten dat niet over hun kant gaan. Ze verheffen hun stem en geven me te kennen dat ik bij hen moet komen. Andere mannen, de wijsvinger in de lucht, manen me aan om aan hun tafel te gaan zitten. Het geroep wordt luider. Die aan de overkant proberen me met beloftes te overhalen. De sfeer wordt grimmiger. Aan beide kanten van de weg komen de mannen overeind en ze schreeuwen naar de gasten op het tegenoverliggende terras! Ik sta te midden van al dat tumult en geruzie. Dus probeer ik maar ongezien te ontkomen. Wanneer ik al een eind verderop ben, hoor ik ze nog tekeergaan. Wellicht hebben ze niet eens gezien dat ik mijn biezen heb gepakt.

Dan overstemt het gerommel van de natuur het gedonder van de mannen.

Er steekt een onweer op. Ik ben reeds een eind gevorderd wanneer het felle zomeronweer uiteindelijk in alle hevigheid losbarst. Ik begin halsoverkop te rennen. Achter me breekt een klank- en lichtspel van je welste los. De diepzwarte muur van wolken haalt me razendsnel in. Aan alle kanten doorklieven bliksems de lucht. Rondom mij, in dit vlakke landschap, is nergens een schuilplaats te bespeuren. Alleen in de verte zie ik de vage vormen van een benzinepomp. Raak ik er nog op tijd voor de hemel me op het hoofd valt? Ik ren als een gek in de richting van mijn mogelijke redding. De bliksem slaat op 30 meter van mij in, op een elektriciteitspaal in een veld. Ik weet wel dat je tijdens een onweer niet moet rennen en dat je zo dicht mogelijk bij de grond moet blijven. Maar heb ik werkelijk een keuze? De sloten naast de weg beginnen te overstromen! God, geef mijn voeten vleugels en maak dat ik er op tijd aankom! De bliksem zit me op de hielen wanneer ik eindelijk het benzinestation bereik. Het is duidelijk niet langer in gebruik. Een grote Anatolische herdershond komt op me af en toont me zijn tanden. Rustig maar, beestje, ik wil alleen schuilen voor het onweer. De temperatuur is naar beneden getuimeld. Plots is het koud. De deur van het aanpalende gebouw gaat open en er verschijnt een man. Hij wenkt me.

Hasan was eigenaar van het benzinestation, maar de moordende concurrentie en de levensstandaard die in Turkije aanmerkelijk is gestegen sinds het land aansluiting bij de EU zoekt, hebben hem de das omgedaan. Vandaag leeft hij in wat vroeger het winkeltje van het benzinestation was. Hij biedt me koffie en een sigaret aan. Hij draagt een jasje en een afgewassen broek. 'Ik heb niks meer, ik ben geruïneerd. Voorheen had ik een gelukkig gezin. Nu hebben mijn vrouw en mijn kinderen me verlaten.'
Zijn gedwongen lachje kan de wanhoop moeilijk verhullen.
'En toch, sinds ik in Turkije aangekomen ben, lijkt het me dat het land heel wat rijker is dan bepaalde Oost-Europese landen.'
Hasan antwoordt me: 'Oh ja! We beleven een flinke groei! Een stuk hoger dan het Europese gemiddelde. Maar alles gaat gewoon te snel! Ondernemingen schieten als paddenstoelen uit de grond. Evenveel gaan er weer over de kop. Maar Turkije is sterk. Weet je, in werkelijkheid is het niet Turkije dat Europa nodig heeft, maar Europa dat Turkije nodig heeft!'

Als het onweer voorbij lijkt, neem ik afscheid van Hasan en bedank hem voor zijn gastvrijheid. Onder een nog dreigende hemel zet ik mijn weg voort. Twee meeuwen vliegen mijn richting uit. Ze zijn het sprankje hoop dat aankondigt dat de Zee van Marmara dichterbij komt.

Het miezert en de buien volgen elkaar op. Ik heb de smoor in! Voorbijrijdende auto's claxonneren onophoudelijk. Leuk in het begin, maar na een tijdje begint het aardig te vervelen. Ik ben doorweekt en de weg is bedroevend saai. Zoiets knaagt aan het moreel. Het einde van dit riskante avontuur waarin ik me heb gestort, lijkt eindeloos ver. En als ik nu eens in Istanbul de boot naar Antiochië zou nemen? Zo is het toch! En waarom ook niet! Op die manier zou ik de eindeloze Anatolische hoogvlakte vermijden en bovendien een heel stuk dichter bij Syrië zijn! Ik laat me meeslepen door dat idee. Maar diep in mijn binnenste weet ik dat ik het nooit zal uitvoeren. Ik put gewoon troost uit die gedachte. Terwijl ik door het vreselijk eentonige landschap stap, voel ik hoe mijn geest met me op de loop gaat. Mijn lichaam houdt stand. Dat blijft automatisch zijn rol vervullen. Mijn geest echter reist naar verre en bemoedigende oorden. Ik verslind de kilometers zonder dat ik me er rekenschap van geef. Vreemd genoeg herinner ik me weinig van die troosteloze dagen. Alleen dat de wanhoop altijd weer plaats ruimde voor de hoop. Tijdens deze vervelende momenten is elke gebeurtenis die de monotonie verbreekt welkom. Het gaat zelfs zo ver dat ik een opkomende plas onderdruk tot een volgende helling, om op die manier mijn gedachten toch maar bezig te houden.

Op een avond, nadat de duisternis is ingevallen, kom ik in de buitenwijken van Corlu. Het is nog slechts een honderdtal kilometer tot Istanbul. Ik wil het koste wat het kost vooruitkomen op deze schijnbaar eindeloze weg die steeds drukker wordt naarmate ik Istanbul nader. Dan kom ik bij een treinspoor. Het regent alweer pijpenstelen. Wanneer zal dat rotweer nu eindelijk eens ophouden? Ik bereik eindelijk de brug waar de weg overheen loopt. Om er te komen moet ik wel over een prikkeldraad kruipen. Waarom wordt het een eerlijke pelgrim eigenlijk zo lastig gemaakt? Ik ben het zat. Het water stroomt over mijn gezicht. Wanneer ik in de richting van de weg loop, stuit ik op een groot, meertalig bord: 'Opgelet! Gevaar! Militair terrein. Strikt verboden toegang.'

Shit! Door de spoorlijn te volgen en over het prikkeldraad te klimmen, ben ik te midden van een militair gebied beland. Zowat elk stadje sinds de Turkse grens heeft trouwens een legerkamp. De soldaten zien er niet zachtzinnig uit. Ik denk even na. Terugkeren? Neen, daar is het al te laat voor. Ik besluit verder te gaan en de hoge berm naar de weg te beklimmen. Voorzichtig beweeg ik me voort door de struiken, biddend dat er niet plots een militair of een waakhond voor me opduikt. Hopelijk liggen er geen mijnen rond het militair domein... Met moeite bereik ik de rand van de berm. Daarachter ligt de weg. Terwijl ik mijn hoofd boven de berm steek, grijp ik me vast aan een paaltje met prikkeldraad. Ik krijg het opspattende water van een voorbijrijdende vrachtwagen pal in mijn gezicht. Bijna laat ik de paal los en glijd ik terug naar beneden. Ik spring bijna uit mijn vel! Nadat ik het water uit mijn ogen heb gewreven, zie ik aan de overkant van de weg een wachthuisje met een bewaker staan. Was de vrachtwagen niet toevallig voorbijgereden, dan had de man me ongetwijfeld opgemerkt. Er zit dus niks anders op dan wachten tot er weer een vrachtwagen langsrijdt om over de afsluiting te springen en op de weg te komen. In de verte zie ik drie vrachtwagens naderen. Ik bereken mijn sprong. Opgelet en hop! Ik spring over het prikkeldraad en alsof er niks gebeurd is, wandel ik even later over de weg. De soldaat heeft niks verdachts opgemerkt.

Voor een handvol euro's boek ik een kamer in een sjofel pensionnetje. De deur van de kamer sluit niet, er is geen raam en de muren zitten vol groene schimmelvlekken. Jakkes! Maar het is in elk geval beter dan buiten. Na een koude douche slenter ik doelloos door de kleurloze straten van Corlu. Ik ben ontmoedigd. Sinds mijn vertrek heb ik zoveel landschappen doorkruist in het meeslepende en onweerstaanbare ritme van mijn stappen. Het is nauwelijks te bevatten. Maar nu voel ik me leeg, uitgeblust. Ik moet dringend mijn zinnen verzetten, mijn eenzame pelgrimsbestaan voor even vergeten. Ik dwaal door de straten, loop van de ene stoep naar de andere en bestudeer elke etalage, alhoewel er niks te zien is. Voor elke winkel houd ik halt, alsof de etalage me iets te vertellen heeft: de kruidenier, de slager, de ijzerwinkel, de bakker. Ik zie hoe de winkeliers met hun klanten onderhandelen. Ze leven hun leven van alledag en lijken gelukkig. Ik steek de straat over. Ik ben over de helft van mijn reis. En dan te bedenken dat er ook een eind aan komt! Maar wat heeft het einde voor me in petto? Zal ik het doel bereiken dat ik me vooropgesteld heb? Waar ligt het einde? Ergens op de eindeloze weg tussen Edirne en Istanbul? Of voorbij de Bosporus, op de Anatolische hoogvlakte, waar de afstanden zo groot zijn dat men ze nauwelijks kan bevatten? Is Jeruzalem slechts een droom?

De langzame transformatie van droom naar realiteit heeft zijn prijs: het opheffen van mijn pelgrimsstok naar zwerfhonden, het vinden van een schuilplaats voor de nacht, zonder iets te drinken rechte stukken weg van meer dan 30 kilometer overbruggen terwijl de loden zon aan de hemel het laatste vocht uit je lichaam laat verdampen, het zoeken van een droog plekje wanneer het zoveelste onweer losbarst. Als bedelaar weggejaagd worden om enkele kilometers verderop als een verloren zoon na een lange reis ontvangen te worden, tja, ook dat is de weg...

Met een hol gevoel in mijn maag keer ik terug naar mijn krocht. Ik heb geen honger. Het enige wat ik wil, is slapen en me in de eindeloze put van vergetelheid wentelen, zonder me zorgen te hoeven maken over wat nog komen moet.

Rond de middag van de 99ste dag van mijn voettocht bespeur ik in de verte de Zee van Marmara! De meeuwen profiteren van de sterke tegenwind om in de lucht allerlei capriolen uit te halen. Overmorgen zal ik aan de Bosporus zijn, waar mijn ouders op me wachten. Dat leuke vooruitzicht krikt mijn moreel op en ik begin aan de laatste rechte lijn aan de Zee van Marmara. De lucht klaart eindelijk op. Ik trek mijn schoenen uit en loop het water in. Het licht verblindt me. Een mosselverkoper komt mijn richting uit en biedt me een mossel aan. Ik neem hem aan en eet hem met lange tanden op. God weet welke zware metalen en andere chemische producten ik naar binnen werk.

Het idee van een tocht aan de Zee van Marmara kan misschien romantisch lijken, maar dat is het allesbehalve. De stad strekt haar tentakels uit tot 70 kilometer van het centrum. Immense onpersoonlijke flatgebouwen schieten er als paddenstoelen uit de grond. Urenlang loop ik naast eindeloze bouwterreinen waar bijna identieke goedkope woonflats in slechts een ander kleurtje worden opgetrokken. Tussen de bouwterreinen staan hier en daar nog enkele traditionele huizen vol charme. De rivieren die ik oversteek zijn openbare gifstorten. Alhoewel ik over rotsuitlopers wandel die enkele kilometers van de kust liggen, is de stank nauwelijks te harden. Ik kijk om me heen, maar nergens zie ik iets wat een dergelijke doordringende reuk kan verklaren. Tot ik plots op een brug boven een bruinoranje rivier kom. Het water scheidt de penetrante geur af. De rivier is een smerige openbare riool. Ik kijk stroomopwaarts en zie hoe een chemische fabriek haar afvalwater ongezuiverd in de rivier loost. Enkele honderden meters verderop mondt de rivier in de zee uit... Terwijl ik naar dat weerzinwekkende tafereel kijk, denk ik aan de mossel die ik net heb opgegeten. Als Turkije lidmaatschap van de Europese Unie wil, zijn er duidelijk nog zware inspanningen op het gebied van milieubeleid nodig.

Tevergeefs probeer ik een secundaire weg te vinden. Ik stort me in de doolhof van deze stad die maar niet stopt met groeien. Uiteindelijk moet ik toch weer terug naar de autosnelweg die ik over tientallen kilometers moet volgen. De auto's rijden stapvoets in de zomerse hitte. Nog vijfenveertig kilometer over een weg die even druk is als de ringweg rond Brussel of Parijs. Het enige verschil is dat het hier dag en nacht piekuur is. Om me een beetje tegen de uitlaatgassen te beschermen, bind ik een doek voor mijn mond.
Een dikke laag vervuilde lucht beperkt mijn uitzicht. Toch kijk ik op de top van elke helling of ik in de verte de Aya Sofia of de Blauwe Moskee nog niet zie verrijzen.

Op zeven juli, na drie dagen stappen door de buitenwijken, vraag ik aan een man waar de Aya Sofia zich bevindt: 'Aan het einde van de straat, aan je linkerhand een kilometer verderop.'
Wanneer hij verneemt dat ik te voet uit België kom, biedt hij me water aan. Ik ga weer op pad en vol emotie maak ik de laatste kilometer vol. Plots, tussen de pijnbomen van een park door, dagen de koepels van de moskee en de basiliek op. Ik steun op mijn stok en geef een schreeuw van opluchting. Ik kan het nauwelijks geloven.

Te voet ben ik van België naar Istanbul gelopen. Zonder geld heb ik West- en Oost-Europa doorkruist en onderweg heb ik geen of nauwelijks problemen ondervonden! Bij het zien van deze moskee en deze basiliek begrijp ik eindelijk wat me overkomt. Deze twee tempels waar dezelfde god wordt aanbeden, overbruggen de eeuwen. Het enige wat verandert, is de mens zelf. De rest is onveranderlijk. Ik heb de christelijke wereld doorkruist en trek nu rond in de moslimwereld. Elke ontmoeting laat me beter begrijpen wie ik ben, in elke ontmoeting vind ik een beetje de onveranderlijkheid van deze plek. Ik sta een tijdje aan de grond genageld. Een verkoper van ansichtkaarten komt naar me toe, stopt en neemt me aandachtig op. Hij probeert zijn koopwaar niet te slijten, maar trakteert me op een zweem van een glimlach. Alsof hij mijn gedachten lezen kan...

Na een lang moment begeef ik me weer op pad en meng ik me onder de stroom toeristen. Enkele straten verderop staat het luxueuze hotel waar ik een afspraak heb met mijn ouders, die vanavond aankomen. Ik geef mijn bagage in bewaring en fris me wat op. Als ik mijn schoenen aan een nader onderzoek onderwerp, zie ik dat de zolen tot de draad versleten zijn. Ze voerden me van Graz tot Istanbul. Trouw maar niet voor de eeuwigheid bestemd!

In plaats van een bezoek te brengen aan de toeristische trekpleisters besluit ik de enkele vrije uren die voor me liggen te besteden aan een wandeling door de volkse straten in de buurt van de haven. Kinderen zwemmen er in het water en ik laat me verleiden hetzelfde te doen. Ik duik in de zee. Mijn hele lichaam siddert. Met een beate glimlach op het gezicht laat ik me op de golven drijven. Wat een heerlijk gevoel! Ik laat me wiegen op het heerlijk warme water. Boven mijn hoofd voeren de meeuwen een luchtballet uit. De lucht is diepblauw. Het water van de Bosporus mag dan sterk vervuild zijn, ik vind het zalig. Mijn lichaam lijkt helemaal tot rust te komen na de zware inspanningen van de voorbije drie maanden.

Ik krijg zin om mijn haar te laten knippen. In de straten van de volkswijk vind ik een kleine kapperszaak. Aan de verlepte muren hangen posters van voetbalclub Galatasaray. Boven de spiegel herinnert een kalligrafie van een soera aan de grootheid van Allah.

'U mag me kort scheren.'

Om mijn woorden kracht bij te zetten toon ik hem de tondeuse. De hele duur van de knip- en scheerbeurt blijft de kapper glimlachen.

'Vanwaar bent u afkomstig?' vraagt hij me.

'België.'

'Aha! Anderlecht! Club Brugge, AA Gent, La Louvière...'

Hij slaat me om de oren met een aantal internationale voetbaltransfers en een reeks namen van spelers waar ik nog nooit van heb gehoord. Voetbal is niet mijn sterkste punt. Schijnbaar is er net een wedstrijd België-Turkije geweest, die België verloren zou hebben. Ik doe maar alsof ik diep teleurgesteld bent in het slechte spel van de Belgen.

Wanneer ik de kapperszaak verlaat, voel ik me heel wat lichter. De zon gaat langzaam onder boven de Zee van Marmara. Over iets meer dan een uur landt het vliegtuig van mijn ouders. Ik denk aan mijn moeder die vliegangst heeft en die haar schrik om te vliegen overwint om tot hier te kunnen komen. Waar zouden ze zich op dit moment bevinden? Ergens boven Hongarije of Roemenië? Slechts een uurtje om de afstand tussen de drie landen te overbruggen...

Achter me roept een vrouwenstem: 'Kan ik u helpen?'

Een vrouw in het blauw overhandigt me de spijskaart van het restaurant waar ze werkt en vraagt of ik iets wil eten.

'Graag, maar ik heb niet veel geld en ik wacht op mijn ouders die niet lang meer op zich zullen laten wachten.'

En zo beginnen we te praten. Aida komt uit Kirgizië. Ze is na een soloreis door een dertigtal landen in Istanbul aanbeland. Gewoon omdat ze dat leuk vindt.

Op het plein voor het restaurant vertrouwt ze me plots toe: 'Ik ben een ontheemde. Ik ben ervandoor gegaan omdat mijn vader een vuilak is. Hij heeft me misbruikt. Ik kon niet langer in mijn land blijven. Zo trok ik de wereld in, onderweg hier en daar werkend om te overleven. Toen trad ik op een dag in dienst bij een oude man op een Grieks eiland. Hij leefde afgezonderd van de rest van de wereld. Ik kookte voor hem en waste zijn kleren. Hij was een heilig man die me vertelde over het belang van vergiffenis. Vergiffenis is de enige manier om de negatieve spiraal van haat te doorbreken. Pas nadat ik mijn vader zijn zonden had kunnen vergeven, ben ik weer vertrokken, bevrijd van de bitterheid die me jarenlang in de greep had gehouden. Sindsdien ben ik gelovig geworden.'

Ze vertelt verder: 'Maar nu ik een gelovige ben, heb ik het gevoel dat ik een missie te voltooien heb, dat ik iets met mijn leven moet aanvangen. Ik weet alleen niet wat.'

Ze nodigt me uit om plaats te nemen aan een tafeltje op het terras en schenkt me een frisdrank uit. Ik antwoord haar: 'De weg vinden betekent ook zich tijdelijk terugtrekken uit de wereld, om de stilte van het innerlijke terug te vinden. Pas voorbij de angst en de schaduw die in elk van ons woont, bevindt zich de gepolijste steen die het licht van God weerspiegelt. Toch zijn we meestal te veel met andere zaken bezig en vergeten we ons geestelijke welzijn. Ons drukke bestaan verhindert ons om te horen wat die innerlijke stem te verkondigen heeft. Zo kan het dat we het leven aan ons laten voorbijgaan, zonder dat we erbij stilstaan. Wanneer we ons daar op een goede dag bewust van worden, kan de confrontatie pijnlijk zijn, heel pijnlijk. Vaak geven we ons rekenschap van het belang van de immanentie van de ziel op momenten van verscheurdheid. Bij het verlies van een dierbare bijvoorbeeld. Op dat eigenste moment beleef je de waarheid, want verdriet is net zoals liefde een echt sentiment. Het is een intens gevoel dat men niet kan veinzen of verbergen. Het is slechts op die momenten van waarheid dat we horen wat ons hart ons toefluistert. Die momenten van waarheid kun je oproepen door gebed of door bedevaart. Het lopen is een catharsis die je terugvoert naar de realiteit en tegelijk naar de eeuwigheid. Onze moderne mediamaatschappij overstelpt ons met beelden waarmee we ons onmiddellijk associëren. Toch komen ze niet overeen met wat het diepste van onze ziel ons ingeeft, want ze is alleen uit op onmiddellijk resultaat.'

Ik kijk naar mijn horloge en bedenk dat mijn ouders al een tijdje geland moeten zijn. Ik neem afscheid van Aida en bedank haar voor de frisdrank.

'Zie ik je nog terug?'

'Ja, ik kom langs voor ik weer verder trek.'

Ik ren de straatjes van Istanbul door. Boven mijn hoofd, nog vol van deze ongewone ontmoeting, krijsen de zwaluwen. Tien minuten later arriveer ik in de straat van het hotel. Aan de ingang stopt een auto. Twee mensen stappen uit. Ik herken mijn ouders. Een sterke emotie golft door mijn hele lichaam. Ik wacht nog even voor ik hen begroet en hen omhels. Ik bekijk hen... Wat hebben zij niet moeten doormaken tijdens die lange uren, waarin ze op nieuws van mij wachtten. Ik zou niks liever willen dan me in hun armen gooien en hen zeggen hoeveel ik wel van hen houd. 'Dag papa, dag mama!' Ze keren zich om. Ze hadden me niet zien aankomen. De vreugde van het weerzien is groot. Enkele ogenblikken later zitten we samen op het dakterras van het luxehotel. Het vrije uitzicht op de Blauwe Moskee en de Aya Sofia is fascinerend. Ik breng vier dagen in hun gezelschap door. Ik ben volwassen en heb al zoveel meegemaakt tijdens deze reis, maar in het gezelschap van mijn ouders voel ik me opnieuw geborgen en beschermd, zoals tijdens mijn kinderjaren. De dagen gaan als in een droom voorbij. Het is niet uit te leggen wat er tijdens die gedeelde momenten door ons heen gaat. Zoveel herinneringen, zoveel emoties, bezoeken, bespiegelingen en stiltes die met mooie woorden zijn beladen. Ik verlaat Istanbul, versterkt door deze enkele dagen in familiekring, het gesprek met Aida en tal van andere ontmoetingen en conversaties.

Moslimadeldom

Aan de aanlegsteiger van de boot naar Yalova heerst een vrolijke opwinding. Anatolische mannen en vrouwen, die in Istanbul inkopen hebben gedaan, beginnen een discussie met een beambte van de rederij. Hun bagage is veel te omvangrijk om zomaar op de boot mee te nemen. Andere reizigers mengen zich in de discussie en geven hun mening. De stemmen weerklinken steeds luider. Tegenover me staat een man met een rechte baard en een ondoorgrondelijke blik. Het lijkt of hij zich boven al het gewoel verheven voelt. Zijn kleding getuigt van kwaliteit en zijn ogen zijn diepzwart. Alles aan hem ademt adeldom. Zijn doordringende blik is welwillend. Zijn gezicht verraadt rust en gratie. Hem bekijken maakt me rustig en ik hoor niet langer het tumult op de kade. Ik beantwoord zijn glimlach.

Uiteindelijk trekt de beambte zich mopperend terug. De menigte keerde zich tegen hem, waardoor hij het hele reglement dan maar aan zijn laars lapt. Hier maken de praatjes van de gewone man de wet. De boot legt aan. De passagiers haasten zich aan boord om de beste plaatsen in te nemen. Ik zoek een plekje bovendeks. Enkele ogenblikken later begint de boot te trillen en komen we van het vasteland los. Op de kade herken ik het silhouet van de mysterieuze man. Hij heft zijn hand op en zwaait. Ik kijk om me heen. Niemand schenkt hem enige aandacht. Zou hij naar mij zwaaien? Ik wuif terug... Ik verlaat het Europese continent met al zijn mysteries.

Het zog van de boot trekt een wit spoor te midden van het diepblauwe water. In de verte zie ik nog de Aya Sofia en de zes minaretten van de Blauwe Moskee. Zoveel herinneringen die geleidelijk vervagen en in mijn hart worden opgeslagen.

Nadat mijn ouders de terugvlucht naar België hadden genomen, liet ik me verleiden tot een vriendschappelijk bezoek aan de Zusters der Armen van Istanbul. Toen ik hen belde, bleken ze al op de hoogte van mijn tocht en vroegen ze me waar ik bleef. De Zusters van Gent hadden hen duidelijk ingelicht over mijn mogelijke passage. Sindsdien verwachtten ze me. Ik kon het aanbod om enkele dagen bij hen te logeren, onmogelijk weigeren. Maar tegelijk kon ik ook stilletjes opnieuw wennen aan mijn eenzaamheid als pelgrim na de luxueuze vakantiedagen die ik in het gezelschap van mijn ouders had doorgebracht. Het rusthuis van de Zusters biedt onderdak aan gasten van alle geloofsstrekkingen. De meesten behoren echter tot de christelijke of de Armeense kerk. Ik kwam erg onder de indruk van de ontmoeting met een bejaarde dame van Armeense afkomst. Ze stond me in perfect Frans te woord. Twee uren lang vertelde ze me het verhaal van de Armeense genocide in Istanbul. Haar hele familie werd uitgemoord. De genocide begon in april 1915, toen de regering de moord beval op meer dan vijfhonderd Armeniërs. Voor het einde van datzelfde jaar waren meer dan één miljoen Armeniërs vermoord of gedeporteerd.

In hetzelfde rusthuis waarschuwt een Armeniër me voor het vervolg van mijn tocht: 'Uw onderneming is erg gevaarlijk. U geeft zich geen rekenschap van de gevaren waarmee u onderweg zult worden geconfronteerd.' Hij vertrouwt me nog wat van die weinig vrolijke zaken toe.

Onwillekeurig denk ik aan de vreselijke beelden van het Nabije Oosten: de oprichting van fundamentalistische milities in Syrië, de aanslag op Hariri in Libanon, de bloedige confrontaties in Israël en Palestina... De Zusters laten me gaan en beloven dat de hele christelijke gemeenschap van Istanbul me in haar gebeden zal gedenken.

Terra incognita

Ik schud mijn dromen van me af en kijk naar het kolkende water achter de schroef van de boot. De spitsen van de minaretten en de Aya Sofia zijn door nevels opgeslokt. 'Zal ik Europa op een dag terugzien?'

Op dit moment lijkt niks me zeker. Ik keer me om naar de voorkant van de boot en in de verte, helemaal aan de andere kant van de Zee van Marmara, tekenen zich vaag de bergen af. Daarachter ligt de afschrikwekkende Anatolische hoogvlakte. Naarmate de boot dichter bij de andere oever komt, lijken de bergtoppen te groeien. Zal ik ze wel kunnen overwinnen? Mijn hart bonst. Ik neem het steentje uit Dachau in mijn hand. Weer herken ik het niet. Het lijkt of het een andere kleur heeft aangenomen. Ik heb een hart onder de riem nodig. Ik bal mijn vuisten in de zakken van de broek die om mijn lichaam floddert. Sinds mijn vertrek ben ik een tiental kilo lichter geworden. De motor van de boot slaat af. Tijdens het aanmeren lijkt dezelfde opwinding zich van de passagiers meester te maken. Tevergeefs zoek ik een bekend gezicht in de massa. Niets houdt me in deze stad.

De gescheurde muren van de gebouwen in Yalova herinneren aan de vreselijke aardbeving die in 1999 de hele streek door elkaar schudde. Er vielen 18.000 doden en de beving was tot in Griekenland voelbaar.

Ik probeer mijn vroegere marsritme weer op te pakken. Het lukt echter niet. De riemen van de rugzak snijden mijn bloedsomloop af. Ik ben dan ook als een ezel beladen. De Zusters der Armen hebben me niet met lege handen op pad gestuurd. Gedroogd vlees, kaas, brood, koekjes, snoep, kersensap… Ik bezwijk bijna onder het gewicht. Bovendien zijn mijn beide waterzakken tot de rand gevuld. 'Voor onderweg', vertrouwde de verantwoordelijke van de kloosterkeuken me toe. Ik draag bijna vijfentwintig kilo op mijn rug en raak geen stap verder. Ik zucht. Voor mij verrijzen de bergen die met mij lijken te spotten: 'Je denkt dat je heel wat bent omdat je tot hier geraakt bent, maar je staat nog nergens'. Ik buig het hoofd zoals een verliezer het hoofd buigt voor de winnaar. Met de blik naar de grond besluit ik me uitsluitend op mijn stappen te concentreren. Ik zet een stap en dan nog een. Dat is het enige wat telt. Beetje bij beetje krijg ik mijn vastberadenheid terug, terwijl mijn voeten weer gehoorzaam hun dagelijkse tred uitvoeren. Ik zal een andere strategie gebruiken om deze arrogante bergtop te overwinnen: de nederigheid van het gebogen hoofd. Wie zich tot de Allerhoogste durft te wenden, doet er goed aan zich ootmoedig op te stellen…

Ik strompel voort in de schaduw van de top die steeds dichterbij komt. Het is zwaar. De bergrug wordt verlicht door de zon die zich erachter verschuilt.

Ga binnen door de nauwe poort. Want wijd is de poort en breed is de weg die naar de ondergang leidt; er zijn vele mensen die daarlangs gaan. Hoe nauw is de poort en hoe smal de weg die naar het leven leidt; er zijn maar weinig mensen die hem vinden. (Matteüs 7, 13)

De zon verblindt me. Zonder het te beseffen ben ik op de top beland, de ogen naar mijn voeten gericht. Een man komt naar me toe, waarschijnlijk een dakloze. Hij maakt me duidelijk dat hij dorst heeft. 'Heeft u dorst? Dan bent u bij de juiste persoon!'
Ik neem mijn rugzak af en overhandig hem de fles met kersensap. De man lijkt verbaasd over de hoeveelheid die ik op mijn rug meesjouw. Ik eigenlijk ook.
'Waarheen gaat de reis?' vraagt hij me.
'Naar Konya en vandaar naar Antiochië en verder zuidwaarts.'
'Te voet over de hoogvlakte van Anatolië?'

'Jawel'.

Hij grijnst.

'Dan staat je een tocht door de hel te wachten...'

Vanaf de top zie ik het meer van de antieke stad Nicea (Iznik) liggen. Morgenavond zal ik in die mythische stad aankomen. Aan de andere kant van de berg daal ik af naar de stad Orhangavo. Het licht is schitterend en het uitzicht op het meer, omgeven door olijfbomen, is lieflijk. Het weer is zacht genoeg voor een nachtje onder de blote sterrenhemel. Ik laat me verleiden door dat idee en ga op zoek naar een rustig plekje tussen de olijfbomen op de oever van het meer. Ter hoogte van een bakkerij word ik aangesproken door een jongeman die me vraagt waar ik vandaan kom.

Tien minuten later, na het gebruikelijke praatje over mijn pelgrimstocht, word ik uitgenodigd om de nacht door te brengen boven de bakkerij waar hij werkt. Mehmet werkt samen met zijn broer Khalil, een student aan de Koranschool, in de familiebakkerij. Adam, een van de medewerkers, toont me de badkamer. Hij zorgt ervoor dat mijn rugzak in het vertrek boven de bakkerij belandt. De geur van versgebakken brood vult de ruimte. Het is er warm. Terwijl ik in mijn rugzak wat propere kleren zoek, valt het me op dat de bakkersjongen toch wel heel erg nieuwsgierig naar mijn spullen is. Hij gaat pal naast me zitten en helpt me om alles uit mijn rugzak te halen. Elk voorwerp apart onderwerpt hij aan een nauwkeurige inspectie. Het lijkt wel of Adam in mijn plaats dingen begint te zoeken die ik eventueel nodig zou kunnen hebben. Eerlijk gezegd begint hij me danig op de zenuwen te werken. Vriendelijk maak ik hem duidelijk dat ik me zelf wel met mijn spullen zal bezighouden. Hij doet alsof hij me begrijpt en verwijdert zich een beetje. Tijdens het douchen voel ik me toch niet helemaal gerust. Mijn tasje met camera, paspoort en wat geld dat ik apart draag, heb ik bij mij genomen. Ik stap onder de douche die door de broodoven wordt verwarmd. Wat zit hij nu weer te frutselen, de bakkersjongen. Zijn blik wekt geen vertrouwen op. Wanneer ik uit de douche kom, is hij verdwenen, maar aan de indeling van mijn tas zie ik dat hij weer heeft zitten snuffelen. Bah! Veel kan het kereltje in elk geval niet gestolen hebben.

Beneden wachten de twee broers Mehmet en Khalil me op voor de thee. Ze ontvangen me met een open en eerlijke blik. Mehmet spreekt perfect Engels, hij droomt ervan leraar Engels te worden. Khalil studeert aan de Koranschool in de hoop imam te worden. Yussuf, de meesterbakker, voegt zich bij ons. Terwijl we op de lage stoelen aan de al even lage theetafel zitten, haal ik mijn kaart van Europa tevoorschijn en wijs hen mijn parcours aan. In hun ogen lees ik de verbazing over mijn avontuur. Adam, de bakkersjongen, draait om ons heen en maakt af en toe wat opmerkingen. Mehmet beveelt hem naar binnen te gaan en de hem opgedragen taak af te maken. 'Sebastien, in plaats van boven de broodoven te overnachten, waar het erg warm is, kun je bij Yussuf slapen. Hij woont hiernaast en zijn vrouw en kinderen brengen enkele dagen bij familie op het platteland door. Hij heeft plaats genoeg.'

We brengen de avond samen door. Yussuf heeft een maaltijd met vis uit het meer van Iznik bereid. Na een heerlijke maaltijd nodigt mijn gastheer ons uit om naar een film te kijken: een illegale kopie van Tarantino's *Kill Bill*. Ik heb de moed niet om de film tot het einde uit te kijken en zoek het gezelschap van Mehmet op het balkon. We gaan naast elkaar zitten en bekijken de inslapende stad. Samen kletsen we wat over onze respectieve geloofsovertuigingen. Het lijkt alsof een diep gevoel van broederschap ons bindt. Rond middernacht zoek ik mijn bed op. Ik ben afgepeigerd.

'Uit de veren! Het ontbijt is opgediend!'
Mehmet komt de kamer binnengestormd.
'Eh, hoe laat is het?'
'Het is 6.30 u!'

Lieve hemel! Ik wilde zo graag nog wat rusten. Moeizaam ontworstel ik me aan mijn diepe slaap en sleep me naar de wastafel. Wanneer ik terugkeer, zie ik hoe de bakkersjongen weer aan mijn spullen zit. Ik vertrouw hem geen ene moer. 'Heb je hulp nodig? Zoek je iets? Hopsa, wegwezen!'
Hij zet zijn onschuldigste gezicht op en gaat er met een valse glimlach vandoor. Zijn ogen zijn die van een serpent.
Tien minuten later sta ik beneden en voeg me bij Yussuf en

Mehmet voor het ontbijt. Het is heerlijk: eieren, kaas, olijven en brood.

Wanneer ik wil opstappen, vraag ik Mehmet of ik mag bijdragen in de kosten. 'Geen sprake van. De Koran gebiedt moslims om gastvrijheid te verlenen en om reizigers te ontvangen.'

Het meer van Iznik ligt te midden van duizenden hectaren olijfbomen. De andere oever van het meer wordt door een dikke, vaalwitte nevel aan het oog onttrokken. Daarboven lijken de toppen van de omliggende bergen te zweven. De kleur van het water varieert van helgroen tot blauwgrijs, een alleraardigst plaatje. Urenlang wandel ik door olijfboomplantages die tot de belangrijkste van Turkije behoren. Enkele boeren groeten me en vaak nodigen ze me uit om een slok te drinken. Ik beslis om me onder een dikke olijfboom uit te strekken en een tukje te doen. De wind doet de bladeren ritselen en dat geluid wiegt me in een diepe, weldoende slaap. Een zonnestraal haalt me uit mijn zoete dromen. Voor ik me weer op pad waag, zoek ik eerst mijn zonnebril. Onvindbaar! En toch ben ik ervan overtuigd dat ik hem in de bovenste klep van mijn rugzak heb gestopt...

Adam! De boef! Ik weet zeker dat hij de bril gepikt heeft. Ik aarzel, rechtsomkeert maken of verder gaan. Ik denk aan de volgende dagen: Anatolië en de Syrische woestijn oversteken zonder zonnebril, het lijkt gekkenwerk. Er zit niks anders op dan terug te keren. Ik heb de pest in! De gluiperd...

Ik hijs mijn zak op mijn rug en sla de richting in waaruit ik gekomen ben. Een boer in een oude rammelkast komt mijn richting uit. Ik geef hem een teken te stoppen. Ik klim in de laadbak en zoek een plekje naast een koe. De warme wind doet mijn hemd klapperen. De koe knippert met haar ogen. Iets voor de stad verlaat de bestelwagen de weg en rijdt naar een gebouw dat iets van de weg af staat. De boer gebaart me uit te stappen. Binnen hoor ik koeien loeien. Hij haalt een soort plank tevoorschijn en vraagt me te helpen bij het uitladen van de koe. Hij stopt me de staart van het dier in de handen en maakt me duidelijk dat ik moet trekken. Ik voer zijn orders angstvallig uit. Als de deur van het gebouw opengaat, komt een stroom bloed ons tegemoet. Levende koeien hangen ondersteboven te wachten tot de slager ze de keel doorsnijdt. Stukken karkas bengelen naast nog bewegende dieren die hetzelfde lot beschoren is. Ook op de grond liggen dode dieren. Sommige vertonen nog zenuwtrekken. Het bloederige tafereel overvalt me volledig. De slager komt naar me toe, met in zijn hand het hart van een in stukken gesneden dier dat hij me wil schenken. Ach, die dekselse Adam!

Een kwartiertje later sta ik weer in de bakkerij en leg ik de situatie uit aan Mehmet en Khalil. Ze overleggen en gaan dan op zoek naar Adam. Die speelt de onnozele hals en doet of hij nergens van af weet. Dat is dan jammer. Hij blijft bij hoog en bij laag zijn onschuld uitschreeuwen.

Ik verzeker mijn twee vrienden dat ze zich geen zorgen hoeven te maken, dat de hele geschiedenis hun schuld niet is en dat ik de beste herinneringen aan hun ontvangst bewaar. Ik neem opnieuw afscheid. Adam komt naar me toe en legt zijn hand op het Byzantijnse kruis dat ik in Duitsland gekregen heb en aan de riem van mijn rugzak heb vastgemaakt. Ik merk zijn misprijzende blik en zijn achterbakse spot. Met mijn stok sla ik zijn hand weg.

Een vrachtwagen brengt me weer naar mijn vertrekpunt. Ik voel me verscheurd. Zou het kunnen dat ik me vergist heb? Bijna heb ik er spijt van dat ik die arme duivel zo bejegend heb. Maar dan bedenk ik weer dat ik de bril onmogelijk onderweg kan hebben verloren...

Iznik heeft niks meer van de grandeur van de vroegere antieke stad Nicea. Toch is het op deze plek dat keizer Constantijn de Grote in 326 het eerste oecumenische concilie van de geschiedenis hield, om te vermijden dat theologische geschillen het Romeinse Rijk zouden uithollen.

Ik breng een bezoek aan de resten van wat ooit een grote christelijke basiliek moet zijn geweest. Een paar muurschilderingen zijn nog zichtbaar. Wat een schoonheid! Ik blijf enkele uren op de stenen zitten, terwijl ik mijmer over de christenen die ooit in dit gebied hebben gewoond. Deze stilzwijgende onderbreking doet me goed. Mijn latente staat van vermoeidheid zorgt voor een zwaar gevoel in mijn hoofd. Mijn rugzak en mijn andere tas rusten tegen de stenen van wat ooit het altaar van de kerk was.

Mijn stok bepaalt mijn ritme en zijn getik op het wegdek klinkt me vertrouwd in de oren. Dat regelmatig weerkerende geluid herinnert me eraan dat elke stap me dichter bij mijn doel brengt. Ook zingt hij het lied van alle mensen die ik onderweg heb ontmoet. Indien God het wil, zal ik de compositie noot voor noot zingen binnen de muren van de stad die zowel voor joden en christenen als voor moslims heilig is.

De maan kleurt de middernachtelijke hemel. De weerschijn ervan verlamt het water van het meer van Iznik. Morgen vat ik mijn eerste klim naar het plateau aan. Alvorens ik de uitgestrekte hoogvlakte uiteindelijk zal bereiken, staan me nog diverse beklimmingen te wachten in dit kale gebergte dat zindert onder een loden zon.

Al heel vroeg begin ik aan mijn tocht naar de eindeloze hoogvlakte. Ik ontwijk diverse aanvallen van zwerfhonden. Sommige hebben een band met lange stalen pinnen rond de nek. Het zijn weggelopen herdershonden die zich bij rondtrekkende meutes hebben aangesloten. Een van de herders legt me uit dat de pinnen op de halsband van de honden hun nek beschermt tegen aanvallen van wolven...

Bij het naderen van het centrum van de stad Yenishehir word ik aangesproken door een echtpaar dat me naar mijn bestemming vraagt. Wanneer ik uitleg dat ik te voet onderweg ben naar Jeruzalem kan de vrouw zich niet inhouden van lachen. Ze lijkt gegeneerd, maar ik vraag haar zich vooral niet te schamen. Ik ben maar wat blij dat mijn tocht ook mensen aan het lachen brengt. Dat maakt de ernst van de onderneming iets luchtiger. De twee nodigen me uit om samen thee te drinken in het lommerrijke park van de stad. Net zoals de meeste steden in Anatolië heeft de stad op architecturaal vlak niks te bieden. Vanavond heb ik zin om in een bed van een van de goedkope pensions te slapen. Ik boek een smerig kamertje. In die ellendige, gore pensions gebeurt het maar zelden dat de lakens na elke gast ververst worden. De badkamer is meestal beperkt tot een gat in de vloer voor de natuurlijke behoeften en een buis met koud water erboven. Na een maaltijd met traditionele *durum* ga ik mijn e-mails lezen, mijn foto's uploaden en mijn internetsite bijwerken. Er is een e-mail van Mehmet bij! Adam heeft uiteindelijk bekend en mijn zonnebril teruggegeven! Nou zeg! Orhangjavo is drie dagen stappen. Ik heb de nacht om te overleggen wat ik zal doen: terugkeren of verder trekken! Achterbakse Adam!

Te midden van de nacht breekt er een zwaar onweer los. Het water valt bij bakken uit de hemel. Wat een zondvloed. Het regent de hele nacht door en ook de volgende dag lijkt de situatie er niet beter op te worden. Dus kan ik net zo goed de bus naar Orhangjavo nemen. Ik ken de weg onderhand wel. Na een uurtje door het gebergte stopt de bus voor de ingang van de bakkerij.

'Dag Mehmet!'

Yussuf en Mehmet ontvangen me met open armen. Enkele tellen later zit ik weer aan het lage tafeltje met daarop drie glaasjes hete thee. Adam is achter in de zaak en lijkt me niet op te merken. Mehmet gebaart dat hij zich bij ons moet voegen. Met neergeslagen ogen komt hij dichterbij. Nu ik hem zo zie, kan ik het hem niet langer kwalijk nemen. We schudden elkaar de hand.

'We praten er niet meer over. Hopelijk heeft hij zijn lesje geleerd.'

Gezellig rond het theetafeltje naast de grote bakkersoven vragen mijn vrienden me uit over mijn eerste dagen in Anatolië. Vandaag dwingt het weer me tot het nemen van een dagje rust.

Een uurtje later vergezelt Mehmet me naar de bushalte. Ik vertrek opnieuw, met drie broden en melk.

'Ik heb geen goed oog in de toekomst. De spanningen tussen de diverse godsdiensten lopen op.'

Serkan werkt voor de krant *Zaman*. Hij klampte me op straat aan om me uit te nodigen voor een glaasje thee in het theehuis tegenover het pension van Yenishehir.

'De enige manier om de mogelijke opkomst van het islamitisch fundamentalisme in Turkije tegen te gaan, is dat het land tot de Europese Unie zou toetreden.'

Ik antwoord: 'Geloof je niet dat het fundamentalisme zich dan naar Europa zou kunnen verplaatsen?' Het is een vraag waar ik het antwoord niet op weet. En toch, Serkan is moslim en ik ben christen. Onze verstandhouding is perfect. In de loop van ons gesprek voelen we hoe het wederzijdse respect groeit. We komen tot de slotsom dat het aanvaarden van het anders zijn van de medemens van kapitaal belang is. Urenlang blijven we praten in het kleine theehuis. Buiten valt de regen zonder ophouden. Maar om vrede te vinden, moeten we dan niet eerst onze eigen zwakheden kennen? Ongemerkt verloopt de tijd. Hij leert me zaken over de islam die ik niet wist. Ik zeg hem het onzevader op. 'Maar alles wat je daar reciteert, vind je ook in de islam!' Er komen heel wat vooroordelen ter sprake. 's Avonds neemt Serkan me mee naar de plaatselijke moskee. De mannen die uit de gebedsruimte komen, groeten me vriendelijk. Ik neem plaats op de tapijten. Die avond bidden Serkan en ik samen, elk in de taal van onze godsdienst, maar tot dezelfde God.

Drie dagen lang klim ik onafgebroken naar de hoogvlakte. Het landschap wordt steeds dorder en de afstanden tussen de steden steeds groter. Eindelijk kom ik in het landschap dat ik niet meer zal verlaten tot aan het Taurusgebergte, een goede duizend kilometer verderop...

In Bozüyük word ik op sleeptouw genomen door een groep plaatselijke muzikanten. Ze nemen me mee naar een kroeg, waar een foto van Atatürk boven de rest van overvloedige versiering hangt. Even later voegt Nadir, de leider van de wijk die door zijn vrienden op de hoogte is gebracht, zich bij ons gevolg. Dan worden de gebruikelijke vragen op me afgevuurd.

Nadir en een tiental stoere kerels begeleiden me door de straten van Bozüyük. Terwijl de ene een overnachting in het hotel van een van zijn vrienden voor me regelt, nemen de anderen me mee naar het restaurant. Geen sprake van dat ik betaal! De mannen zien me met veel smaak eten en discussiëren onderling terwijl ze naar me kijken. Na het eten keren we terug naar het café. De mannen halen hun typische instrumenten boven. Enkele noten om de instrumenten op elkaar af te stemmen en dan begint de muziek. Al snel zit de sfeer erin. Hun enthousiasme werkt aanstekelijk. Ik word omringd door een bende vrolijke kerels die luidkeels meezingen en met hun handen op de tafels kloppen. Hoe eenvoudig kan geluk zijn! De thee stroomt bij beken, tot in de vroege uurtjes. De nacht is al een eind gevorderd wanneer het feestje eindelijk ophoudt. Ik ben doodop, maar verrukt. Nadir legt als een vader zijn hand op mijn schouder en met een glaasje thee in de hand vertrouwt hij me toe: 'We krijgen niet elke dag een hadji op bezoek.'

De vlakten van de wanhoop

Ik denk terug aan de woorden van de man die ik in de buurt van het meer van Iznik te drinken heb gegeven. 'Dan staat je een tocht door de hel te wachten...' In het landschap is een afmattende monotonie geslopen, even opwekkend als een druilerige en donkere herfst na een schitterende zomer. En wat doet een mens als het slecht weer is? Gezellig binnen blijven, natuurlijk! En dat is dan ook precies wat ik doe terwijl ik door het eentonige landschap loop: ik koester me in mijn eigen coconnetje. Ik zoek troost in mijn gedachten en herinneringen aan betere dagen. Op de hoogvlakte lijkt elk dag dezelfde, de dagen rijgen zich aaneen tot een vage, duistere herinnering. De twintigste juli voel ik plots hoe de grond onder mijn voeten wegzakt. Ik struikel en krijg een waas voor de ogen. Mijn hart klopt als bezeten. Ik stop. Nergens een boom om me te beschermen tegen de brandende zon. De zonnestralen verpletteren me en ik heb niet voldoende water meer. Ik probeer weer tot mezelf te komen. Vooral niet toegeven aan de angst die me plots in haar greep krijgt. De diagnose is snel gesteld: ik ben aan het einde van mijn krachten, compleet uitgeput. Het feit dat ik sinds twee dagen geen vast voedsel meer tot me heb genomen en het tiental kilo's dat ik sinds het begin van de reis ben afgevallen, maken de zaken er niet beter op. Ik heb echter weinig keuze, ik moet vooruit. Uit mijn tas haal ik een oude homp droog brood die ik moeizaam begin te kauwen. Ik moet doorgaan... Hier zal niemand me te hulp komen. De keuze is simpel: lopen of sterven. Urenlang loop ik tussen gemaaide, uitgedroogde velden door. In

de verte hoor ik het geblaf van honden die snel dichterbij komen.
Dat ontbrak er nog aan! Een meute zwerfhonden die op me
afkomt. Vanuit de verte komt een half dozijn grote blaffende herdershonden aangerend, hun grote, blikkerende tanden ontbloot.
Dat alles voor jou, Jeruzalem. *U die in dit huis woont, kom me te hulp.*
De honden omcirkelen me en sluiten me in. Als een gewond dier
word ik opgejaagd. Ik zwaai met mijn stok en probeer ze op een
afstand te houden, terwijl ik een keel opzet. 'Maak dat jullie weg-
komen, smerige monsters!'
  Ik voel de woede opkomen. Als een wilde begin ik om me heen
te slaan. De honden zijn woedend en laten hun prooi niet los. Ik
mep er met mijn stok op los. *Weg! Weg! WEG!* Ik ben razend. Mijn
stok is niet langer een pelgrimsstaf maar een knots, waarmee ik
ongecontroleerd en steeds harder sla. De windverplaatsing die ik
daarmee veroorzaak blijkt uiteindelijk toch indruk te maken op de
leider van de bende. Ik gooi nog wat laatste stenen naar de honden
die de aftocht blazen, de staart tussen de poten.
  'Het is genoeg geweest. Ik kan niet meer.'
  Ik val op mijn knieën en probeer steun te zoeken op mijn stok.
Ik zou willen huilen, maar het enige wat ik opbreng, is een rauw
gereutel.
  Een licht briesje steekt op. Uitgeput richt ik me op en begin ik
langzaam de ene voet voor de andere te zetten. Met gebogen hoofd
ga ik vooruit. Nooit ofte nimmer heb ik me zo uitgeput en verlaten
gevoeld.

Terwijl de zon op haar hoogtepunt staat, meen ik in de verte de
minaret van een moskee te bespeuren. Ik weet echter niet of het
echt is of dat mijn verbeelding met mij op de loop gaat. Langzaam
kauw ik wat van de graankorrels die ik uit het zand raap. Mijn
gezwollen tong lijkt een lap leer. Ik heb nog nauwelijks speeksel om
de graankorrels door te slikken. De zon staat pal boven mijn hoofd
en ik loop over mijn eigen schaduw. De omtrek van de minaret
wordt duidelijker. Ik heb niet gedroomd. Een halfuur later betreed
ik het dorp Beykisla.

Aan de rand van het dorp wacht een man me op. Ik weet dat hij op
mij wacht, want hij geeft me een teken om hem te volgen. Als een

automaat loop ik achter hem aan. Eigenlijk begrijp ik niet goed wat me overkomt. Ik ben trouwens al een tijdje geleden opgehouden met overal een reden achter te zoeken. Ik ben slechts nog een lijf dat zich verder sleept. Meer niet.

De vriendelijke man neemt me mee naar een schaduwrijk tuintje aan de achterkant van de moskee. Later zal het me duidelijk worden dat de man de plaatselijke imam is. Het is een gezant van God die me naar de fleurige tuin voert. Onder een prieel met wilde wingerd staat een gedekte tafel. De imam maakt me duidelijk dat ik moet plaatsnemen. Enkele tellen later brengt zijn vrouw schotels met fijne vleeswaren, kaas en groenten. Ik vertrek echter geen spier bij het zien van al dat voedsel. Daarvoor ben ik te diep gegaan. Ik voel geen honger. Ik heb alleen zin om te huilen, maar de tranen komen niet. Ik lijk van steen. De man schenkt me een glas *ayran* uit, een zure melkdrank. Ik heb geen dorst. Het lukt me echt niet. Mijn hart bonkt zwaar. De imam spoort me aan: 'Drink! Drink!'

Met trillende handen breng ik het glas naar mijn mond. Ik kan nauwelijks slikken. Uiteindelijk drink ik vijf glazen na elkaar. Ik voel hoe mijn krachten terugkeren.

Dan lijkt het of de duivel in mij vaart. Onder de verwonderde blik van mijn weldoeners verslind ik al het eten dat ze me zo gul hebben voorgezet. Ik eet alles op, tot het laatste kruimeltje.

Na deze smulpartij gaat de vrouw weer naar binnen om thee te zetten. De imam vertelt me: 'Je herinnert ons aan onze zoon die zich zes jaar geleden van het leven heeft beroofd. Hij zou nu ongeveer jouw leeftijd hebben gehad. Toen ik je in de verte zag aankomen, dacht ik even dat hij het was. Het was of hij na een lange reis thuiskwam. Maar we zijn heel gelukkig om je in ons huis te mogen begroeten, het is alsof we voor een kort moment toch onze zoon terugzien die nooit zal terugkomen.'

Nu kan ik opnieuw huilen. Enkele dikke tranen rollen over mijn wangen. Mijn ogen branden. De imam besluit: 'Alles begint en eindigt met God'.

Als zijn vrouw terugkeert, vindt ze twee mannen die zich in stilzwijgen hebben gehuld. In een oogopslag begrijpt ze de situatie.

Het lijden in dit gezin is groot. Serkan, hun jongere zoon van twaalf, zegt me in goed Engels: 'Ik zal je samen met Salim naar het volgende dorp begeleiden. Salim is mijn vriend.' De ouders geven hun toestemming. Een halfuurtje later zijn we op pad, met waterzakken die tot de rand gevuld zijn. Ik bedank deze nobele man en vrouw. Ik zal hen nooit vergeten.

Het volgende dorp ligt vijf kilometer verderop. Ik voel me iets beter, maar toch drukt de vermoeidheid zwaar op mijn schouders. Serkan en Salim lopen zwijgend naast me. Af en toe stellen ze me een vraag over Europa. Ik heb last met de antwoorden. Ik raak moeilijk uit mijn woorden en zinnen. Als een wervelwind komt een legerjeep op ons af stuiven. Hij stopt op nauwelijks een meter afstand. Gewapende mannen en een rond kereltje met een geïrriteerde blik komen naar ons. De soldaten volgen het kereltje schoorvoetend. Het opgewonden mannetje stamelt enkele onbegrijpelijke woorden. 'Paspoort! Paspoort!' Hij schreeuwt. Salim en Serkan leggen uit wat ik hier doe en wat mijn doel is. Dat lijkt hem te bevallen. Met zijn vier lijfwachten keert hij terug naar de jeep, die in een grote stofwolk verdwijnt. 'Salim, wat wilde de man?' 'Och! Niks, het is een legerkolonel die op zoek is naar Koerdische terroristen. In deze streek bulkt het van de Koerden...'

We vervolgen rustig ons pad, zonder dat we nog gestoord worden. In Hayrine, het volgende dorp, schud ik mijn jonge vrienden de hand. Ze keren naar hun dorp terug. Ik doorkruis het dorp dat grotendeels met stenen van adobe is gebouwd. Kinderen steken hun hoofd boven de muren en begroeten me net als overal met het gebruikelijke *Hello! Hello!* Helemaal aan het eind van het uitgestrekte dorp wenkt een vrouw me. Ze geeft me te kennen dat ik naast haar moet plaatsnemen, onder een vijgenboom. Ook haar buurvrouw verschijnt. We wisselen enkele woorden uit. Tijdens de drie weken dat ik nu door Turkije trek, heb ik enkele elementaire woordjes geleerd. Ik slaag erin een praatje te maken. De vrouwen lachen hartelijk met mijn verwoede pogingen om mij verstaanbaar te maken.

De echtgenoot van de eerste verschijnt en met veel edelmoedigheid nodigt hij me uit op het binnenplein van zijn huis. Ik krijg koffie, fruit, koekjes en chocolade aangeboden. Weldra is het groepje aangegroeid tot een tiental personen. Telkens weer word ik verrast door de gastvrijheid waarmee ik hier ontvangen word, zonder onderscheid van ras, godsdienst of sociale klasse. Zelf heb ik de indruk dat het me duizenden kilometers stappen kost om een dergelijk niveau van eenvoud te bereiken, waarbij ik de ander onbevangen in zijn diversiteit kan ontvangen. Het langeafstandsstappen is als het pellen van een ui, bij elke stap geeft zich een stukje van het geheel prijs.

Ik moet vandaag nog een hele afstand afleggen, dus neem ik met pijn in het hart afscheid van deze gastvrije mensen. Een horde kinderen loopt meer dan een kilometer met me mee. Hoe zoet kan het leven zijn!

Na een goed uur stappen bevind ik me weer te midden van de verlaten woestenij. Alleen kale heuvels in de verte zorgen voor enige variatie in het landschap. Dan komt plotseling op een van de verlaten wegen een auto toeterend op me af. Het is de man die me bij hem thuis heeft ontvangen. Als hij vlakbij is, draait hij zijn raampje open en overhandigt me een pak. Dan keert hij om en rijdt terug richting dorp. In het pakje ontdek ik een literfles met *ayran* en enkele gevulde paprika's. Ik werk de *ayran* met grote slokken naar binnen en bewaar de paprika's voor 's avonds. Een eindje verderop komt er alweer een auto aan, deze keer uit de andere richting. Wanneer hij voorbijrijdt, vertraagt hij en de bestuurder wringt zich in alle bochten om me van dichterbij te bekijken. De verbazing staat op zijn gezicht te lezen. Een westerling die in zijn eentje over de Anatolische hoogvlakte trekt, het is wellicht ook iets wat ze niet elke dag te zien krijgen. Langzaam daalt de zon boven Anatolië. Vandaag ben ik aan het ergste ontsnapt. Boven de kale heuvels komt een reusachtige maan tevoorschijn.

Onderweg naar Emirdag trekt plots een plaatselijk wolkje voor de zon. Een heel vreemd fenomeen, zoiets heb ik nooit eerder gezien. En toch, zover ik kan kijken schijnt overal de zon. En dan breekt boven mijn hoofd plots een onweer los.

Hoe is dat mogelijk? Er valt echter niks te begrijpen. Nooit had ik

gedacht dat zo'n klein wolkje voor zo'n hoop gerommel kon zorgen.
'Dat is het toppunt! Alleen de regen ontbreekt er nog aan.'
Ik heb de woorden nauwelijks uitgesproken of dikke druppels
beginnen te vallen. Als het spervuur van een machinepistool teiste-
ren ze het wegdek. Een auto met Belgische nummerplaat houdt
halt. Het portier gaat open: 'Stap in!'
Ik stap in de wagen en bedank de zo vriendelijke inzittenden.
'Waar komt u vandaan?'
'Wij wonen in Oudenaarde!'
'Het is niet mogelijk! Dat is sterk! Een deel van mijn familie is
ook uit Oudenaarde afkomstig.'
De vrouw spreekt met een onvervalst Oudenaards accent.
'Zijn jullie met de auto van Oudenaarde hierheen gereisd?'
'Jawel! We hebben er vier dagen over gedaan!'
'*Amaai*, jullie hebben lef!'
De vrouw neemt het gesprek weer op.
'Onze hele familie woont in Emirdag. Je zult het zelf merken, in
Emirdag spreekt bijna iedereen behalve Turks ook plat Gents. In
Gent woont immers een heel grote Turkse gemeenschap die voor-
namelijk uit Emirdag afkomstig is. Toen wij in België aankwamen,
zagen we meer mogelijkheden in Oudenaarde. Daar baten we nu
een nachtwinkel uit, aan het plein in de buurt van de Grote Markt!'
Ik zie de winkel voor me. Ik ben er af en toe al eens gestopt, tij-
dens mijn tochten met de motorfiets door de Vlaamse Ardennen.
Het onweer trekt weg.
'Zo, bedankt voor het leuke gesprek!'
Ik sluit het portier en het Oudenaards echtpaar zet zijn weg
voort. Ik ben op deze tocht duidelijk nog niet aan mijn laatste verrassing toe!
Enkele kilometers verderop stopt een zwarte BMW cabriolet
met getinte ruiten. Er stappen drie krachtpatsers uit, die in mijn
richting komen. Ze zien er niet echt inschikkelijk uit.
'Hé kerel, het schijnt dat je te voet uit België komt. Heb je ze
niet allemaal op een rijtje?'
Het paar uit Oudenaarde heeft de tamtam wellicht in beweging
gebracht.
'Wij komen uit Brussel, uit Molenbeek. Zin in wat shit?' vraagt
de kleinste van de drie.

Ik wil geen hommeles en daarom antwoord ik nogal strategisch: 'Luister, heel aardig van jullie, maar als ik nu een stickie rook, na tien uur onafgebroken stappen, dan ga ik gegarandeerd meteen van mijn stokje.'

'Maak je niet te sappel, je kunt wel met ons meerijden tot Emirdag.'

'Dat is vriendelijk, maar ik moet elke meter te voet afleggen.'

Plots herinner ik me de magische woorden van Nadir, de leider van de buurt in Bozüyük: 'Ik maak een hadj naar Jeruzalem.'

Die toverwoorden lijken onmiddellijk effect te hebben.

'Een hadj naar Jeruzalem? Met alle respect man.'

En de drie vertrekken zoals ze gekomen zijn, in een wolk van stof.

Door de drukke straten van Emirdag paraderen grote Duitse luxewagens met Belgische nummerplaat, de kap naar beneden en de volumeknop van de muziekinstallatie wijd open. Zomer is showtime. De jonge Turken gooien er af en toe een Vlaams woord tussen als ze onder elkaar praten. Ik boek een kamer in een klein pension en bestel een *durum*. Naast me zitten twee jongens uit Aalst, opgedirkt alsof ze rechtstreeks uit een clip van MTV komen. Met bestudeerde nonchalance kijken ze naar wat zich op straat afspeelt. Een oude rammelkar, bestuurd door een plaatselijke grijsaard, heeft een dikke Belgische Mercedes lichtjes aangereden. Een vrouw, gekleed als een wereldster en ontegensprekelijk de eigenaar van de luxeauto, staat de arme man zo hard ze kan uit te foeteren. Als je eenmaal in de greep van het kapitalisme zit...

De klanten van het terras van de snackbar bekijken al die opwinding met een geamuseerde blik. Ik eet mijn *durum* op en ga zonder dralen naar mijn kamer. Het leven van een pelgrim verloopt uiteindelijk net zo georkestreerd als dat van een werkende mens: je moet rennen achter de tijd die wegtikt.

Terwijl in de wereld van alles misgaat, probeer ik in de uitgestrektheid van het Anatolische plateau het evenwicht te vinden tussen de voortdurend wisselende indruk van euforie en wanhoop die zoveel grootsheid veroorzaakt.

Het gebied van de grote meren in Centraal-Anatolië breekt met de verlammende monotonie van het landschap en zorgt voor een afwisselender reliëf. Ik las een korte pauze in voor ik me waag aan deze opeenvolging van dorre hoogvlakten die in steile kloven uitlopen. Het is 23 juli. In het door de zon geblakerde landschap ga ik zitten op een uitstekende rots aan de voet van een keteldal. Het landschap lijkt op dat van de maan. Ik haal de sigaret tevoorschijn die ik in Emirdag heb gekregen en begin te roken. Plots barst ik in lachen uit. Wat een zoete waanzin, deze weg. Een hagedis glipt over mijn schoen en staart me vanuit zijn schuin op de kop geplaatste ogen nieuwsgierig aan.

'Je moet op de grote tegel in het midden gaan liggen. Die wordt in de volksmond de "Dokter" genoemd. Hij geneest allerhande soorten kwaaltjes.'

Ik strek mijn vermoeide benen uit op het warme, vochtige marmer. De weldadige warmte van de steen dringt diep door in het vlees en de beenderen van mijn uitgeputte lichaam.

Mustapha legt me de werking van de Turkse hamam uit. Toen ik over de grote weg naar Bolvadin liep, in de richting van de haakse afslag naar Konya, werd ik aangesproken en uitgenodigd door Mustapha, die een autobedrijf runt. Hij spreekt redelijk vlot Nederlands, een gevolg van zijn jarenlange illegale verblijf in Amsterdam. Later werd hij echter door de Nederlandse autoriteiten opgepakt en teruggestuurd. Sindsdien heeft hij met zijn neven in Nederland een handeltje van import en export van auto's opgezet.

'Weet je, als je uit de hamam komt, ben je niet alleen helemaal proper, maar ook volledig ontspannen.'

Hij schrobt mijn rug met een koeienblaas.

'Dat helpt om dode huidschilfers te verwijderen!'

'Dank je wel Mustapha!'

En ik voel me werkelijk helemaal opgeknapt als ik naar buiten kom. We drinken samen een glaasje thee in het aanpalende theehuis. Voor één keer ben ik bevrijd van mijn rugzak en pelgrimsstok. Men zou me bijna voor iemand van ter plaatse kunnen aanzien.

In zijn kantoor wijst Mustapha me een divan aan, waarin ik kan slapen. Ik breng een afschuwelijke nacht door. Niet alleen is er het voortdurende geflikker van de neonverlichting, maar de waakhond die voor het raam ligt, begint te blaffen telkens als er een vrachtwagen passeert die de ruiten doet trillen. Rond halfzes 's ochtends houd ik mijn nachtrust voor bekeken en ga ik weer op pad. De zon is nog niet op en het licht is zacht. Ik houd het niet. Twee kilometer verderop moet ik stoppen. Uitgeput. Ik eet het beetje fruit dat ik gisteren van een landbouwer heb gekregen. Ik begin weer te stappen, maar ik vorder slechts heel langzaam. Maar strompelen is nog altijd beter dan blijven stilstaan. De weg maakt een haakse bocht naar het oosten. Het is onmogelijk om hem af te snijden. De weg loopt in een boog om de immense zoutmeren in het midden van het land. Rond de meren strekken zich eindeloze boomgaarden uit. Wanneer ik voorbijkom, overstelpen de fruitkwekers me vol medelijden met heerlijke vruchten.

Terwijl ik mijn krachteloze voeten baad in een ijskoud irrigatiekanaaltje naast een rij fruitbomen, voel ik dat ik op een sleutelmoment van mijn reis ben gekomen. Indien ik de kracht wil vinden om de vlakten voor me te doorkruisen, dan zal ik me moeten schikken in een geestesgesteldheid waarin ik me er bewust van ben dat ik op het scherp van de snede wandel. Terwijl ik me dat realiseer, wordt alles plots anders. Ik heb een manier gevonden om fysiek en psychologisch te overleven. Door een rationeel kader voor mijn lijden te vinden, ben ik er tegelijk in geslaagd om de nodige afstand te bewaren tot wat ik doormaak. Structuur biedt altijd steun. En dat is wat ik nu nodig heb. De deur die naar mijn doel leidt, is immers erg smal. Wellicht is ze nooit smaller geweest. Alles zal afhangen van wat er de volgende dagen gebeurt. Lukt het stappen, dan kan ik binnen een week het Taurusgebergte bereiken. En vanaf daar kan Jeruzalem niet zo erg ver meer zijn. Maar de komende week zal ik mijn lijden moeten kunnen overstijgen, tot ik niks meer voel.

Ik trek mijn schoenen weer aan en begeef me in stilte op pad. Kleurloze dagen volgen elkaar op. De monotonie doet me in een toestand van lethargie wegzakken. Het doel van mijn tocht lijkt abstract, irreëel. Af en toe word ik uit mijn apathie opgeschrikt door het getoeter van een voertuig. Sommige vrachtwagenchauffeurs scheppen er blijkbaar een ongelooflijk genoegen in om hun loeiende en snerpende sirenes aan te zetten op het moment dat ze mij voorbijrijden. Het oorverdovende geluid gaat me door merg en been.

In het dorp Kadinhani vraag ik een beetje water aan een Nederlandse Turk. Ik had hem iets uit de koffer van zijn auto met Nederlandse nummerplaat zien halen. De drie broers Adikuzel keren regelmatig naar Turkije terug om hun achtergebleven ouders te bezoeken. De familie is echter in de rouw. Een week voor ze aankwamen, is hun moeder overleden. Muhittin nodigt me uit om de nacht in de ongebruikte salon van het huis door te brengen. Hij laat me alleen en voegt zich bij de familie op de eerste verdieping. Ik strek me uit op de dikke tapijten op de grond. Het neonlicht aan het plafond verspreidt een kil en vaag licht. Ik denk na over de dagen die ik nog nodig heb om Anatolië te doorkruisen. Elke voorbije dag is er een die niet meer terugkomt. Binnen twee dagen kan ik Konya bereiken en vanuit Konya is het maar een goede honderd vijftig kilometer tot het begin van de Taurus. Vandaar is het niet ver meer naar de zee en moet ik slechts drie landsgrenzen meer oversteken en...

Er wordt op de deur geklopt. Hace, een van de drie broers, nodigt me uit om samen met zijn familie het avondmaal te gebruiken.

De broers werken alle drie als arbeider in een grote staalfabriek in het oosten van Nederland. Zoals het de gewoonte is bij de Turken word ik bijzonder gastvrij ontvangen. De vrouwen dragen zwaar beladen schotels aan met graankoeken, kaas, olijven, amandelspijs, groenten, hummus en zelfs vlees. We eten zoals het hoort, op de grond en onder mannen. Ik eet tot ik niet meer kan.

Na de maaltijd stelt Hace me voor om een bezoek te brengen aan een oude karavanserai aan de voormalige Zijderoute. Met veel plezier aanvaard ik zijn aanbod. Het langwerpige gebouw bood in een ver verleden onderdak aan pelgrims naar Mekka, maar ook aan de handelaars die met hun karavanen fijne stoffen uit Azië importeerden. Een arbeider die bezig is met restauratiewerk nodigt ons uit op het dak. Hace doet hem mijn verhaal, terwijl we een sigaret roken. Daar op het dak van de oude karavanserai krijg ik het gevoel dat ik Jeruzalem zal bereiken. Ik houd me een beetje afzijdig en geniet van de prachtige sterrenhemel boven mijn hoofd. Nooit zag ik een helderder sterrenhemel dan hier, behalve dan misschien in de woestijn van Algerije. Hace vertrekt naar het dorp voor een afspraak met zijn neven en laat me op het dak achter, in het gezelschap van enkele mannen. Andere dorpelingen maken hun opwachting, door hun kinderen van mijn komst op de hoogte gebracht. Een oud-leraar Frans stelt me vragen over het christelijke geloof en vertaalt mijn antwoorden voor de andere aanwezigen. Er ontstaat een echt diepgaand gesprek. Op deze magnifieke plek, onder een hemel met vallende sterren, praten we over God en het gevaar dat ontstaat wanneer mensen zich Hem willen toe-eigenen. In de loop van de discussie voel ik niks meer van mijn vermoeidheid. Ik voel me verbonden met deze moslims. De tijd verstrijkt onopgemerkt, tot Hace terugkeert en ons in volle discussie vindt: 'Ben je nog hier? Maar het is twee uur in de ochtend!'

Een kwartier later zijn Hace en ik op de terugweg. We roken samen een laatste Turkse sigaret. Beelden van deze avond vol verrassingen schieten door mijn hoofd. De sterrenhemel boven de duizend jaar oude karavanserai, de filosofische bespiegelingen van een voormalige leraar Frans en het gevoel van broederschap dat kan ontstaan tussen mensen met een verschillende geloofsovertuiging. Ik wandel door mijn dromen...

Het is onmogelijk om Konya in één dag te bereiken. Daarvoor zou ik ongeveer 70 kilometer moeten overbruggen. Ik zie wel waar ik vanavond terechtkom...

Terwijl ik in de berm van de drukke weg naar de grote stad loop, stopt er in de buurt van een benzinestation een bestelwagen. Een man en een vrouw stappen uit. Beiden ademen pure elegantie. Ze hebben drie kleine kinderen bij zich. Als de man me opmerkt, vraagt hij me in onberispelijk Engels waar ik heen ga.

In de landen waar ik door getrokken ben, had men me gewaarschuwd voor de moslimlanden. Ik moest tot elke prijs verzwijgen dat ik naar Israël op weg was. Toch kan ik me bij elke ontmoeting niet inhouden om gewoon eerlijk mijn bestemming kenbaar te maken. Nergens ben ik op onbegrip gestuit en ik zou niet weten waarom daar nu verandering in zou komen. De man vraagt me of ik de nacht bij hen wil doorbrengen. Ik aanvaard zijn aanbod met plezier. De familie van Ali is Koerdisch. Ze wonen in een klein dorp, twee kilometer verderop. We verlaten de grote weg en slaan een smalle zandweg in. Ali zet een van zijn kinderen op mijn schoot. Zijn broer komt ons met een pick-up tegemoet. Ik stap over in zijn voertuig en via een kronkelig pad rijden we naar het dorpje Ladik, aan de voet van een grote, kale berg. Te midden van het dorp verrijst het huis van de familie Kandemir. Het is veruit het grootste en hoogste van het dorp en ook het enige dat van beton is. Dat beton is de trots van de familie, de andere huizen zijn immers maar van adobe. Het grote huis wordt bewoond door de vijf zonen Kandemir en hun gezinnen. Ernaast staat het ouderlijke huis. Vanaf het platte dak heb je een vrij uitzicht op het dorp. Het zachte licht van de dag die ten einde loopt streelt de goudgele huizen. De kudden keren terug van de dorre weiden. Hun poten doen overal in de straten stof opwaaien. Mannen en kinderen leiden de kudden naar hun stal. De geiten vormen voor veel dorpelingen hun enige bron van inkomsten.

Vroeger runde Ali een reisbureau in Istanbul. Door de zware concurrentie was hij echter verplicht zijn deuren te sluiten. Sindsdien leeft hij net als de rest van het dorp van zijn kudde die bestaat uit een honderdtal schapen en geiten.

Tijdens het avondmaal vertelt Ali me dat in de berg achter het dorp nog talrijke resten van christelijke kerken zijn. Tijdens het hoeden van zijn kudde ontdekt hij vaak bewerkte stenen in de vorm van een kruis of zelfs ingangen van kerken of kapellen die uit de rots zijn gehouwen. In de Byzantijnse periode was dit gebied heel christelijk. Vandaag wonen er geen christenen meer. Alleen in de omgeving van Efese en Antalaya zijn nog enkele kleine christelijke gemeenschappen.

Zoals dat gebruikelijk is in de zomer slaap ik op het dak van het huis. De nachten zijn warm.

De eerste zonnestralen wekken me. Iedereen in huis slaapt nog. In stilte raap ik mijn spullen bij elkaar en daal ik de nog onafgewerkte trap af. Niemand beweegt. Ik wil van de koele ochtenduren gebruikmaken om een heel eind vooruit te komen. Ik schrijf een briefje aan Ali, waarin ik hem voor zijn gastvrijheid dank. Op een dag hoop ik terug te kunnen keren, om samen met hem op zoek te gaan naar de vergeten kerken in de berg. Zachtjes sluit ik de deur van dit Koerdische huis. God zegene hen.

Ik vind een smallere weg die iets verwijderd van de grote weg naar Konya loopt. Ik laat de mythische berg en mijn gezin van één avond achter me. Het strijklicht van de opgaande zon dompelt me in een staat van permanente euforie. De nieuwe dag is als een belofte aan de horizon van het leven. Rond de middag kom ik weer op de grote weg die over alweer een hoogvlakte loopt.

Wanneer ik op nog slechts een dertigtal kilometer van Konya ben, stopt plots een dikke Landrover naast me. Een jongeman stapt uit en spreekt me in het plat Brussels aan.
'Hé kerel, waar kom jij vandaan, zeg?'
'Krijg nou wat! Een *kiekenfretter*!'
Ik steek de weg over en loop naar de auto. Daar maak ik kennis met Hakan en zijn ouders. Ze hadden me enkele dagen geleden ook al zien lopen, op de weg naar Bolvadin.
Zijn moeder vraagt: 'Vanavond zul je in Konya zijn. Kom enkele dagen bij ons logeren, we hebben plaats genoeg.'
Wat een verleidelijk idee! Ik ben in de wolken en aanvaard het aanbod van mevrouw Güler gretig. Ze geeft me het adres en wenst me een behouden tocht.
Drie uur later bereik ik de eerste huizen van Konya. Het duurt echter nog eens drie uur voor ik in het centrum van deze eindeloze stad sta. Deze tocht was langer dan verwacht. Ik heb meer dan 60 kilometer gestapt.
Ik kom rond zonsondergang aan in de stad van de dansende derwisjen. Luidsprekers op de minaretten van de moskeeën van de stad versterken de oproep tot het gebed van de muezzins. Ik ben doodop als ik eindelijk voor het appartement van mijn gastgezin sta.

Hakan woont met zijn ouders in Brussel. Het gezin Güler heeft in de jaren 1960 dankzij een staatsbeurs Anatolië verlaten om in België een nieuw leven te kunnen opbouwen. Vader werkte eerst in de mijn van Charleroi. Later, na een ongeval, verhuisde het hele gezin naar Brussel, waar vader Mustafa de eerste kruidenierszaak op de

Haachtsesteenweg in Schaarbeek opende. Elk jaar brengen ze de zomer in Konya door. Hakan heeft net zijn militaire dienst achter de rug. Tegen betaling van 5000 euro kunnen Turken die in het buitenland wonen de verplichte militaire dienst van vijftien maanden in drie weken afronden.

Drie dagen lang word ik in het ruime appartement als een familielid vertroeteld. Dit verblijf is werkelijk een zegen. Hier kan ik de krachten opdoen die nodig zijn voor het vervolg van mijn reis. Wat is uitrusten toch een luxe! Hakan neemt me mee naar het Mevlana, het klooster van de dansende derwisjen. We pikken zelfs een filmpje mee, die avond speelt *The Emperor's Journey*. Naarmate de film vordert, verlaten steeds meer toeschouwers de zaal. Aan het einde van de film zitten we nog moederziel alleen. Hakan vindt dat het de film aan actie ontbreekt, ik daarentegen vind dat hij te snel gaat.

Wanneer op een avond Hakan en ik samen naar een documentaire over natuurrampen kijken, overvalt me plots het gevoel dat het appartement beweegt. Ik durf het amper te geloven. Zou ik last krijgen van hallucinaties?

'Hakan, man, de aarde beweegt!'

Hij kijkt me spottend aan: 'Probeer je leuk te zijn?'

Dan verstijft hij plotseling. Hij zet de televisie af en laat zich onmiddellijk op handen en voeten vallen. 'Shit! Een aardbeving!'

Ik word slap in de benen. Ik houd me voor dat het toch wel al te gek zou zijn om na zoveel inspanningen domweg tijdens een aardbeving het loodje te leggen. Vijf eindeloze seconden later, waarbij we elkaars blik niet loslaten, is het voorbij. Ik buig me door het raam en kijk naar beneden. We zitten op de achtste verdieping. Bij een ernstige beving zitten we hier als ratten in de val, zonder enige kans om te ontsnappen. Nog minuten later weet ik niet of het de grond is die beweegt of mijn tikker die als een wilde tekeergaat. Om van de schrik te bekomen gaan we op het balkon een sigaret roken en grapjes maken.

De ochtend van de 1ste augustus ga ik weer op pad. Mustafa begeleidt me tot de rand van de stad. De buitenwijken gaan over in een eindeloze vlakte die me spottend lijkt aan te staren. We kussen elkaar en ik neem afscheid. We zien elkaar in Brussel terug, dat is beloofd! 'Güle! Güle! Goede reis!'

Gewapend met goede moed en nieuwe krachten begin ik aan de laatste grote test die Anatolië voor me in petto heeft: een tocht van meer dan 150 kilometer in rechte lijn. Bijna nergens zijn bochten te bespeuren en niets wijst erop dat ik ook maar een meter opschiet. In het landschap is nergens een oriëntatiepunt te vinden dat mijn ontreddering wat kan verlichten. De monotonie voert me weer naar de steile diepten van mijn innerlijk. De eindeloze rechte wegen mogen dan een goede gelegenheid zijn om je mentaal bezig te houden, voorbij een bepaalde grens is één stap soms al voldoende om in een diepe put te vallen. Dan betreed je een onbekende wereld vol ongeremde, onverklaarbare angst. Jezus trok zich veertig dagen lang in de woestijn terug om door de duivel op de proef te worden gesteld. Alleen tegen de verleidingen van de duivel, om er eens en voor altijd een einde aan te maken.

Het is in deze extreme omgeving dat het me duidelijk wordt waarom een pelgrim zich steeds op de kruising van een horizontale en verticale as bevindt, waarom hij voortdurend balanceert tussen het vooruitkomen op de weg en het afdalen in zijn innerlijk om de confrontatie met zichzelf aan te gaan. *Begeef je in diep water en overwin wat je verdeelt: je eigen angst.* Aan het einde van elke donkere nacht ligt het leven verborgen. Ik beleef een soort overgangsritus en ontdoe me van mijn ballast, terwijl mijn omhulsel steeds vager wordt. Ik schrijd door het landschap zoals de woestijnwind over de dorre vlaktes glijdt. Mijn lichaam raakt in de war.

Langs die rechte wegen hoor ik bijna hoe het beeld dat ik van mezelf heb stukje bij beetje afbrokkelt. Overal laat ik restjes achter. De agressieve en hardnekkige aanwezigheid van zwerfhonden helpt niet meer om me uit mijn onzichtbare strijd te wekken. Ik ben te druk bezig met de gedachten die door me heen razen om me zorgen te maken over mijn eventuele rol van slachtoffer van woeste hondenmeutes. Ze houden zich ook voldoende ver van het strijdperk: ikzelf. Een onzichtbare hand lijkt hen op een afstand te houden.

In die intensiteit van het moment voeren mijn benen me voorbij mijn fysieke mogelijkheden. Ik loop bijna 70 kilometer zonder te stoppen. Ik ben in trance. De pijn in mijn voeten is niet te harden. Bij elke stap die ik zet is het alsof een mes in mijn voeten snijdt. Mijn benen zijn lemen stèles die bij elke pas iets dieper inscheuren. Ik heb dit lijden niet gekozen. Het komt frontaal op me af. Ik kom in Yama aan, een afgelegen gat in *the middle of nowhere*. Mannen en vrouwen staren me aan alsof ik van een andere planeet kom. Niet voor het eerst wordt me de vraag gesteld of ik naar Irak ga: '*Do you go to Iraq?*' Ik heb de kracht niet om te antwoorden. In een bijgebouwtje van een kleine moskee vind ik beschutting tegen de nachtelijke wind. Als ik mijn schoenen en sokken uittrek, komen er grote stukken huid mee.

Ik geef niet op. Ik word voortgestuwd door een onbekende kracht die me boven mijn fysieke mogelijkheden tilt en die me onmogelijke afstanden laat afleggen. Een andere keuze is er ook niet, want mijn watervoorraad is niet voldoende. Bovendien zijn de afstanden zo ondraaglijk lang dat ik ze zo snel mogelijk wil overbruggen door zoveel mogelijk kilometers per dag te stappen.

De volgende ochtend gaat mijn geest weer met mij op de loop. Opwinding wordt gevolgd door razernij, euforie wisselt af met diepe wanhoop. De aftakeling is pijnlijk. Voorbij Karapinar kom ik in een vulkanisch maanlandschap. Ik concentreer me op het Jezusgebed dat ik sinds Oostenrijk aanwend. *Uw wil geschiede.* Het is mijn enige houvast. Deze woorden weerklinken in de woestenij die ik doorkruis. Toch zal mijn diepe innerlijke vreugde me nooit verlaten. Zij is immers onlosmakelijk verbonden met de sporen die ik achterlaat...

En dan plots, voorbij een langverwachte bocht in de lange rechte weg, dagen in de verte bergen op: de Taurus! Het is 3 augustus. Dit gebergte luidt het einde van deze nachtmerrie in. Ik heb Anatolië van west naar oost te voet doorkruist... Mijn vreugde is niet te beschrijven. Hoe dichter ik echter bij de bergen kom, hoe meer ze zich van mij lijken te verwijderen.

In Eregli, de laatste stad voor ik aan de overtocht van het gebergte begin, ontvang ik een boodschap van mijn zus Catherine. Binnen een week zal ze zich in Adana bij me voegen! Deze verrassing is precies wat ik nodig heb om van de ontberingen te herstellen. Om het goede nieuws te vieren, verwen ik mezelf met een Turks stoombad en massage in een oude hamam. Een indrukwekkende kerel wrijft en kneedt me in alle mogelijke posities. Mijn afgematte lichaam krijgt er een nieuwe stoot van energie door. De man trekt, kraakt en strekt me in alle richtingen. Ik word er zalig moe van.

Ik laat me neerploffen op een bed vol twijfelachtige vlekken in een goor pension. Zonder zelfs mijn kleren uit te trekken val ik als een blok in slaap.

De weg die naar de bergen leidt, is razend druk. Ik loop voortdurend te foeteren. Auto's en vrachtwagens razen me voorbij. Elke minuut is er wel iemand die het nodig acht te claxonneren. Ik heb de pest in. Mijn humeur is beneden alle peil. Af en toe houdt iemand halt om hulp aan te bieden, maar bij het zien van mijn woedende gebaren gaat die er dan als een haas vandoor. De weg is een rechte lijn die twintig kilometer lang stijgt. Een jongeman steekt zijn hoofd uit het raam van zijn bestelwagen en spuwt naar me. Ik reageer niet, het laat me allemaal stoïcijns koud.

Toeter hier, toeter daar. Om de vrachtwagenchauffeurs duidelijk te maken dat hun getoeter onuitstaanbaar is, houd ik mijn handen voor de oren. Dat vinden ze blijkbaar nog grappig ook. Het gevolg is dat ze nog twee keer zoveel claxonneren.

Ik houd mezelf voor dat ik na deze etappe van meer dan 50 kilometer gedurende de rest van de reis niet meer dan 30 kilometer per dag zal afleggen. Een loze belofte natuurlijk.

De uitbaters van de kraampjes naast de weg gebaren me om te stoppen voor een glaasje thee. Ik maak ze duidelijk dat ik niet kan. Door mijn oververmoeidheid en irritatie begin ik uit te varen.

'Zo, denken jullie dat ik zomaar eventjes de tijd heb om een glaasje thee te drinken? En wie zal er dan in mijn plaats stappen, terwijl ik hier rustigjes van de thee lebber?'

Turken hebben een typische manier om iets te vragen. Door

vaag met de rug van hun hand te wuiven, vragen ze wat je aan het doen bent. Een groepje vrachtwagenbestuurders zit aan de thee. Ze werpen me een vragende blik toe. Verschillende onder hen maken het vage teken met hun hand, als een vraag om uitleg te verschaffen. Ik stop en begeef me in hun richting. Een van hen ziet me aankomen. Hij heeft een glimlach op de lippen. 'Ach, jullie willen weten waar ik vandaan kom? Dan zal ik jullie dat even fijntjes uit de doeken doen. Ik kom uit Kameroen! Jawel, uit Ka-me-roen! Dat hadden jullie niet gedacht hé? Maar zo is het en niet anders.' De mannen kijken me verbluft aan. Ik proest het uit en keer naar de weg terug, nog nahikkend van het lachen. Wellicht zullen ze nu wel denken dat ik helemaal getikt ben, maar ik heb in geen tijden meer zo gelachen! Tien minuten later lopen de tranen nog over mijn wangen en met die tranen kom ik boven op de bergpas. Ik keer me om en staar naar de vlakte die zich eindeloos uitstrekt. Plots maken de tranen van het lachen plaats voor tranen van emotie.

De afdaling

Gelukkig vind ik een smal bergpad waarlangs ik kan afdalen. Ik huppel de hellingen van de uitlopers van de Taurus af, betere tijden tegemoet. Binnen enkele dagen zie ik mijn zus weer in Adana, niet ver van de Middellandse Zee. Aan deze kant van het gebergte is de natuur weelderiger, met een totaal andere plantengroei. Voortaan kenmerken eucalyptus- en olijfbomen het landschap. De aarde is bruin en minder grauw. De herders hier maken ook veel gebaren als ze praten. Het landschap herinnert aan de Provence. Uitgestrekte pijnboomwouden bedekken de hellingen, die flauwer worden. Ik laat me door de brandwacht op soep trakteren. Vannacht zal ik onder de blote hemel slapen. Het landschap is zo lieflijk en lijkt in niks meer op de onherbergzame en dorre Anatolische hoogvlakten die ik nu eindelijk achter me gelaten heb. 'Wandelen tot zonsondergang...'
Tientallen kilometers lang gaat het bergafwaarts, via dorpjes waar mannen in de schaduw van immense pijnbomen triktrak spelen. De hele streek geurt naar dennen. Naarmate ik lager kom, stijgt

de temperatuur. De hitte wordt vochtig. Ik word nat van het zweet. De natuur is mooi en ongerept. Grote roofvogels planeren door de lucht. Ze laten zich meevoeren door de opstijgende luchtstromen. Hier is zoveel meer te zien. Het is alsof ik na een erg lange winterslaap eindelijk wakker word.

Een oude man onder een boom wenkt me. Ik aarzel even, maar beslis toch naar hem toe te gaan. Ik beantwoord de gebruikelijke vragen. Sinds al die tijd dat ik onderweg ben, krijg ik steeds dezelfde vragen voorgeschoteld. Intussen heb ik mijn antwoorden klaar. Taal blijkt nooit een barrière voor hun nieuwsgierigheid. Een oogopslag, een hoofdknik zijn vaak veelzeggender dan een hoop woorden. Ik ga zitten naast Fatih, de patriarch van een gezin met negen kinderen.

Hij roept zijn twee zonen die ongeveer even oud zijn als ik. Gelukkig spreken ze Engels.

De oude man zegt me: 'Ze zijn werkloos. Wat kun je in België voor hen doen?'

Krekels zingen onder de immense pijnboom. De duisternis valt in. Wat kan ik antwoorden op deze beduchte en gevreesde vraag? Ze voert me terug naar de afschuwelijke functie die ik enkele jaren geleden bekleedde bij het Commissariaat-Generaal voor Vluchtelingen en Staatlozen. Toen moest ik asielzoekers ondervragen die in België een betere toekomst probeerden te vinden. De weg die de zonen zullen moeten afleggen ken ik van onder tot boven. Bovendien maken ze wettelijk gezien geen enkele kans. En ik wens hun de beruchte administratieve mallemolen voor een eventuele erkenning als asielzoeker niet toe.

Bulgur, yoghurt en traditionele, op steen gebakken platte broden vormen het avondeten. Terwijl we rond de tafel zitten, ontstaan dromen over een betere toekomst. De mannen discussiëren en becommentariëren de westerse levensstijl die ze slechts van horen zeggen kennen. Ik spreek lange tijd over het Europa dat in hun ogen het aards paradijs is.

De nacht is al een stuk gevorderd, wanneer Fatih me eindelijk mijn slaapplaats aanduidt: de graanopslagplaats. Ik zoek een plekje tussen twee hopen graan in. 's Nachts voel ik hoe knaagdieren over me heen lopen. Eentje trekt zelfs op onderzoek in mijn slaapzak.

Tot laat in de nacht praat Fatih met zijn buren, die hem vragen wat voor vreemde gast hij in huis heeft. Herhaaldelijk hoor ik de woorden Europa, Jeruzalem en christendom. Ik begrijp dat hij zijn zonen toch naar Europa wil sturen. Maar of dat de ideale oplossing is?

's Ochtends, nadat ik een door mijn gewicht verpletterde rat uit mijn slaapzak heb gevist en mijn spullen bij elkaar heb gezocht, maak ik kennis met de plaatselijke autoriteiten. Er volgen een fotosessie naast het portret van Mustafa Kemal Atatürk en talloze uitnodigingen voor de thee.

Onderweg naar Tarsus breng ik nog een gedenkwaardige nacht bij een bakker door. Ik ben in een diepe slaap verzonken op het dak van de bakkerij, als plots een van de bakkersjongens in vliegende vaart naar me toe komt en nogal hardhandig aan me begint te schudden. 'Wakker worden, het is tijd voor de thee.'

Ik kijk op mijn horloge. Droom ik? Het is drie uur in de ochtend. Na herhaaldelijk geroep vanuit de traphal besluit ik toch maar op te staan. Zonder me goed te realiseren waar ik ben, ga ik naar beneden. Daar wachten de vijf werknemers van de bakkerij me op voor de thee. Ik ben nog slaapdronken. Dat vinden ze grappig en ze beginnen me hun werk uit te leggen. Ik laat me vallen op drie balen meel naast de broodoven en breng de rest van de nacht door in de geur van versgebakken brood, onder de geamuseerde blik van de bakkers.

Bij het naderen van Tarsus realiseer ik me dat Jeruzalem in die richting ligt. Hemelsbreed ben ik nog maar 800 kilometer van mijn bestemming meer verwijderd. Voor het eerst sinds mijn vertrek heb ik het gevoel dat ook deze reis eindig is. Vanaf hier volg ik de voetsporen van de apostel Paulus, die wellicht vanuit Jeruzalem naar zijn geboortestad reisde. Terwijl ik naast de velden met olijfbomen loop, probeer ik me een voorstelling te maken van zijn zendingsreizen naar de oosterse kerken. Het platteland zal er in die tijd niet veel anders hebben uitgezien.

Vandaag is Tarsus een aangename zuidelijke stad. Haar aura is ze kwijtgeraakt, maar dat neemt niet weg dat er nog sporen van haar glorierijke verleden te vinden zijn. In de Romeinse tijd was Tarsus de hoofdstad van de provincie Cilisië. Er leefde een omvangrijke joodse gemeenschap, waarin ook Paulus geboren werd. Na zijn bekering bracht hij verscheidene jaren in de stad door. In volle vrijheid kon hij er zijn zendingswerk voortzetten.

Wanneer ik de Pauluskerk binnenstap, geef ik mij over aan overpeinzingen. De koelte van de kerk met haar dikke muren is meer dan welkom. De suppoost legt me uit dat er nog slechts weinig christenen in de stad leven. Tegenover de kerk is een kleine gemeenschap met Italiaanse zusters. Een van hen ontvangt me vriendelijk. Fysiek ben ik uitgeput. Mijn lichaam is op na mijn tocht van bijna 5000 kilometer. Ik voel me als een soldaat die uit een oorlog zonder winnaar of verliezer terugkeert. Er werd alleen gestreden.

Uit een boodschap van mijn zus begrijp ik dat we een afspraak hebben in het Hilton van Adana. Haar vliegtuig landt rond 18 u op de plaatselijke luchthaven. Eigenlijk verwonder ik me wel een beetje over haar keuze van hotel. Het is niet meteen wat ik van haar gewend ben. Ik loop snel, in de hoop tijdig aan de luchthaven te zijn, in plaats van haar op te wachten in dat buitenissige hotel.

Voor de ingang van de aankomsthal voor internationale vluchten staat een man nerveus te trappelen. Hij gaat naast me zitten. Hij wacht op zijn zoon die uit Frankfurt terugkeert. Zes jaar lang hebben ze elkaar niet gezien. Krampachtig trekt hij aan een sigaret en biedt me er ook een aan.

Ik hoor een vliegtuig dat landt. Het is het hare! Ik glimlach. Ik heb mijn zus niet meer gezien sinds Graz in Oostenrijk, intussen drie maanden geleden. Het lijkt wel een eeuwigheid. Ben ik werkelijk vertrokken? Ik heb de indruk dat ik niks anders doe sinds ik op deze aarde ben. Mijn vroegere leven is wazig. Het lijkt of ik het nooit geleefd heb.

De man naast me steekt een nieuwe sigaret op. De deur gaat open. De eerste passagiers komen naar buiten. Catherine verschijnt met een brede lach en een T-shirt dat het logo van mijn internetsite Talitakum draagt. Ik herken de hand van Martin, mijn trouwe vriend, de vader van mijn petekind Eliott en een briljant designer. Hij verzorgt de grafische aspecten van de persberichten. Naast ons omhelst de vader zijn zoon stevig. Mijn zus lacht me toe: 'Wacht, ik heb een verrassing voor je!' Uit de gapende deuren van het luchthavengebouw komt mijn vader tevoorschijn. Ik kan mijn ogen niet geloven. Niemand heeft me ook maar iets gezegd! Net zoals mijn zus draagt hij het T-shirt dat Martin heeft ontworpen. Onze hereniging is erg intens. Wat een blijdschap en wat een verrassing! Papa heeft voor ons vier nachten in het Hilton van Adana geboekt. Vanochtend werd ik wakker op enkele balen meel, vannacht slaap ik in een van de meest luxueuze hotels van het land! De portier van het hotel trekt zijn ogen wijd open wanneer hij me ziet. Mijn kleren zijn volledig verkleurd van de zon en het stof, mijn schoenen zijn als dusdanig nauwelijks herkenbaar. Het is waar dat ik nogal afsteek tegen het publiek van internationale zakenmensen die doorgaans in dergelijke hotels verblijven.

Ik deel mijn kamer met Catherine. De plannen zijn gewijzigd, we zullen niet samen naar Antiochië gaan. Maar dat maakt niks uit! Het geluk haar terug te zien en de gedeelde hereniging met papa is veel belangrijker! En ik vind het helemaal niet erg om mijn toestand als dakloze voor vier dagen achter me te laten... Gedurende die tijd verruil ik mijn stapschoenen voor een paar pantoffels met een in gouddraad geborduurde 'H'. Deze luxe is schandalig zalig. Ik speel het spel mee en geniet van de fruitcocktails die aan de rand van het enorme zwembad worden opgediend. Ik loop voorbij breugeliaanse buffetten en stapel een ongelooflijk gevarieerde hoeveelheid eten op mijn bord. We zoeken een plaatsje op het terras, tussen westerse vrouwen en mannen die allen volgens de laatste mode zijn gekleed. Obers om door een ringetje te halen lopen af en aan met dienbladen vol drank en voedsel. Op de tegenoverliggende oever van de rivier die naast het hotel loopt, spelen kinderen met wat roestig ijzer. Niet alleen de rivier scheidt ons, het verschil wordt ook angstvallig in stand gehouden door een beschaving die voor haar voortbestaan vreest. De vreugde om het weerzien met mijn familie overwint echter mijn bespiegelingen. De ochtend van de vierde dag moeten mijn vader en zus terug naar België. Het afscheid doet pijn. Ze vertrekken in alle vroegte en laten me eenzaam achter aan de grote ontbijttafel.

'Wilt u koffie?'

'Neen, dank u wel.'

Net zoals na elke ontmoeting moet ik weer wennen aan de eenzaamheid. Ik loop door de immense marmeren lobby van het hotel. Mijn pelgrimsstok heb ik in de hand. De piccolo merkt me op en zegt: 'Have a nice trip, sir'.

Op weg naar Antiochië

De schooldirecteur toont me een klaslokaal en zet acht stoelen netjes op een rij tegenover elkaar.

'Het is een beetje behelpen, maar je zult hier wel lekker slapen.'

Ik ben aangekomen in Yakapinar, 40 kilometer van de Middellandse Zee. De directeur woont met zijn vrouw en twee kinderen binnen de muren van de school. Na een uitnodiging voor de çay, de thee, nodigden ze me uit de nacht bij hen door te brengen. Op het schoolplein brandt een groot vuur. Er worden vleesspiesen op geroosterd. Ik voel me gelukkig in mijn hoedanigheid van zwerver. Morgen kom ik bij de zee. Ik kijk er verlangend naar uit.

De volgende ochtend neem ik een verlaten weg die door theeplantages leidt. Af en toe stoppen boeren hun tractor en nodigen me uit om mee te rijden. Telkens als ik hun aanbod afwijs, voelen ze zich beledigd en vertrekken ze met een boos gezicht.

Er heerst een ondraaglijke hitte. Het is 40°C in de schaduw en de lucht is erg vochtig. Ik zweet als een otter. Dagelijks drink ik meer dan acht liter water.

Op 16 augustus zie ik voorbij een heuvel eindelijk de zee. In vierentwintig dagen ben ik van de Bosporus naar de Middellandse Zee gestapt.

Ik rond de inham van het meest noordwestelijke stukje zee en loop vanaf daar in zuidelijke richting. Ik loop niet langer naar het oosten, mijn bestemming ligt nu in het zuiden. Nog iets minder dan

800 kilometer moet ik afleggen. Ik volg de kust over een vijftigtal kilometer. De stranden zijn niet te vergelijken met die van de toeristische badplaatsen Antalaya en Bodrum. Het zand ligt vol plastic en allerhande afval. De hele kuststrook is een openbare vuilnisbelt. Geen metertje strand blijft gespaard. Ecologie is een luxeprobleem. Mannen en vrouwen stropen met hun paardenkarretjes de kust af, in de hoop iets te vinden wat van nut kan zijn en doorverkocht kan worden. Anderen gebruiken het strand als oefenterrein om hun rijkunsten bij te schaven. Mannen en gesluierde vrouwen baden in de zee. Na een tijdje let ik niet meer op de duizenden plastic tasjes die door de zeewind de hoogte worden ingeblazen. Het geluid van golven die op het strand breken maakt me onbeschrijfelijk blij. Ik wou dat deze reis eeuwig bleef voortduren. Eén moment overweeg ik om na Jeruzalem verder te trekken, voor een tocht langs de kust van de Middellandse Zee, en om via Spanje terug te keren. Gewoon om de reis nog iets langer te laten duren...

De aardoliehaven van Dortyöl maakt het me onmogelijk om verder op het strand te lopen. Ik ben verplicht de grote weg te volgen. Honderden vrachtwagenchauffeurs uit alle hoeken van de wereld staan in een kilometerslange file aan te schuiven om hun tankwagen te laten vullen. In tussentijd slaan ze een praatje met de andere chauffeurs. Dan zie ik een mogelijke ontsnappingsroute in de vorm van een spoorlijn. Ik moet diverse keren opzij springen om te vermijden dat ik door een aankomende goederentrein word weggemaaid. Na een paar kilometer geeft een bewaker me vanaf zijn wachtpost het signaal om de sporen onmiddellijk te verlaten. Ik word er zo moe van! Ik ben het beu om telkens weer de les gelezen te worden en de instructies van een ander te moeten opvolgen. Na heel wat aandringen besluit ik wijselijk toch maar te gehoorzamen. Dan begrijp ik het, via het spoor was ik het terrein van een aardoliebedrijf binnengedrongen. Ik verlaat het spoor en meld me bij de bewaker. Hij nodigt me uit in zijn wachthuisje. Heimelijk hoor ik hem met de veiligheidsdiensten bellen en de situatie uitleggen. Ik heb werkelijk geen zin de komst van zijn collega's af te wachten om me aan een eventueel ondermaats verhoor te onderwerpen. Als een haas ga ik ervandoor. Gebukt loop ik onder het raam door en ik

stort me in het struikgewas. Vandaar ben ik in een wip op de rijksweg. Er zit dus echt niks anders op dan deze drukke weg te volgen.

Iskenderun is de laatste halte voor ik me van de Middellandse Zee
afwend en Syrië betreed via de oude weg naar Antiochië, het huidige Antakya. Een soennitische Arabier gidst me naar een katholieke
kerk. In dit grensgebied met Syrië verandert het uiterlijk van de
mensen. Je merkt reeds duidelijk de invloed van de Arabische
wereld. De huid wordt donkerder en in de straten hoor je behalve
Turks ook regelmatig Arabisch.

Het uiterste zuiden van Turkije is een smeltkroes van talloze
beschavingen. De mensen kijken op een andere manier naar me. Ze
zijn duidelijk gewoon aan buitenlanders en tot mijn grote vreugde
worden er minder vragen op me afgevuurd. Het lijkt of mijn
queeste hen onverschilliger laat.

Mijn gids belt bij een deur aan. De kok van de bisschop doet
open en ontvangt me op een lommerrijk plein. We wisselen eerst
wat beleefdheidsfrasen uit. Hij is Armeniër. Vanaf Iskenderun
begint de ontmoeting met de oosterse christenen. Hij geeft me een
beknopte beschrijving van zijn leven in Duitsland en van de vervol-
ging van zijn volk door de Turken in het begin van de 20ste eeuw.
Dan laat hij me naast een grasperk wachten. Het is een hele poos
geleden dat ik nog de felle kleur van sappig gras heb gezien. Enkele ogenblikken later word ik ontvangen door een Italiaanse zuster,
met de vrolijkheid die haar volk zo eigen is. Ze duidt me een rustige kamer aan. Ik voel dat ik hier naar hartenlust zal kunnen slapen.
Roemeense priesters die in het bisdom verblijven, willen me ontmoeten en mijn verhaal horen. Ze geloven hun oren niet als ik ze
vertel dat ik al negen landen te voet doorkruist heb en dat ik op weg
ben naar Jeruzalem. Aan hun reacties merk ik hoe buitengewoon
mijn tocht wel is. Voor mij is stappen echter de normaalste zaak van
de wereld. Het zijn gewoon mijn levensomstandigheden.

Ik reken erop de afstand van 70 kilometer tussen Iskenderun en
Antakya in twee dagen te overbruggen. De noodzaak om zoals in
Anatolië lange afstanden af te leggen, is verdwenen. Bovendien
moet ik eerst nog een bergpas overwinnen voordat ik terug in de
vlakte kom. Boven op de pas verlaat ik de drukke weg die door het
gebergte kronkelt. Ik vind een smal en korter pad dat me door een

ongerept landschap voert. Een warme wind teistert het reliëf en doet de bladeren van de olijfbomen ritselen. Opnieuw wordt het landschap woester en dorder. Dan kom ik in een heel afgelegen dorp. Hier hoef je je ogen niet eens te sluiten om Bijbelse taferelen te zien. Een oude vrouw haalt met een emmer water uit een diepe put. Rond haar knabbelen een paar geiten aan enkele plukjes dor gras. Ze staart me aan, terwijl ze op haar stok leunt. Haar handen zijn getekend door het zware leven dat ze reeds achter zich heeft. Het is in deze omgeving dat de heilige Petrus en Paulus samen gereisd hebben.

De oude weg naar Antiochië is met reusachtige bloeiende oleanders afgeboord. Een sterke wind in de rug stuwt me vooruit. Bijna ga ik over in looppas. De lucht is hemelsblauw en het landschap grandioos, zover het oog reikt! Ik stap de hele dag door in zuidelijke richting en tegen het einde van de dag sta ik voor de poort van een katholieke kerk.

Maria Grazia, alweer een Italiaanse zuster, laat me binnen en verwelkomt me in de stad van de heilige Petrus. Ze vertelt me hoe ongeveer een maand geleden een Franse pelgrim de toegang tot Syrië geweigerd werd. De Syrische autoriteiten hadden er immers lucht van gekregen dat hij naar Israël op weg was. Die waarschuwing indachtig zal ik naarmate ik de grens nader, nog beter op mijn tellen moeten passen.

De zuster leidt me rond op deze prachtig plek, waar orthodoxe, Byzantijnse en katholieke bouwstijlen zich vermengen. Iets zegt me dat ik niet onmiddellijk uit deze legendarische stad zal vertrekken.

In het gastenverblijf van de parochie ontmoet ik een Armeense vrouw die met haar zoon op reis is. Kate is verantwoordelijk voor het departement filologie van de universiteit van Tbilisi. Ze neemt me mee voor een bezoek aan de Romeinse mozaïeken in het museum van Antiochië. Samen nemen we ook een kijkje in de kerk van de heilige Petrus. In de eerste eeuwen van onze jaartelling hielden de eerste christenen hier geheime bijeenkomsten. Het is op deze plek die uit de rots is gehouwen dat Petrus, Paulus en Barnabas de eerste christelijke gemeenschappen zouden hebben opgericht. Voor de moslims is deze plek niet meer dan een museum. Ze poseren op het altaar voor een foto en tonen geen enkel respect voor deze heilige plaats. Kate en ik blijven er even in stilte staan, om na te denken over de eerste christelijke samenkomsten in deze toen nog Romeinse provincie.

Het is in de parochiekerk dat ik kennismaak met priester François Saulais. Priester François of broeder François, zoals hij liever wordt genoemd, is lid van de Kleine Broeders van Jezus van Charles de Foucauld. Het leven van Charles de Foucauld heeft me altijd geïnspireerd. Een jaar geleden heb ik zelfs een reportage in de Ahaggar gemaakt, waar ik ook een bezoek bracht aan zijn afgelegen woning in de Assekrem. Broeder François nodigt me uit enkele dagen bij hem thuis door te brengen. Hij leeft tussen 'zijn moslimbroeders' in een piepklein huis in een van de straatjes van het oude Antiochië. Het is een vredig plekje, waar hij in zijn eentje rust vindt. Broeder François ontvangt me als een familielid. Hij voert me mee naar de kleine kapel waar hij elke dag eenzaam de mis opdraagt. Ik schenk hem het beeldje van de heilige Jozef dat de Zusters der Armen van Gent me bij mijn vertrek hadden toegestopt. Dit eenvoudige gebaar ontroert hem diep, want hij houdt ervan om enige tijd 'hart tegen hart met de Heilige Familie' door te brengen. Onze gesprekken verlopen in een zoete intensiteit.

Op het kleine binnenplein nuttigen we samen een sobere maar krachtgevende maaltijd. Hij spreekt weinig, hij is meestal in gedachten verzonken. Dan zegt hij plots: 'Sebastien, ascese is in vreugde tot de essentie komen.'

Hij komt overeind en vraagt me hoe lang het geleden is dat ik nog naar muziek geluisterd heb. Ik doe hem het verhaal van mijn ontvangst bij priester Adam van Sasd in Hongarije, waar ik 's avonds voor het inslapen een van zijn cd's had opgezet. Dat was de laatste keer.

In de salon verwijdert hij de handdoek die de oude platenspeler beschermt. Hij sluit hem aan en zet *Apollo en Daphne* op, een opera van Händel. Daphne heeft haar maagdelijkheid beloofd aan Artemis, de tweelingzus van Apollo. Maar Apollo, die dolverliefd is op de bloedmooie Daphne, heeft dat niet zo begrepen. Vol begeerte rent hij achter de mooie nimf die bekendstaat voor haar snelheid. Precies op het moment dat Apollo haar dreigt in te halen, roept Daphne de hulp in van haar vader, die haar in een laurierboom verandert. Bernini, de grote Italiaanse beeldhouwer, heeft met dit tafereel een van de mooiste beelden uit de Italiaanse barok geschapen. Een uur lang luisteren we zij aan zij naar aria's die tot in de moslimstraten weerklinken. Af en toe ontsnapt er een noot uit de droge keel van broeder François en slaat hij zijn ogen op alsof hij zich tot een onzichtbaar iemand wendt. In zijn blik lees ik een stukje melancholie. Ik zit de hele duur van de opera aan mijn stoel gekluisterd. Ik ben helemaal in de ban van de intensiteit van het moment. Het duurt even voor ik weer bij mijn positieven kom. Vijf maanden heeft mijn geest zich moeten onderwerpen aan mijn op hol slaande verbeelding. De muziek heeft dan ook een enorme inwerking op me. Voor mijn geestesoog zie ik hoe Apollo achter Daphne aan rent.

We nemen een kop thee op het kleine binnenplein. Broeder François beschrijft me in grote lijnen zijn leven.

'Ik deed mijn militaire dienst in Marokko. Ik was leider van het konvooi dat ertsen uit de Hoge Atlas vervoerde. Het is aan boord van een van de zware vrachtwagens dat ik voor het eerst de roep van de woestijn hoorde. Vervolgens ben ik naar het seminarie gestapt om priester te worden.'

Hij onderbreekt zijn relaas: 'Zin in een stukje camembert?'

'Excuseer? Camembert, hier?'

'Jawel, het is wel zelfgemaakte…'

Uit een kastje haalt hij een stuk plaatselijke kaas die hij enkele weken laten rijpen heeft.

'Hij ziet er misschien een beetje groen uit, maar de smaak is bijna dezelfde…'

Ik rekende erop de volgende ochtend te vertrekken. Mijn zak was gevuld en ik hield mijn stok reeds omkneld, maar de koffie smaakte zo lekker. Wanneer broeder François na het ontbijt opstaat om een plaat van Anthony Barber te spelen, ben ik weer aan mijn stoel vastgenageld. De muzieknoten die ik zo lang heb moeten missen, ontroeren me tot in het diepste van mijn hart. Ik laat me met genoegen overhalen om nog een dag aan de zijde van deze aparte man door te brengen.

François toont me met trots de tennisclub die hij in Antiochië heeft opgericht. We lopen door het park, waar we onszelf op een waterijsje trakteren. Hij loopt er net zo bij als ik: in short, met blote benen. Meer dan eens draaien voorbijgangers zich om, om ons vol verwondering na te staren. We slenteren door de doolhof van smalle straatjes. Het is duidelijk dat de mensen hem kennen. Ze begroeten hem vol genegenheid.

De ontmoeting met broeder François is een van de meest aangrijpende tijdens mijn lange voetreis. Op 23 augustus hoor ik om 6 u 's ochtends huishoudelijke geluiden op de patio. Broeder François luidt een klok en roept me. Met een glimlach spring ik uit bed. Vanmorgen is hij heel vroeg opgestaan om het ontbijt klaar te maken, zodat ik van de relatief koele ochtenduren kan profiteren om de 50 kilometer af te leggen naar Yayladagi, het laatste Turkse dorp voor de Syrische grens.

Na het ontbijt kust hij me als een vader op het voorhoofd, terwijl hij me zegent. Met pijn in het hart verlaat ik hem. Aan de hoek van het straatje draai ik me om voor een laatste groet. Opnieuw alleen. In stilte loop ik mijn 50 kilometer in zuidelijke richting, terwijl ik in gedachten de laatste dagen in Antiochië nog eens intensief beleef. Naarmate de grens dichter komt, wordt het landschap woester. Het gebied is bijna uitgestorven, met uitzondering van enkele herders die me vanaf hun rots een groet toeschreeuwen. De omgeving wordt steeds vreemder. Het lijkt bijna of ik in de Griekse oudheid rondwandel. Elk moment verwacht ik dat de mooie Daphne opduikt, achtervolgd door Apollo. De eerste persoon die ik in het dorpje Saksak ontmoet, nodigt me meteen uit om de maaltijd bij haar te gebruiken. Ik ben nauwelijks opnieuw vertrokken, of iemand anders vraagt me om even bij haar vriend de kruidenier uit te rusten. De winkelier biedt me een ijsje aan. Beetje bij beetje sijpelen de andere mannen van het dorp bij de kruidenier binnen, om die vreemde bezoeker van dichtbij te bekijken. In het winkeltje van nauwelijks 25 vierkante meter gapen meer dan dertig mensen me aan terwijl ik mijn ijsje oplik.

Tijdens mijn laatste nacht in Turkije bereid ik me voor om de grens over te steken. Ik zie twee mogelijke problemen. Ten eerste is er het steentje uit Dachau. Ik moet maken dat ik de Turkse grens

overschrijdt, zonder dat de douaniers het opmerken. Al sinds
Oostenrijk word ik er herhaaldelijk op gewezen dat wie fossiele
resten, een etnografisch voorwerp of zelfs een doodgewone steen
uit Turkije probeert mee te smokkelen, een tijdje op kosten van de
Turkse staat mag logeren.

Hoe klein de steen uit Dachau ook mag lijken, diverse malen is
me herhaald dat ik, indien ik me aan de grens laat klissen, op ernstige moeilijkheden kan rekenen. Je zou voor minder paranoïde
trekjes krijgen.

Het andere probleem is de Syrische grens. Als de plaatselijke
autoriteiten ook maar iets ontdekken dat erop wijst dat ik naar
Israël op weg ben, word ik op een zwarte lijst gezet en kan ik mijn
doortocht wel meteen vergeten. Dan zou er niks anders opzitten
dan terug te keren naar Iskenderun om daar de boot naar Cyprus
te nemen en vandaar verder te reizen naar Haïfa in Israël.

Ik keer mijn rugzak om en ga driftig op zoek naar wat mijn
bestemming zou kunnen verraden. Ik verbrand enkele adressen en
de wegenkaarten van Israël. Op het eerste blad van mijn dagboek
schrijf ik: te voet van België naar Kathmandu. Bij ondervraging zal
ik verklaren dat ik te voet naar Jordanië ga, om in Akaba de boot
naar Bombay te nemen en vandaar te voet naar Kathmandu te reizen. En wat het steentje betreft, dat zal ik in een van de vouwen
van mijn rugzak stoppen. In de hoop dat het er niet uitvalt.

Overtuigd van het welslagen van mijn onderneming begin ik bij
zonsopgang aan de laatste vijf kilometer naar de grens. Ik denk aan
de pelgrim die helemaal uit Frankrijk gekomen was en dan de toegang tot het Syrische grondgebied werd geweigerd. Gelukkig is
mijn paspoort in orde. Voor mijn vertrek heb ik de Syrische ambas-
sade in Brussel om een visum gevraagd dat tot september geldig is.
En vandaag is het 24 augustus. De weg naar de grens is verlaten. Ik
loop voorbij eucalyptusbossen die de Turkse militaire kampen ter-
nauwernood camoufleren. Na enkele bochten daagt de eerste
grenspost op. De hele grenspost lijkt in rep en roer. Een Syrische
auto staat aan de kant en wordt door de politie aan een grondig
onderzoek onderworpen.

XII. Syrië

Een officier vraagt mijn paspoort. Een minuut later krijg ik het afgestempeld en wel terug. Hij lijkt zich helemaal geen zorgen te maken in mij. Dus zet ik mijn weg verder. Een ietwat vermoeid uitziende soldaat doet nonchalant de slagboom omhoog. Ik heb Turkije verlaten. Boven de Syrische grenspost wappert een grote zwart-met-rode vlag naast het portret van een president met donkere bril. Drie douaniers zitten elkaar wat te stangen wanneer ze me met de stok in de hand zien opdagen.

Ik begroet hen: *'Salaam aleikum!'*

'Aleikum salaam!'

Ik overhandig mijn paspoort aan de douanebeambte, terwijl de andere met mijn stok op de billen van de derde slaat. Ze amuseren zich rot en geven snel mijn paspoort terug, terwijl ze me een aangenaam verblijf in Syrië toewensen. Een van hen schudt me plechtig de hand en herhaalt *'Welcome to Syria'*.

Ik kan het amper geloven! Ik heb zoveel gruwelverhalen over de Syriërs gehoord en dan dit. Zonder ook maar de minste vraag mag ik de grens over en krijg ik bovendien te maken met supervriendelijke douaniers.

Ik juich. Ik ben in Syrië! Wanneer de grenspost uit het zicht verdwenen is, maak ik onder de geamuseerde blik van een paar kinderen enkele danspasjes.

Op een bord lees ik: Latakya 60 km. Mijn horloge geeft 9 u aan. Mijn wegenkaart is erg summier en ik bespeur geen enkel dorp tussen de grens en de havenstad.

Daar gaat mijn voornemen om niet meer dan dertig kilometer per dag te stappen. Ik zet koers naar Latakya. Als ik flink doorstap, dan kan ik de stad tegen 21 u vanavond bereiken. Uit een fotokopie met adressen van kloosters in Syrië leid ik af dat er in Latakya een klooster is. De weg naar de kust voert door een doolhof van eindeloze beboste heuvels. Een auto komt dichterbij en stopt. De portieren met getinte ruiten gaan open. Twee mannen en vrouwen stappen uit om het landschap te bewonderen. Beide vrouwen zijn van top tot teen gesluierd. De bezoekers zijn het overduidelijk niet gewoon om zoveel bomen te zien. Alleen de heuvels aan de kust zijn bebost, voor de rest bestaat Syrië vooral uit dorre, woestijnachtige vlakten.

Ik las een pauze in op de top van een heuvel. Ik zie hoe in de verte het landschap vlakker wordt. Nog verder ligt de zee. De omgeving lijkt aangenaam. Alhoewel bordjes vermelden dat de weg door een natuurreservaat loopt, is dat aan de bermen van de weg alvast niet te merken. Ze liggen werkelijk vol afval. Zo te zien zijn de Syriërs nog minder milieubewust dan hun Turkse buren.

Ik ben zo blij dat ik na honderd vijftig dagen in mijn eentje te hebben gestapt al in Syrië ben beland, dat ik de af te leggen kilometers nauwelijks voel. Rond 21 u, na een gedwongen mars van twaalf uur, sta ik voor de poorten van de enorme havenstad Latakya. Het centrum ligt echter nog een heel eind verderop. Een uur later heb ik het nog steeds niet bereikt en wordt het al wat laat om nog gastvrijheid bij de monniken te vragen. Een man in de straat spreekt me aan en vraagt me waar ik heen ga. Hij neemt me mee naar een kruidenier, waar ik even kan telefoneren. De kruidenier overhandigt me een oude, bakelieten telefoon. De monnik aan de andere kant van de lijn antwoordt me in het Italiaans. 'Het spijt me, we hebben geen plaats. Goedenavond.'

Ik maak hem duidelijk dat ik genoeg heb aan drie vierkante meter om mijn matje uit te rollen, maar dat helpt geen sikkepit. Ik word naar de plaatselijke imam verwezen. Ik sta helemaal paf. De kruidenier merkt mijn teleurstelling. Op zo'n koude douche had ik echt niet gerekend, maar het is niet anders.

De kruidenier spreekt alleen Arabisch. Hij gebaart me te wachten. Vanuit de deurpost aan de achterkant van zijn winkel schreeuwt hij: 'Suzanne!'

Twee minuten later krijg ik het gezelschap van een erg knap meisje dat me in perfect Engels de woorden van haar vader vertaalt. Ze heeft wondermooie ogen.

'Op een dag heeft een Pool tegen mijn vader gezegd dat alle Arabieren egoïstisch en gierig zijn. Nu wil hij het tegendeel bewijzen.

Als u het goedvindt, willen we u als onze gast uitnodigen.'
Ik ben in de ban van de expressie van de jonge vrouw en blijf haar
gefascineerd aankijken, terwijl haar vader ongeduldig op mijn antwoord wacht. Plots kom ik weer bij zinnen en ietwat beschaamd
antwoord ik: 'Zeg je vader dat ik me heel vereerd voel en dat ik zijn
uitnodiging met het grootste plezier aanvaard.'
Ibrahim neemt me mee naar het vertrek achter de winkelruimte.
Daar maak ik kennis met de rest van de familie. Bijna onmiddellijk
treedt een goed geoliede machine in werking: zoon Khalil toont me
het dakterras waar ik mijn spullen kwijt kan, Suzanne en haar zus
maken de salon klaar voor de maaltijd en de vrouw van de kruidenier
verdwijnt naar de keuken. Mijn eerste avond in Syrië is fantastisch. Ik
toon mijn wegenkaarten en mijn dagboek, en doe het relaas van mijn
reis. We zijn allen erg gelukkig dat we onze verschillen kunnen delen.
Onze gedeelde vreugde staat los van enige cultuur of godsdienst.
Wanneer Ibrahim en Khalil me naar het dakterras begeleiden, waar
ze een matras voor me hebben neergelegd, schiet mijn gemoed vol.
Ik kan er niet bij dat alles zo vlot verloopt. De vader dekt me toe en
wenst me een goede nacht. Het lijkt wel of de gebeurtenissen en de
ontmoetingen tijdens deze tocht beantwoorden aan een onzichtbare
wet, die in werking treedt telkens als ik nieuwe mensen leer kennen.
Boven mijn hoofd schittert dezelfde Melkweg die al sinds Centraal-
Europa mijn nachten kleurt. In elk land, elke cultuur en elke geloofsovertuiging word ik met hetzelfde geconfronteerd. Elke mens is aan
dezelfde universele wetten onderworpen. Daardoor zijn we allemaal
gelijk, maar daarom niet allemaal vrij.

's Ochtends om 8 u vormen zich reeds de eerste zweetdruppels op
mijn benen. De Syrische zon staat al hoog aan de kim en ze verspreidt behoorlijk wat hitte. Ik sta op en werp een blik over de
balustrade. Ik kijk naar binnen in de slaapkamers van een aantal
woonblokken die allemaal op dezelfde manier zijn gebouwd. De
bovenste verdiepingen zijn doorgaans niet afgewerkt en ze zijn
gebouwd van ruwe, ongepleisterde beton. In een van de piepkleine
kamers staan twee bedden waarop zes personen zij aan zij liggen te
slapen. Macha, de kat van Suzanne, springt van het ene balkon naar
het andere, terwijl ze een witte kip in een kanariekooi nauwlettend
gadeslaat. Ze zwaait zenuwachtig met haar staart. Aan de andere

kant van het terras, voorbij een scheepswerf, zie ik de zee. Een dikke mist hangt boven het water. Het zal warm worden vandaag. Ik daal de trap af en vind Ibrahim in zijn winkel. Hij trakteert me op een brede lach en nodigt me uit om in de salon plaats te nemen. Hij schilt wat fruit. De deur van de kamer van Khalil gaat open. Hij slaapt met zijn twee zussen in dezelfde ruimte. 'Zo gaat dat bij ons!' vertrouwt hij me toe.

Wanneer het moment om te vertrekken aangebroken is, kijkt de vrouw van Ibrahim me met droeve ogen aan. Ze schenkt me een pot jam. 'Wees voorzichtig! Dat God je mag beschermen.'

Ik antwoord: 'Ik zal jullie gedenken in *Al Quds*, Jeruzalem. *Hamdulilah!* Als God het wil...'

Ik omhels mijn familie van één dag. Ibrahim stopt nog wat pakjes koekjes in mijn rugzak, terwijl Suzanne mijn waterzakken vult. Elke nieuwe ontmoeting laat een onuitwisbaar teken na in mijn pelgrimshart. Ik voel me verdrietig, ondanks het aantal keren dat ik tijdens deze reis al afscheid heb moeten nemen. Zal ik deze mensen ooit terugzien?

Wanneer ik de deur van de kruidenierszaak uit loop, staat de hele familie te wuiven. Bij wijze van afscheidsgroet hef ik mijn pelgrimsstaf omhoog. 'Weer op weg!' mompel ik stilletjes. Ditmaal recht naar het zuiden.

Ik kan op Syrisch grondgebied bijna 100 kilometer lang de kust volgen alvorens ik aan de Libanese grens kom. Alhoewel ik dolgraag via het Libanongebergte zou reizen, ligt het toch niet op mijn pad. Ik ben immers chronisch vermoeid en de recente gebeurtenissen rond de moord op Hariri zijn er de oorzaak van dat het gebied te onveilig is om te doorkruisen. De politicus kwam in februari 2005 bij een bomaanslag in Beiroet om het leven. Zowel Libanon als de internationale gemeenschap zijn van mening dat Syrië achter de liquidatie van de Libanese politicus zit. Hij wilde zich immers van het Syrische regime distantiëren en Libanon meer autonomie verlenen. Een onderzoek van de VN heeft de rol van Syrië bij de moordaanslag echter niet kunnen bewijzen.

Ik voel dat ik beetje bij beetje de zogenaamd 'politiek gevaarlijke' gebieden betreed.

De talrijke klokkentorens in de kuststeden tonen aan dat in dit hoofdzakelijk moslimland ook christenen en andere religieuze minderheden hun plaats hebben. De Syrische president Bachar el-Assad is aleviet, een aanhanger van een moslimminderheid. Bij het zien van de christenen voel ik een zekere angst bij me opkomen. Wat zal er met hen gebeuren, de dag dat de Verenigde Staten hun wens uitvoeren om het regime van el-Assad omver te werpen? Een orthodoxe christen die ik onderweg ontmoet, bekent me: 'Wij, de Syrische christenen, leven in angst. Het zwaard van Damocles hangt ons boven het hoofd. We hebben helemaal geen zin in toestanden zoals in Irak. Indien het regime van el-Assad wordt omvergeworpen, dan zal het door een islamistisch regime vervangen worden en dat zou een ramp betekenen voor de minderheden in dit land.'

In deze delen van het Nabije Oosten hangt de vrede aan een zijden draadje. De situatie kan van de ene dag op de andere helemaal omslaan.

Terwijl ik over de kustweg stap, roepen twee mannen naar me. Ze zitten in een kleine tent. Ze bekijken me met een onderzoekend oog en geven me een teken naderbij te komen. Ik hurk neer tegenover hen. Een van hen heeft een ringbaardje.

'Waar kom je vandaan?'

'België!'

'Je hebt geluk dat je niet uit een van de landen komt die ons of de islam vijandig gezind is...'

De man geeft me een sigaret.

'Waarheen gaat de reis?' vraagt hij me in middelmatig Engels.

'Naar Akaba in Jordanië.'

'Moge God je behoeden!'

Ik neem afscheid van de mannen. Voor het eerst sinds mijn vertrek heb ik bewust mijn bestemming verzwegen. Ik weet niet wat er gebeurd zou zijn indien ik hen gezegd had dat ik naar Israël ging.

In Jablah ontdek ik een Romeins amfitheater in de erg oude binnenstad.

'Jablah is de op twee na oudste stad van de wereld!' vertrouwt een trotse winkelier me toe. Ik slenter door de antieke straatjes, in de richting van de oude haven waar een ietwat vervallen Ottomaans paleis herinnert aan de gloriejaren van vroeger. De bewaker van de haven nodigt me uit voor een glaasje thee in het kantoor van de haven-meester. Met verbazingwekkende grootmoedigheid ontvangt die me in zijn vervallen kantoor. Het raam biedt een mooi uitzicht op de haven. Met uitzondering van enkele roestige wrakken van goederen-schepen liggen de vissersboten er keurig naast elkaar aan de kade. De zee is spiegelglad. Enkele meeuwen vliegen boven de houten vlonders. Ik dank de havenmeester voor de thee en ga weer op pad.

Op de met vuilnis bezaaide wegen word ik meer dan eens overval-len door de geur van verrotting die uit de bermen opstijgt. Die wordt veroorzaakt door in de zon rottende lijken van geiten of omvergereden honden. In de verte lonkt de diepblauwe zee.

Alhoewel vermoeidheid en honger tijdens deze reis mijn trouwe metgezellen zijn, vind ik het niet langer lastig om ze te verdragen. Ik neem de huid van mijn buik tussen de vingers, geen spatje vet meer. Mijn huid overspant slechts spieren en beenderen. Mijn lichaam heeft al de rest opgebrand, vooral de spieren van mijn armen heb-ben het daarbij moeten ontgelden. Ik ben een zwerver geworden en ik voel hoe ik, indien nodig, nog duizenden kilometers zou kunnen afleggen. Zelfs de hitte vind ik niet langer onaangenaam. Toch wijst de thermometer ruim 40°C in de schaduw aan. Mijn lichaam heeft zich wonderwel aangepast aan de verscheidene klimatologische omstandigheden. Ik heb de indruk dat ik nu mijn lichaam en geest volledig in de hand heb. Ik weet ook hoe ver ik ze kan drijven. Ze kunnen me niet meer voor onaangename verrassingen stellen.

Ik word voortdurend uitgenodigd door de diverse christelijke gemeenschappen, die talrijk zijn in dit kustgebied. Op een zekere zondag woon ik de mis bij in een kleine Syrische kerk op de heu-vels. Het uitzicht op de zee is werkelijk fenomenaal. De kerk is tot de nok gevuld. Jong en oud vermengen zich en delen de vreugde van een gemeenschappelijk geloof. De priesters van de oosterse ker-ken mogen in het huwelijk treden, alhoewel ze onder Rome vallen.

Na de dienst komt iedereen bijeen op het plein voor de kerk. Het gaat er gezellig aan toe. Toch kan ik niet nalaten te denken aan het gevaar dat deze mensen bedreigt. De vrede is hier zo fragiel. Indien de escalatie van geweld aanhoudt, zullen zij ongetwijfeld de eerste slachtoffers worden. En dat weten ze zelf ook. Daarom genieten ze volop van elk moment van vreugde. Van de ene dag op de andere kan hun huidige leven compleet veranderen.

Ik bereik de erg oude kuststad Tartus. Die stad werd in de tijd van de Feniciërs gesticht. Ik word er bij het maronitische bisdom uitgenodigd. Ik slenter door de straten. De gebouwen hebben de kleur van zand. Enkele oude mannen roken lui een nargileh. Ze lijken net zo tijdloos als de stenen van hun huizen. Een venter van aanstekers vraagt waar ik vandaan kom. Bij het horen van mijn antwoord steekt hij beide duimen op en zegt: '*Very good, very good!*' Kinderen rennen om me heen en spelen hun spelletjes. Een van hen neemt me bij de hand en toont me een erg oude deur. Ik sta versteld van de schoonheid van deze stad en van de kiesheid van haar bewoners. Ze kijken helemaal niet verbaasd op als ik door de straten kuier. Toch heb ik tot dusver geen enkele andere toerist gezien. Ik probeer zo lang mogelijk de kustlijn te volgen, maar de Libanese grens, die vlakbij ligt, dwingt me om binnenkort weer naar het oosten te lopen, landinwaarts naar Homs en vervolgens Damascus. Met spijt in het hart moet ik deze schitterende streek de rug toekeren. Ik hoop hier op een dag te kunnen terugkeren.

Voor ik op het landweggetje aan de grens kom, moet ik eerst over een tiental kilometer de autosnelweg volgen. Alhoewel er behoorlijk wat verkeer op deze weg zit, lijkt deze autoweg in niets op de Europese autowegen. Je ontmoet er immers voetgangers, fietsers en zelfs muilezelmenners. Iedereen verplaatst zich met het vervoermiddel dat hij zich kan veroorloven. Ik speur ongeduldig de horizon af. Ik ben niet ver van het Libanongebergte.

Plotseling, terwijl ik door de buitenwijken van Tartus loop, voel ik een scherpe pijn in mijn linkerarm. Ik onderzoek mijn arm en net onder de schouder zie ik een schram en een gaatje. Een kort moment geloof ik dat men op me geschoten heeft. Dan zie ik echter aan de overkant van de straat een jongen die er met een rotvaart vandoor gaat, zijn katapult in de hand! 'Hé, schoffie!'

Ik maak aanstalten om hem achterna te lopen, mijn stok in de lucht. Maar diep in mijn binnenste kan het me gek genoeg weinig schelen. Ik kijk nog eens naar mijn arm, waar te midden van de blauwe plek een druppel bloed loopt. Gelukkig heeft hij niet op mijn hoofd gemikt. Dan zouden de gevolgen heel wat ernstiger kunnen zijn geweest. Tien kilometer verderop kom ik op de smalle grensweg naar Tell Kallakh. Een dag lang loop ik letterlijk op deze demarcatielijn. Ik verwacht een onafgebroken aan- en afrijden van militaire konvooien, maar gek genoeg ontmoet ik slechts een paar sporadische auto's met burgers. Voorbij de top van een heuvel zie ik in het licht van de ondergaande zon het Libanongebergte liggen. Het licht is oneindig zacht en de mythische bergen zijn in een rood-gouden gloed gehuld. Wat een prachtig schouwspel! Ik kan mijn ogen nauwelijks geloven. Voor me ligt het Libanongebergte. En te bedenken dat aan de andere kant van dat gebergte Israël ligt. Terwijl ik de bergen in het zoete avondlicht bekijk, heb ik moeite om me voor te stellen dat daar oorlog woedt en dat sommige streken levensgevaarlijk zijn.

Met een blij gevoel ga ik weer op pad, terwijl de zon langzaam onder gaat. Mijn schaduw wordt steeds langer naarmate het daglicht zwakker wordt. Het is de laatste keer dat ik de ondergaande zon de rug toekeer voor ik de grenzen van het vlakbij gelegen Israel overschrijd.

Een politiepatrouille doet onderzoek naar brandstoffraude en smokkelwaar. Ze laten me zonder problemen door. Een bestelwagen komt dichterbij en vertraagt wanneer hij bijna op mijn hoogte is. Een kerel met een vertrouwenwekkend gezicht vraagt me wat ik in dit godvergeten gat aan de grens met Syrië doe. Met de enkele woorden Arabisch die ik de voorbije dagen heb opgepikt, leg ik hem het doel van mijn tocht uit. Hij wil me bij hem thuis uitnodigen. 'Laten we dit buitenkansje niet aan ons laten voorbijgaan!'

We stellen ons kort aan elkaar voor. Saïd is belastinginner voor het district. Hij woont samen met zijn moeder en talrijke broers en zussen. Ik slaag er maar niet in ze te tellen. In de salon waar ik ontvangen word, duiken voortdurend nieuwe gezichten op. Uiteindelijk weet ik absoluut niet meer of het nu een broer, een neef of een buurman is die binnenkomt. In de loop van een uur maken zeker een dertigtal personen hun opwachting. Ik lijk wel een bezienswaardigheid die men op kousenvoeten benadert. Saïd kan zijn trots, omdat hij een gast uit een zo ver land mag ontvangen, nauwelijks verhullen. Na de maaltijd komen twee vrienden van Saïd, een politieagent en een ingenieur uit Homs, bij ons op het balkon zitten. We drinken een bittere Argentijnse maté.

Net zoals bijna overal in Syrië krijg ik op het dakterras een plaatsje voor de nacht aangewezen. Om 5 u 's ochtends roept het gezang van de muezzin de gelovigen op tot het gebed. Ik draai me nog eens en kijk naar het Libanongebergte dat zich als een roze rotsmassa tegen de koningsblauwe lucht aftekent. Mijn ogen vallen langzaam aan weer dicht en ik laat me op mijn zoete dromen wegdrijven. Nog wat slaap is meegenomen, want voor de komende dag moet ik voldoende krachten verzamelen: 60 kilometer stappen tot in Homs.

Onderweg loop ik door lange, dorre vlakten met hier en daar een partijtje eucalyptusbomen. Ik heb grote dorst. Het lijkt wel of ik het water in mijn plastic waterzakken niet meer kan verdragen. Daarom beperk ik me tot de glaasjes thee die me onderweg worden aangeboden, maar die verslaan mijn dorst niet. Aan het einde van deze augustusmaand schommelt de temperatuur nog steeds rond de 40 °C. Zolang ik in beweging blijf, is de hitte te harden, maar zodra ik halt houd, lijkt het of de loodzware warmte me verplettert. In één ruk maal ik de zestig kilometer af, met slechts een rustpauze van een kwartier om snel iets te eten. Alles wat me rest op de weg naar Homs zijn drie gedroogde pruimen en de pot met jam van de familie in Latakya. Niet meteen riant voor een tocht van zestig kilometer. Ik nader ook de woestijn van het achterland van de Anti-Libanon. Binnenkort, in Homs, zal ik weer van richting veranderen en recht naar het zuiden stappen, naar de Jordaanse grens.

Telkens als de nacht valt krijgt het gevoel van vertrouwen, dat me al de hele duur van deze tocht in het ongewisse vergezelt, gestalte in de persoon die de deur openmaakt. Ik bereik Homs net voor de duisternis invalt. De stad dateert uit het derde millennium voor onze jaartelling. Ze herbergt een aantal oude forten, maar aardbevingen hebben het grootste deel van de oude gebouwen tot puin gereduceerd. Alleen een oude citadel en twee stadspoorten aan de zuidkant hebben de vele eeuwen zonder kleerscheuren doorstaan. Die avond in Homs ben ik te gast bij Libanese jezuïeten. De ontmoetingen onderweg blijven me verbazen. Het is alsof de reis die ik maak door een onzichtbare hand wordt geleid. Alles lijkt vanzelf te gaan en van een leien dakje te lopen. Het enige wat ik doe, is luisteren naar de zachte stem van mijn onderbewustzijn. Die fluistert me altijd wel in wat ik moet doen.

Op een fleurig binnenpleintje, ver van de drukte van de stad, voeren twee jezuïetenpriesters, een christelijk echtpaar en een moslimvrouw in alle rust een gesprek. Ze nodigen me uit om aan de discussie deel te nemen. Een van de mannen rookt een waterpijp. Kifa, de jonge moslimvrouw, kijkt me aan en zegt enkele Arabische woorden die ik niet begrijp. Het lijkt of ze mijn gezicht aftast. De jezuïetenpater vertaalt haar raadselachtige woorden: 'Je hart is zuiver en God heeft je tijdens deze tocht alles gegeven. Je hebt geen behoefte aan financiële middelen, want je vertrouwt op God zoals een kind op zijn vader vertrouwt.'

Deze woorden verrassen me behoorlijk, zeker omdat ik me nog maar net de bedenking had gemaakt dat tijdens deze weg alles met een verbazingwekkend gemak op zijn plaats lijkt te vallen. Ik ben met stomheid geslagen en kijk aandachtig naar de gesluierde vrouw naast me. Het zijn haar woorden. Ze wordt door hetzelfde als ik gedreven. Deze vrouw en ik, wij verschillen niet, het zijn onze godsdiensten die verschillen. In ons leeft dezelfde bezieling. Plotseling is het me allemaal zo klaar als een klontje. Moslim of christen, het is de kracht van dezelfde God die in ons leeft en die ons tot broer en zus maakt. Op deze weg naar Damascus begrijp ik eindelijk dat de tegenstellingen tussen joden, moslims en christenen enkel en alleen door geestelijke communie kunnen worden doorbroken. Want wat ons bindt, overstijgt onze angsten en onze verdeeldheid. Wat ons bindt, is groter dan wat we elk als individu te betekenen hebben. Ik wil me niet langer beperken tot de begrensdheid van de mens en zijn verschillen, maar tot de begrensdheid van wat in hem leeft.

De vermoeidheid van de tocht van vandaag glijdt van me af. Tot twee uur in de ochtend blijf ik met Kifa praten. Als een moslim je met een *salaam aleikum* begroet, dan groet hij de vrede die in je woont. Met deze rustgevende woorden val ik in een diepe, bodemloze slaap.

Door de woestijn

De vegetatie wordt steeds schaarser. Dorre, woestijnachtige vlakten strekken zich tot aan de horizon uit. De woestijn heeft zich bij mijn pad gevoegd. Ik loop zo snel ik kan in de richting van Damascus. Rechts begint een gebied met heuvels, die hoger worden naarmate ik dieper in het zuiden kom. Voor mijn tocht door de woestijn heb ik mijn waterzakken tot de rand gevuld. Het water klotst bij elke stap die ik maak. De woestijn die ik nu betreed, strekt zich uit van het Libanongeberte tot voorbij Irak, in de richting van Pakistan. Ik vorder als een notendop op een oceaan van zand en steen. Mijn baken voor de nacht is het piepkleine, christelijke dorp Ma'moura, waar ik door Ibrahim en zijn negen kinderen ontvangen word.

Bij mijn vertrek de volgende ochtend kust de oude echtgenote van Ibrahim het beeldje dat in mijn pelgrimsstok is verankerd. Een werkman van het klooster van de Zusters der Armen in Istanbul had als verrassing het Jozefbeeldje van de gemeenschap in mijn stok gekerfd.

De ochtend van 31 augustus kondigt zich als een gewone ochtend aan. Er is geen wolkje aan de hemel te bespeuren. Ik weet niet meer waar ik heen ga. Plots word ik door vermoeidheid overmand. Tot de avond stappen kan ik niet meer opbrengen. Vanochtend heeft Ibrahim me aangeraden om naar het christelijke klooster van Mar Moesa te stappen, te midden van de woestijn. Als gevolg van deze plotselinge moeheid 'laat ik me gaan'. In de verte bespeur ik een wegwijzer: Qara. Aan een benzinestation in dit godvergeten gat vertelt een man me over een 'christenhuis' in de richting van het Libanongebergte. Hij schetst me een grove kaart. Mijn passen voeren me naar een plek waarover ik nog nooit heb gehoord en die op geen enkele wegenkaart staat vermeld. Hopelijk heeft de man geen loopje met de waarheid genomen. Ik moet in elk geval een plek om te schuilen vinden, voor de nacht valt. In het Oosten komt de nacht heel plots. Volgens de aanwijzingen van de goede man moet ik de smokkelroute in de richting van de Anti-Libanon nemen.

Ik sla de aangewezen richting in en enkele kilometers verderop sta ik compleet versteld.

Voor mij verrijzen de okerrode bergen van het grensgebied. Ik ga helemaal op in de onverwachte schoonheid van de omgeving. Te midden van de woestijn staat de Romeinse toren van het klooster van Jakobus de Verminkte, gebouwd in de 6de eeuw. Een halfuurtje later sta ik voor een majestueuze bewerkte bronzen poort. Ik geloof mijn ogen niet. Wat een pareltje!

Moeder Agnès, de stichtster en overste van het klooster, ontvangt me met open armen. 'Welkom, pelgrim!'

Wanneer ik door de massieve poort stap, sta ik sprakeloos. Het *deir* Mar Yakub is van leem gebouwd. Het klooster aan de voet van de Anti-Libanon is wellicht het oudste van de streek. Het is gewijd aan de Perzische martelaar. Moeder Agnès reisde in 1993 door het gebied en ontdekte de ruïnes van dit klooster. Er stonden nog nauwelijks enkele muren overeind. Maar met een vastberaden wil en een geloof dat bergen kan verzetten, bracht ze een groep bekwame mensen bij elkaar die het klooster nieuw leven inbliezen. Sindsdien ijvert ze ervoor, samen met een tiental monniken en zusters, om de oosterse kerk van Antiochië te laten heropleven en de dialoog met de moslims te hervatten.

Na de maaltijd word ik uitgenodigd om het verhaal van mijn tocht te doen. Ik toon het steentje uit Dachau en spreek over de verrassingen en hindernissen op de lange weg. Ze luisteren met open mond. Het kunnen vertellen van mijn grote avontuur is ook voor mij belangrijk. Door mijn ervaringen van de laatste vijf maanden met anderen te delen, leer ik een beetje afstand te nemen en de draagwijdte beter in te schatten. Wanneer men voortdurend op het kruispunt van de horizontale en verticale weg balanceert, beleeft men de zaken immers met een dusdanige intensiteit dat de omvang van de gebeurtenissen niet altijd juist kan worden ingeschat.

Alhoewel ik van plan was maar één dag in Qara te blijven, raak ik in de ban van de betoverende omgeving. Ik zou hier gemakkelijk een week kunnen logeren. Ik maak kennis met de Byzantijnse ritus en de stilte van het kloosterleven. Ik hoor hoe de wind stofdeeltjes naar de hellingen van de Anti-Libanon blaast.

Op een nacht word ik wakker van geweervuur. Dat herinnert me eraan dat de Libanese grens vlakbij is. Smokkelaars en soldaten zijn in een voortdurende strijd gewikkeld. Ondanks de schoonheid van de omgeving blijven de bergen een geliefde schuilplaats voor gewapende bendes en vogelvrijverklaarden.

De ochtend van de zevende september geef ik weer gevolg aan de lokroep van de weg. Ik verlaat de veilige muren van het klooster voor de oneindigheid van de woestijn. Er waait een warme wind die me in de richting van de bergen stuwt, in de richting van het klooster van Mar Moesa.

Ik ondervind opnieuw hoe eenzaamheid het onbekende langzaam in het bekende verandert. Net voorbij het stadje Nebek steek ik de bergen over. Voorbij de pas betreed ik een naakt rotslandschap dat zich tot aan de einder uitstrekt. De laatste zonnestralen geven de rotsen een blauwachtig kroontje van licht.

Weldra zal de duisternis invallen. Ik kom langzaam vooruit. Een onzichtbare beschermer in deze verlaten contreien streelt mijn gezicht met een zachte bries. De uitgestrektheid om me heen splijt de muren van de vreugde. Ik dring steeds dieper in het gebergte door, ik hoor hoe een slang langs mijn voeten schiet. Zonder het te willen, trap ik ze dood.

Ik stap voort in de donkere nacht, mijn vreugde als een beschermend deken om me heen. De laatste muur van mijn angst is zonet verpulverd. Ik laat mijn angsten achter, hier te midden van de eenzaamheid. Rondom mij is niks dan woestijn en ik heb geen topografische kaart. Het enige wat ik weet, is dat het klooster daar ergens voor me ligt, in het gebergte. Ik laat me leiden door mijn voetstappen door de stenige woestenij. Op de top van een berg onderscheid ik in het zwakke licht van de nieuwe maan het reliëf. De omgeving lijkt betoverd. In een bijna volslagen duisternis dring ik steeds dieper in de woestijn door.

Zij zullen jou op handen dragen,
Zodat je voet zich niet aan een steen stoot.
Je zult adder en leeuw vertrappen,
leeuw en slang met voeten treden. (Psalm 91)

Voorbij de top van de berg sta ik voor een diepe kloof. Op de bodem ervan lijkt een pad te kronkelen. Ik daal af en merk vanaf het pad een lichtje, hoog op een bergpas: Mar Moesa. Ik geef een schreeuw om mijn komst aan te kondigen. Als antwoord zwaait een goede ziel met een lantaarn.

Een kwartier later stap ik door de poort van het klooster. Ik word er als een pelgrim ontvangen. Na de maaltijd krijg ik een kleine hermitage in de bergen aangewezen: een grot die met kaarsen wordt verlicht. De omgeving is uniek. Ik werp een laatste blik op de zwarte nacht. Heel even meen ik nog mijn stappen te horen, te midden van de oneindigheid die me omringt. Het is de echo van de stilte die me in de war brengt...

Brandende kruisen

Hoe dichter ik mijn bestemming nader, hoe meer ze zich lijkt te verwijderen. Is het misschien omdat het echte Jeruzalem niet van deze wereld is?

Ik kom in de ban van de schoonheid van de omgeving. Bij zonsopgang zie ik het klooster in zijn volle glorie op de rotsuitloper liggen. Het kijkt uit op een dorre kloof, omringd door het gebergte. Damascus ligt 80 kilometer verderop. Wellicht stond in de Romeinse tijd op de plaats van de huidige gebouwen een wachttoren. Later zochten de christenen een onderkomen in de grotten en richtten er hermitages in.

Wanneer ik de deur van de kerk openduw, zijn de aanwezigen reeds in gebed. Fresco's uit de 11de en 12de eeuw sieren de oude muren. De kleine iconen van heiligen worden discreet met waskaarsjes verlicht. In het geruis van de wind, die de bladzijden van de oude Bijbel op de ambo doet opwaaien, weerklinkt de bezieling van de eeuwenoude Byzantijnse traditie. Deze van het verleden doordrongen omgeving lijkt de poort tussen de wezenlijke en onwezenlijke wereld.

Ik besluit mijn rugzak enkele dagen op deze magische plek neer te zetten. De kloosterlingen nodigen me uit om toch zeker tot het feest van de Kruisverheffing te blijven. Ik kan het goed vinden met Tiphaine, een Bretonse vrijwilligster die voor zes maanden in Mar Moesa is en daarna naar Calcutta zal vertrekken om er in een sterfhuis te werken. We hebben dezelfde mening over geloof. Op een terras boven de vallei praten we over het boek *Donkere Nacht* van Johannes van het Kruis. Zowel de omgeving als mijn tocht door de woestijn lenen er zich perfect toe.

Op 14 september vieren de oosterse kerken het feest van de Kruisverheffing. Overal in Syrië verbranden de christelijke gemeenschappen kruisen als teken van de verlossing door Christus. Op een helling boven het klooster staat een kruis. Jongeren uit alle hoeken van Syrië bidden er samen, een kaars in de hand. Na het gezamenlijk gebed wordt het kruis in brand gestoken. Naast me zit Tim, een Engelsman. Hij leeft alleen in de bergen rond Mar Moesa. Hij staart naar het brandende kruis. In zijn brilglazen zie ik de vlammen weerkaatsen. Het verbranden van het kruis als teken van verlossing is in het westen weinig bekend. Tim en ik wisselen onze ervaringen uit. Het brandende kruis is een symbool dat in rook opgaat. Wat blijft er over van het symbool, als het volledig door vuur is verteerd? Maar hebben wij in onze westerse samenleving ook niet alle symbolen verbrand? Alleen rijkdom wordt nog aan onze samenleving gekoppeld.

Nadat het kruis volledig in de vlammen is opgegaan, rest slechts *de donkere nacht.*

Vertrekken kan ook als een vlucht worden beschouwd, maar in deze omgeving zou blijven voor mij een vlucht betekenen. Ik moet het koste wat het kost weer verder, want de verleiding om het doel van mijn pelgrimstocht even uit het oog te verliezen, is groot. De bedevaart houdt altijd een zekere spanning in, die van het balanceren op het scherp van de snede, zonder dat je je een misstap kunt veroorloven. Een stap vooruit zetten, is zich aan een toestand van verlamming onttrekken. Voor je de andere voet op de grond zet, is er even een moment van heel wankel evenwicht. Ik heb trouwens geen andere keuze. Over een week vervalt mijn visum en moet ik het land verlaten hebben.

Ik vertrek vroeg in de ochtend. Ik werp een laatste blik op mijn slaapplaats van drie nachten in de grot. Het klooster is nog in een diepe slaap gedompeld. Ik neem de weg door de woestijn in zuidoostelijke richting. De wolken hoog in de lucht zijn roze gekleurd. Het lijkt wel alsof de wereld door het gedempte licht van een immense schemerlamp wordt verlicht.

Over drie dagen kan ik Damascus bereiken. Ik doorkruis de dorpen Maaloula en Seidnaya. Het zijn allebei christelijke enclaves in de woestijn. De duisternis is al ingetreden wanneer ik in Maaloula aankom. Er staat me dan ook een verbluffend schouwspel te wachten. Duizenden witte, verlichte kruisen sieren de daken van de huizen. Het feest van de Kruisverheffing is in volle gang. Mannen en vrouwen dansen uitgelaten door de straten en nodigen me met een glaasje wijn uit om in hun feestvreugde te delen. Vuurwerk wordt ontstoken en een kleurrijke vonkenregen stroomt over de daken. In het omliggende gebergte kun je door het vele licht de kluizenaarsgrotten van de christenen onderscheiden. In dit heel oude dorp tegen de bergflank spreekt men nog Aramees, de taal van Jezus. Ik word voor de nacht uitgenodigd in het klooster van de heilige Sergius. Het ligt op de top van de rotswand en stamt uit de 3de eeuw.

Vóór Damascus las ik nog een laatste stop in het orthodoxe klooster van Seidnaya in. Het klooster werd in 547 gebouwd op een heuvel die met wijnranken en olijfbomen is bedekt. Ik word er opgevangen door de doyenne van de orthodoxe zusters. Ze moet mijn zaak hard bepleiten, want precies dit weekend komt er een groep van een honderdtal vrouwen naar het klooster. Mijn weldoenster neemt het op zich om mij een plekje voor de nacht te versieren, alhoewel het klooster is volgeboekt. Ik krijg een plek in een smalle gang naast de klokkentoren toegewezen. De klok die om het uur slaat, moet ik maar voor lief nemen. Met uitzondering van mijn weldoenster lijkt niemand zich om mij te bekommeren. In de keuken krijg ik een bord rijst met tomatensaus aangereikt. Kinderen rennen voortdurend door de keuken. Twee zijn in een zware ruzie verwikkeld, maar dat lijkt de zusters nauwelijks te deren. Uiteindelijk moet moeder-overste ingrijpen. Een van de zusters legt me uit dat het klooster tegelijk een weeshuis is. Het gebeurt meer dan eens dat borelingen voor de poort van het klooster worden achtergelaten. Ik wandel wat rond binnen de kloostermuren. Een vrouw vertrouwt me toe dat in het kapelletje van het klooster een icoon van de Heilige Maagd hangt die door de heilige Lucas zou zijn geschilderd. Die wil ik graag bewonderen, maar jammer genoeg zie ik alleen het koffertje waarin de kostbare icoon wordt bewaard...

Ik lees een e-mail van George, de gastenbroeder van het klooster van Affligem die me op de tweede dag van mijn tocht ontvangen heeft en met wie ik in contact gebleven ben: 'Vanaf nu wandel je over heilige grond. Tal van heiligen en kerkvaders in de woestijn zijn je voorgegaan. De wegen van de geschiedenis, de godsdiensten en de mensheid komen nu dichter naar elkaar toe, om uiteindelijk samen te vallen in Jeruzalem, de stad waar je nu al zes maanden lang naartoe op weg bent.'

Op 17 september kom ik aan in Damascus, het middelpunt van diverse beschavingen. De buitenwijken strekken zich uit tot de eerste uitlopers van de Anti-Libanon.

Omgeven door het onafgebroken geronk van motoren en dikke blauwachtige uitlaatgassen doe ik er eindeloos lang over om het centrum te bereiken. Maar naarmate ik dichter bij het centrum kom, raak ik steeds meer onder de indruk van de schoonheid van deze stad. Ik slenter door straten die meer dan zesduizend jaar oud zijn. De sfeer van het verleden komt tot leven tijdens mijn bezoek aan de kapper, die mijn baard en haar knipt.

Ik sta versteld van de pracht en praal van de moskee van de Omajjaden, ooit een van de grootste Byzantijnse kerken van het Nabije Oosten. De moskee herbergt het graf van Johannes de Doper, die ook in de moslimwereld aanbeden wordt. Op straat worden voortdurend blikken en woorden uitgewisseld. Al die ontmoetingen zijn als druppels die infiltreren in mijn bewustzijn en samen een onuitputtelijke bron vormen. Het is niet verwonderlijk dat het precies op de weg naar Damascus was dat de heilige Paulus door Gods hand werd beroerd. Hier spelen de ontmoetingen zich af in een tijdloos universum. Het lijkt trouwens of de stad nooit anders is geweest.

Zelfs de onophoudelijke drukte van het komen en gaan van reizigers naar het Oosten, die hier al sinds het begin der tijden neerstrijken, lijkt de stad niet te storen. Mensen worden opzij geduwd, anderen worden begroet, waarbij de naam van Allah niet uit de lucht is. Damascus is een tijdloze stad, die leeft met de zorgeloosheid die haar eigen is.

Ik laat me meevoeren op de mensenstroom, zoals een boot op de woelige zee. Een man met baard maakt zich uit de massa los en komt mijn richting uit. Hij omhelst me en kijkt me met een verrassend intense blik aan. In zijn blauwe, glanzende ogen lees ik een eindeloze zachtheid.

Een moment later is hij weer door de mensenmassa opgeslorpt. Wie was die man? Tevergeefs zoek ik zijn blik...

Ik logeer bij mevrouw Homsy, de grootmoeder van Nadine, mijn vriendin uit Heidelberg wier vader Syriër is. Ze ontvangt me vriendelijk in haar appartement in een deftige stadswijk. Ze spreekt onberispelijk Frans. De taal van Molière is nog steeds de taal van de burgerij van Damascus. Van 1920 tot zijn onafhankelijkheid in 1946 stond Syrië onder Frans mandaat. Maar ook nu nog wordt er door de oudere generaties Frans gesproken. De dag van mijn aankomst heeft mevrouw Homsy net een bridgeavondje bij haar thuis. Haar vijf vriendinnen, allen al net zo gedistingeerd, communiceren in het Frans. Ze hangen allen het christelijk geloof aan. Terwijl de dames kaarten, komt Danielle, de kleindochter van de vrouw des huizes, me met haar vriend ophalen voor een ritje in een oude Pontiac uit de jaren 1980. Ik word vergast op een bezoekje aan Damascus 'by night'. Drie dagen lang bezoek ik met enkele trendy christenen de hippe buurten van Damascus.

De kinderen van de *nouvelle vague* kennen Europa en de Verenigde Staten. Ze hebben er familie wonen of hebben er hun universitaire studies gedaan.

235

Vertrekken, altijd weer vertrekken. Na drie dagen in Damascus neem ik mijn zwerversbestaan weer op, met alles wat daarbij hoort. Een twintigtal kilometer lang loop ik door de buitenwijken van de stad. Meer dan voorheen ben ik dicht bij mijn doel, maar een vreemde afmatting maakt zich van me meester. Ik ben ook al zo lang onderweg! Plots weet ik niet goed meer voor wie of wat ik deze tocht maak. Mijn doel lijkt te vervagen. Ik keer Damascus de rug toe, maar ben nog steeds op pad. Misschien dat de heilige Paulus me de weg kan wijzen. Dat zou pas handig zijn. Ik voel me zo eindeloos moe.

Ik kom voorbij een legerkamp voor ik me weer op de weg door de woestijn begeef. De bewaker roept zijn makkers. Binnen de kortste keren word ik door een groep soldaten omringd. Vol verwondering bekijken ze mijn uitrusting, de twee waterslangetjes die uit mijn zak steken en mijn buiktasje met de camera van het productiehuis. Ze bestoken me met vragen. Ik onderga het spervuur van de jonge, nieuwsgierige soldaten. Dan komt een officier aanzetten die de jonge rekruten beveelt hun post weer op te nemen. De militair met rang begint me op zijn beurt allerhande vragen te stellen.

'Wat denk je van Syrië? En van de Syriërs? En van onze president? Van George Bush?'

Plots verandert de toon. Misschien vermoedt hij iets? Bij de volgende vraag ruik ik het gevaar: 'Ben je jood?'

'Neen, ik ben een christen uit België.'

'Waar ga je heen?'

'Naar Akaba in Jordanië, waar ik de boot naar Bombay neem. Vandaar ga ik dan te voet verder naar Nepal, tot in Kathmandu.'

'Hmm... moet je dan via Israël reizen?'

Zelfverzekerd antwoord ik hem: 'Israël? Dat is toch veel te gevaarlijk! Bovendien heb ik een visum van Algerije en Syrië in mijn paspoort. Zelfs indien ik dat zou willen, dan nog zouden ze me nooit de grens laten oversteken. Bovendien ligt Israël niet op mijn weg. Ik moet elke meter te voet afleggen, weet je wel...'

De officier bekijkt me, terwijl hij nadenkend over zijn slecht geschoren kin strijkt.

'Het is in orde, goede reis.'

De hogere militair keert naar zijn kazerne terug.

De andere mannen, die vanuit de verte onze conversatie hadden gevolgd, komen weer dichterbij. 'Je hebt geluk dat je geen jood bent. Weet je wat we met Israëlische soldaten doen? Met een scherp mes halen we hun borstkas open. Dan rukken we met de blote hand hun hart eruit, gooien het op de grond en vertrappelen het.' De kerel die me het verhaal doet, gaat helemaal op in zijn bloederige beschrijvingen. Zijn ogen zijn bloeddoorlopen. Hij ziet er afschrikwekkend uit. De toon is duidelijk gezet. Ik neem afscheid van de opgewonden man en begeef me weer op weg naar Deraa. Meer dan honderd kilometer door een erg saai landschap. Elke stap is er een te veel. Ik weet niet wat me overkomt. Alles is me te veel. Ben ik in de war omdat het einde van deze fantastische reis in zicht komt? Of ben ik afgestompt geraakt? Ik voel me in elk geval leeg. Ik sleep me doelloos voort en concentreer me slechts op de volgende stap die ik moet zetten. Nog een stap bij het anderhalf miljoen stappen dat ik al heb gezet.

Hij kreeg schrik en vertrok, om zijn leven in veiligheid te stellen (...) Na een tocht van een dag in de woestijn kwam hij bij een bremstruik. Hij ging eronder zitten. Hij wilde sterven en zei: Het wordt mij te veel, Heer (...) Maar opeens stootte een engel hem aan en zei tegen hem: 'Sta op en eet'. (1 Koningen, 19)

In de verte, in de richting van de ondergaande zon, zie ik weer bergen opduiken. Het is de Hermon, de hoogste en zuidelijkste piek van de Anti-Libanon. Hier, vijftig kilometer ten zuiden van Damascus, ben ik op dezelfde breedtegraad als Israël. Het is echter onmogelijk om de Golan over te steken. De grens is gesloten. Ik moet via Jordanië reizen.

In het dorp Zrequieh ontmoet ik mijn engel. Een man van rond de vijftig die op zijn terras zit, ziet me in de richting van de moskee lopen, waar ik onderdak wil vragen. Hij nodigt me uit voor de thee. Vrij gelaten aanvaard ik zijn aanbod.

Al heel snel vraagt de man me om de nacht onder zijn dak door te brengen. Een kwartiertje later maken zijn negen kinderen een voor een hun opwachting op het terras. Na die parade neemt mijn gastheer me mee naar zijn broer, die aan de andere kant van het dorp woont. Het is een speciale avond: vandaag wordt de verloving van zijn neefje van amper zeventien gevierd. Hij is beloofd aan zijn nichtje van een jaar jonger. Het feest schijnt zich te beperken tot wat gezellig kletsen onder mannen op het dakterras. Nogal passief luister ik vanaf mijn stoel naar het gepraat. Intussen bereiden de vrouwen het eten. Wanneer het gezang van de muezzin weerklinkt, trekt een van de mannen zich terug om te bidden.

Op het dak zit ik stomweg wat te mokken. Ik ben het moe. Ik verwijt het mezelf dat ik niet wat meer interesse en dankbaarheid kan tonen. Bijna voel ik me een rotverwende westerling die alles maar normaal vindt. Onder mijn hemd voel ik hoe mijn ribben uitsteken. Ik begin er werkelijk uitgemergeld uit te zien. Bovendien hebben de nachtelijke uitjes in Damascus mij uit mijn ritme gehaald. De enkele dagen rust hebben hun doel allesbehalve bereikt. Ik ben vermoeider dan daarvoor.

De verloofde jongeman verschijnt en stelt zijn nichtje voor, een meisje van amper zestien. De mannen betuigen met een hoofdknik hun instemming. De vaders van het toekomstige bruidspaar zijn broers. Ze schudden elkaar de hand en wisselen felicitaties uit. Het huwelijk is beklonken. In de salon mag ik op het tapijt naast mijn gastheer plaatsnemen. Ik ben de eregast. Voor die speciale gelegenheid krijg ik een *keffieh* op het hoofd gezet, wat bij de andere aanwezigen de nodige hilariteit opwekt. Ik laat ze uiteraard begaan. Een vrouw draagt een grote vleesschotel aan. De familie heeft ter gelegenheid van de grootse festiviteiten een schaap geslacht. De mannen bedienen zich met behulp van een stuk plat brood van het vlees. De schotel staat in het midden, op onze knieën ligt een servet. Naarmate ik van het vlees eet, voel ik mijn krachten terugkeren. Een deugddoende warmte trekt door mijn hele lichaam. De gastheer pulkt de ogen uit de schaapskop en biedt ze me aan op een homp brood. Ik eet ze met smaak op. Ik voel hoe ik helemaal opknap. De mentale en fysieke kracht die ik nodig heb voor het afleggen van de laatste honderden kilometers komt langzaam terug.

Ik doorkruis dezelfde woestijn, maar ditmaal vastbesloten om er eens en voor altijd een einde aan te maken. Bij mijn aankomst in Deraa komen tientallen kinderen me tegemoet. Ik hang de hansworst uit en doe enkele goocheltrucjes. Ze vinden het schitterend. Mijn aankomst in de laatste Syrische stad moet toch op gepaste wijze gevierd worden? Mensen vragen me wat toch die blauwe slangetjes zijn die uit mijn rugzak puilen. Terwijl ik eraan zuig, schreeuw ik hen toe *benzin*, en zet ik het als een gek op een lopen door de straten van de grensstad, onder de verbaasde blik van autobestuurders en voorbijgangers. Achter me zetten de kinderen de achtervolging in door het centrum. Ik schaterlach, samen met de uitgelaten kinderen. Een van hen laat me kennismaken met een familie christenen. Ik breng mijn laatste nacht in Syrië bij dit buitengewone gezin door. Morgen moet ik de grens oversteken, want mijn visum is niet langer geldig.

Iets voor de grenspost staan tientallen auto's stil aan de kant van de weg. Mannen verstoppen haastig sloffen sigaretten in de zijkanten van de portieren en onder de stoelen.

Het oversteken van de grens verloopt zonder problemen, maar ik krijg wel het formele verbod om het no man's land tussen Syrië en Jordanië te voet over te steken. Even vat ik het plan op om de douaniers enkele leugentjes op te dissen, waardoor ik toch te voet mag verdergaan, maar ik houd me toch maar in. Alleen mijn eigenwaan zou met leugens gediend zijn. De douanebeambte duwt mijn hoofd in een taxi. Ik krijg amper de tijd om hem te melden dat ik geen geld voor een taxi heb.

'Dat kan ons niet schelen! Opgehoepeld!'

XIII. Jordanië

In de taxi zit ik geklemd tussen een moeder en haar zoon die zijn benen in het gips heeft. Ze legt me uit dat ze uit Irak komt om de oorlogswonden van haar zoon te laten verzorgen. Ik betuig haar mijn medeleven. Ze slaat haar ogen op en roept uit naam van haar hele volk *Allah* te hulp.

Aan de Jordaanse grens worden me geen vragen gesteld. Ik moet slechts tien euro neertellen voor een visum. Gelukkig had ik wat geld opzij gehouden voor eventuele douaneformaliteiten. Een pomphouder wijst me de richting van Irbid aan: nog twintig kilometer voor mijn eerste stop in Jordanië. Het landschap is Bijbels. Olijfbomen bedekken de dorre heuvels. Ik vlij me onder een olijfboom neer en geniet van een moment van rust. Een bries doet de bladeren ritselen. De zon van eind september is minder hard en de hitte veel draaglijker. Ik bestudeer de kaart van Jordanië en vind een route die me in twee dagen naar Al Arbein aan de Israëlische grens brengt. Plots heb ik haast om voort te maken. Onderweg heb ik me talloze keren een voorstelling van deze laatste momenten gemaakt. Nu wil ik er niet meer over dromen, maar ze werkelijk beleven. De tocht is bijna voltooid, een droom werkelijkheid geworden.

In Irbid vraag ik een moslim naar de katholieke parochie. De kop nescafé die hij drinkt, lijkt maar niet te leeg te raken.

'Wil jij hem soms?'

Ik drink de kop koffie leeg op het plein voor de kerk. Een zuster komt naar ons toe. Mijn gids legt de situatie uit. De zuster is van Libanese afkomst en spreekt perfect Frans. Ze kijkt me nogal wantrouwend aan en vindt mijn avontuur duidelijk idioot en compleet nutteloos.

'Ben je soms niet goed bij je hoofd? Israël is in oorlog met de Arabische wereld.'

Ik dank haar voor haar bezorgdheid. Het is niet nu, zo dicht bij mijn doel, dat ik me laat afschrikken door woorden die ik intussen al zo vaak heb gehoord. Het zijn trouwens niet alleen haar woorden die me storen, maar vooral haar kregelige, barre houding. Gelukkig daagt op datzelfde moment een andere zuster op. Uit haar blik spreekt heel wat meer mededogen. Discreet fluistert ze me in het oor: 'Ik zal bidden dat je je doel mag bereiken...'

Haar overste snauwt me toe: 'Bij ons is geen plaats, maar misschien kan de pastoor je wel ontvangen.'

Wat een geluk! Heb ik tenminste geen last van dat vreselijke mens. Priester Dimitri is een beminnelijk man die me zonder problemen ontvangt. Net zoals de andere religieuzen in Syrië verwondert hij zich over mijn vastberadenheid en mijn project. Ik vraag hem op mijn beurt hoe het komt dat ze niet meer gewoon zijn aan pelgrims die langskomen. Welke weg volgen die andere pelgrims dan wel?

Priester Dimitri wijst me op mijn kaart een pad aan dat door de vallei van de Jordaan loopt. Die rivier ligt maar een veertigtal kilometer verderop.

Ik val in slaap in het zachte bed, zonder al te veel over de komende dagen te piekeren...

Vandaag stap ik voor het eerst sinds mijn vertrek pal westwaarts. 's Ochtends heb ik de zon in de rug. Ik doorkruis lieflijke dorpjes waar ik telkens weer op de eeuwige Arabische gastvrijheid word getrakteerd: een vriendelijke oude man biedt me wat te drinken aan. Hoeveel glaasjes thee kreeg ik intussen onderweg al aangeboden? En hoeveel keer heb ik zoveel vriendelijkheid niet moeten weigeren? Indien ik elke uitnodiging zou hebben aanvaard, dan zat ik nu nog ergens op de Anatolische hoogvlakte. Op hetzelfde ogenblik dat ik deze bedenking maak, draai ik me om. Sprakeloos kijk ik naar het landschap dat zich voor me ontvouwt: voorbij de Jordaanvallei zie ik in de verte de bergen van Galilea in Israël opdagen. Mijn ogen vullen zich met tranen. Ik val ten prooi aan een heel sterke emotie. Op 27 maart heb ik mijn geboortestad verlaten en op 25 september sta ik vlak bij Galilea. Ik voel me zo ontzettend blij. Ik zou mijn reis hier bijna kunnen afsluiten, naast de oude Jordaniër met wie ik thee heb gedronken. Ik kijk hem op een vreemde manier aan, ik heb zelfs zin om hem te omhelzen en te kussen. Ik houd me echter in en probeer mijn vreugde om te buigen tot de energie die ik nodig heb om weer te vertrekken. Ik stap mijn laatste dertig kilometer door Jordanië, terwijl ik me er heel goed van bewust ben dat ik een van de meest intense momenten van mijn leven beleef. De zon gaat onder boven de vallei van de Jordaan. In de verte zie ik het gouden water van de legendarische rivier. Vervuld van blijdschap begin ik aan de afdaling van de diepste vallei van de wereld: 400 meter onder de zeespiegel. Morgen, rond dit uur, zal ik in Palestina of Israël zijn, *inch'Allah*.

Terwijl ik bergafwaarts loop, stuit ik op een legerpost. Verdorie! Uiteraard vragen ze me wat ik doe in dit grensgebied, 's nachts en zonder auto. Een kampkolonel van het aangrenzende kamp neemt de ondervraging over. Ik weet dat ik een flater bega als ik hem vertel dat ik ornitholoog ben, op zoek naar zeldzame vogels die alleen in dit gebied voorkomen. Hoe kan ik nu een dergelijke onzin uitkramen?

De man kijkt echter niet op van mijn stomme antwoord. Ik vraag hem of er niet ergens in de buurt een plekje is waar ik mijn slaapmatje kan uitrollen.

Hij wijst naar het gebouw tegenover de legerpost. Op een bordje staat te lezen *Centrum voor waterwinning*. Ik betreed het terrein. Te midden van een veld zit een functionaris naar een voetbalwedstrijd op tv te kijken. Onverschillig toont hij me een blok beton waar ik mijn rugzak kan neerpoten en mijn matrasje kan spreiden. Ik begin mijn slaapplaats in te richten. Voor de man gaat slapen, stopt hij me nog een plat brood toe.

De grensovergang

Nog voor de zon opkomt, geeft de kerel me een schop en maakt me duidelijk dat ik moet opkrassen. Ik vul mijn waterzakken, scheer me om enigszins presentabel de grens te kunnen oversteken en begin aan mijn tocht naar het dorp Al Arbein. Aan de kant van de weg staan rijen mannen, wachtend tot iemand hen werk aanbiedt. Het zijn dagarbeiders. Sommigen kijken me misprijzend aan, ze weten dat ik naar Israël op weg ben. Anderen begroeten me vriendelijk.

Te midden van de dorre vallei kronkelt een groen lint. Het zijn de rietvelden rond de Jordaan. Bij het naderen van de grens word ik door jongeren met stenen bekogeld.

Een eindeloze rij vrachtwagens wacht tot de grenspost opengaat. Twee militairen houden me tegen en maken me duidelijk dat er twee kilometer stroomafwaarts nog een overgang is en dat ik moet terugkeren in de richting van Al Arbein. Dat is balen. Terugkeren naar het dorp en vandaar naar het zuiden lopen, betekent een omweg van minstens zes kilometer. Een oude vrachtwagenchauffeur legt uit dat ik de grenspost ook te voet kan bereiken door gewoon de Jordaan te volgen. Ik loop voorbij het prikkeldraad en de uitkijkposten, in de hoop dat er geen mijnen liggen. De sfeer in dit grensgebied is apart. Het lijkt of ik tussen twee werelden loop waar een bijna dreigende rust heerst. De kant waar ik loop is Arabisch, aan de andere kant ligt Israël. Twee werelden, twee snelheden, twee godsdiensten. Tussen beiden gaapt een diepe kloof. Ik zie hoe een soldaat op zijn uitkijkpost wat zit te dommelen. Ik roep hem aan, om mijn aanwezigheid kenbaar te maken en er zeker van te zijn dat me verderop geen onaangename verrassingen te wachten staan. Een luitenant komt naar beneden en geeft me een hand. Hij biedt aan om me gezelschap te houden tot de Jordaanse grenspost. Aan de grens krijg ik meteen een glaasje thee aangeboden. Een douanebeambte stempelt intussen mijn paspoort af. Ik krijg tal van schouderklopjes. De douaniers kunnen maar niet geloven wat ik zojuist gerealiseerd heb. Ik krijg brood toegestopt en uiteraard ook nog een glaasje thee. Nog een laatste handdruk en ze wensen me veel geluk voor het vervolg van mijn reis. Het vervolg… dat zal hier beslist worden. Hoe zullen de Israëlische autoriteiten reageren? Ik heb hotelreservering noch vliegticket, niemand in Israël die me kent en bovendien heb ik een Syrische en Algerijnse stempel in mijn paspoort. Het risico dat mij de toegang tot het Israëlische grondgebied wordt geweigerd, is absoluut niet denkbeeldig. Op een muur prijkt een geschilderd portret van koning Abdallah van Jordanië. De commandant van de Jordaanse grenspost begeleidt me zo ver hij kan, tot het punt waar ik in de bus moet stappen die de laatste 60 meter over de Jordaan aflegt. Hij schudt me energiek de hand: 'Dat God je mag behoeden.'

De bus wordt van onder tot boven doorzocht. Dan moeten de passagiers een voor een uitstappen, onder het waakzame oog van een Israëlisch soldaat in burger, die met een zware M-16 zwaait. Zijn look is helemaal anders dan die van de Jordaniërs. Onder zijn korte T-shirt kun je indrukwekkende spierbundels vermoeden. Zijn donkere zonnebril zorgt ervoor dat je geen glimp van zijn ogen opvangt. Mijn rugzak en pelgrimsstok worden gescand. Jonge grenswachters vragen me waar ik vandaan kom. Ze zien er nauwelijks twintig uit. Na een grondige analyse van de inhoud van mijn rugzak moet ik plaatsnemen in het wachtlokaal van de grenspolitie. Ik zit er helemaal alleen. Van achter een raam gebaart een vrouw me dichterbij te komen. Dat betekent het begin van een lange ondervraging. Ik zie de verbazing op de gezichten van mijn beide verhoorders. Zijn ze dan helemaal niet gewend aan pelgrims uit Europa?

Ik moet de precieze plaatsen geven waar ik elk land apart binnengekomen en verlaten heb, mét de juiste datum erbij. Ze controleren mijn dagboek. En deponeren me weer voor een tijd in de wachtruimte. Ze maken een nog diepgaandere analyse. De politievrouw vraagt de naam van mijn ouders en die van mijn grootvader.

Het lijkt allemaal eindeloos lang te duren. Ik verbeeld me dat ze me de toegang zullen weigeren. In bange afwachting sla ik het gebedsboek open dat Sophie me in Damascus heeft opgestuurd. Bij toeval kom ik aan de tekst van die dag:

Alle geboden die ik u heden voorhoud, moet u nauwgezet volbrengen. Dan zult u leven, talrijk worden en bezit gaan nemen van het land dat de Heer uw vaderen onder ede heeft beloofd. Blijf denken aan heel die tocht van veertig jaar die de Heer uw God u in de woestijn heeft laten maken. Hij heeft u toen vernederd en op de proef gesteld om uw gezindheid te leren kennen. Hij wilde zien of u zijn geboden zou onderhouden of niet. Hij heeft u vernederd en u honger laten lijden, maar u ook het manna te eten gegeven dat u noch uw vaderen ooit hadden gezien. Hij wilde u daardoor laten beseffen dat de mens niet leeft van brood alleen, maar van alles wat uit de mond van de Heer komt. (Deuteronomium 8, 1-3).

XIV. Israël en Palestina

Een kwartier later roept de vrouw me met een zweem van een glimlach rond haar lippen. Ze overhandigt me mijn paspoort en zegt: *'Welcome to Israel'*.

Ik steek de grens over. Op een groot bord staat te lezen: Jeruzalem 126 km. Ik begin aan de lange klim naar Nazareth, 41 kilometer verderop in Galilea. Nog even kijk ik achter me, voor een laatste blik op de vallei en de bergen van Jordanië. De bergen stoppen abrupt aan de Jordaan. Ik denk aan alle gezichten die ik achter me laat, van mensen die net zoals ik Jeruzalem willen zien, maar die nooit hun doel zullen bereiken, alleen maar omdat ze de Syrische nationaliteit hebben en daarom Israël niet binnen mogen. In dit ongerepte landschap laat ik de gezichten achter me. Ik draag hun hoop daarheen waar ze zelf nooit een stap zullen kunnen zetten.

De wegen tussen de vruchtbare velden zijn perfect geasfalteerd. Toch is dit dezelfde breedtegraad als Irbid, waar rotswoestijn en olijfbomen het landschap kenmerken. Hier worden de velden echter geïrrigeerd met water dat massaal uit de Golan wordt opgepompt. Geen enkele automobilist schenkt me ook maar het minste beetje aandacht. Hier geen oorverdovende toeterserenades waar ik van opschrik, maar ook geen mannen en kinderen die me begroeten en uitnodigen voor een glas thee of wat koel water. Links in de verte verrijzen de heuvels van de Westelijke Jordaanoever, daartegenover, in noordelijke richting, ligt Nazareth... Daartussen ligt de groene, vruchtbare vallei van Galilea.

Hic Verbum Caro Facto Est. In de grot van de Aankondiging aan Maria heerst een doodse stilte. Ik ben er helemaal alleen. Vandaag ben ik precies zes maanden onderweg. Volgens de Geschriften is het in deze grot dat het allemaal begon. De hele geschiedenis van het christendom vloeide voort uit de gefluisterde woorden van een engel aan een vrouw. Die stilzwijgende verstandhouding is hier bijna tastbaar.

U zult zwanger worden en een zoon baren, die u de naam Jezus moet geven. Hij zal een groot man zijn en Zoon van de Allerhoogste worden genoemd. (Lucas 1, 31-32)

Op naar Jeruzalem

Terwijl ik richting Jenin loop, denk ik aan de Palestijnse zuster in het klooster van Nazareth, waar ik de nacht heb doorgebracht. Toen het gesprek over het lijden van haar volk ging, kreeg ze tranen in de ogen. Met beide handen schermde ze haar gezicht af en fluisterde: 'Zoveel onrecht.'

In dit land van melk en honing merk ik een grijze lijn die in zuidelijke richting loopt. Het is de muur die de beide werelden scheidt. Tussen beide ligt een bodemloze kloof, omdat de mensen vergeten zijn wie ze zijn en waar ze vandaan komen. Ik loop wat dichter naar de muur toe. Een Israëlisch soldaat staat nonchalant een kauwgum te sjieken. Hij bewaakt een van de wachtposten tussen Israël en Palestina.

Daniel is twintig jaar oud. Met zijn M-16 in de hand vertelt hij me dat je tegenwoordig maar beter niet naar Palestina kunt gaan.

'Veel te gevaarlijk!' legt hij me uit.

'Gevaarlijk?'

'Jawel, we zijn in oorlog, snap je.'

Zijn woorden zijn nauwelijks koud of er vliegen twee gevechtshelikopters over het gebied.

Daniel vertelt verder: 'De situatie kan van het ene moment op het andere uit de hand lopen. Een zelfmoordaanslag kan een nieuwe escalatie van geweld veroorzaken...'

'Gebeurt dat dan vaak?' vraag ik hem.

'Jawel, vaak...'

Hij lijkt een seconde te twijfelen, maar beslist dan toch zijn verhaal te vervolgen. 'Een tijd geleden zat ik in de bus naar Netanya. We reden in een gezapig tempo richting Tel Aviv. De bus stopte herhaaldelijk om passagiers te laten in- en uitstappen. Op een

bepaald moment stapte er een vreemde man in de bus...'
Stilte. Dan gaat hij verder. 'Hij schreeuwde *Allah Akbar*, Allah is groot, en liet zich ontploffen. De bus sprong met een knal uiteen. Een paar seconden lang was ik volledig van de wereld. Toen ik enkele tellen later mijn ogen opendeed, zat ik onder de restjes menselijk vlees. Afgerukte ledematen zaten tot in het dak van de bus. Ik zat onder het bloed, maar het was gelukkig niet het mijne...'

Ik verlaat Daniel en zet mijn weg langs de muur verder. Daniel heeft me aangeraden ver genoeg van de muur te blijven, want meer dan eens schieten schutters aan Palestijnse kant op alles wat aan Israëlische kant beweegt. Ik ben onthutst over het verhaal van deze jongeman van twintig. In Tulkarem hangt een rood bord op een hekwerk dat de weg verspert. Ik lees: 'Iedereen die dit hek passeert, brengt zijn leven in gevaar'. Ik kan nauwelijks geloven wat ik lees. Ik denk terug aan Duitsland en aan het prikkeldraad rond het kamp van Dachau. Op die schrikdraad hingen op regelmatige afstand gelijksoortige bordjes met: 'Wie deze grens overschrijdt, zal worden gefusilleerd'. Terwijl ik sprakeloos naar het bordje staar, realiseer ik me hoe de geschiedenis zich inderdaad altijd herhaalt. Hebben wij dan niks geleerd? Met die vaststelling ga ik bedrukt weer op pad. Jeruzalem is niet van deze wereld...

Ik betreed het domein van de kibboets Bat Hefer. Aan de weg naar de vruchtbare, groene akkers staan lange rijen fruitbomen. De kinderen in het kamp spelen op felgroen gras.

Een arbeider gebaart me verder te lopen naar de *Mini Market* en daar naar de verantwoordelijke van de kibboets te vragen.

'We hebben geen plaats meer. Alle bedden zijn bezet. Maar je mag eventueel wel in het park slapen.'

Achter een stapel huishoudproducten op de transportband aan de kassa hoor ik een stem die me zegt: 'Kom bij ons, wij hebben nog een kamer vrij.'

De caissière, een kleine mollige dame met vriendelijke ogen, knikt met haar hoofd. Of ik nog even geduld wil oefenen, binnen tien minuten zit haar werkdag erop.

Nina woont samen met haar Argentijnse man Ruben in een comfortabel paviljoen, te midden van een identieke wijk. Een vijftal katten rent in evenveel richtingen. In de kamer ernaast hoor ik gestommel. Ruben legt me uit dat het geluid van hun zieke dochter afkomstig is. Patrizia is vijfentwintig jaar en manisch-depressief. Twee maanden geleden deed ze een ernstige zelfmoordpoging. Nu verbergt ze zich uit verlegenheid. Beetje bij beetje komt ze echter uit de schaduwen tevoorschijn. Ik heb de kaart uitgespreid en wijs aan waarlangs ik ben gestapt. Ik zie haar angstige ogen oplichten terwijl ik met mijn vinger over de kaart glijd. Dan draait ze zich om en gaat weer naar de andere kamer.

Ruben vertelt over zijn zwerversbestaan. Hij werd in Buenos Aires geboren uit joodse ouders die Polen waren ontvlucht vóór het nazisme zich van het land meester maakte. Al zijn ooms en tantes zijn in Treblinka gestorven. Zijn neef van zes ontsnapte aan het konvooi van de dood, omdat hij erin slaagde met zijn handen een plank uit de bodem te wrikken en door het ontstane gat te ontsnappen. Zijn moeder had hem nog een zetje gegeven. Moederziel alleen doorkruiste hij het Poolse platteland, tot hij door een boerenfamilie werd opgevangen.

In 1958 verliet Ruben Argentinië om zich in Israël te vestigen. Daar ontmoette hij zijn vrouw Nina, afkomstig uit Moldavië. Samen hebben ze twee kinderen: Patrizia en Moshe die beiden drie jaar militaire dienst achter de rug hebben.

Nina bereidt me een maaltijd: twee worsten, spaghetti en ketchup. Ik heb dat soort voedsel niet meer gegeten sinds ik Europa verlaten heb. Na de maaltijd neemt Ruben me mee naar een ander paviljoen, waar ik de kamer van Patrizia mag gebruiken. Onderweg zegt Ruben me in het Spaans: 'Los árabes nos odian. De Arabieren haten ons.' Achter elk woord last hij een korte pauze in, waarmee hij de betekenis ervan nog benadrukt.

Ik laat me op het grote bed van Patrizia vallen en denk na over de woorden van Ruben. Hoeveel lijden kan een mens tijdens zijn leven verdragen?

De voorwerpen in de kleine kamer zijn geschikt zoals Patrizia ze na haar dood hebben wilde: een pop naast een foto van het gezin aan zee. Aan de muren hangen enkele romantische posters. Op de

---

platenspeler ligt een plaat van Enya en ernaast, op de tafel, ontzaglijk veel foto's en een asbak, gevuld met oude peuken. Enkele flessen van sterkedrank slingeren op de vloer. Ik zet de platenspeler aan. Het gekras van de naald herinnert me aan de zondagse ochtenden uit mijn jeugd, toen mijn ouders ons met klassieke muziek wekten. De kristalzuivere stem van Enya vult de ruimte en wiegt me in slaap. Morgen bij het wakker worden zal Jeruzalem vlakbij zijn.

Ik volg de muur nog over tientallen kilometers. Israëlische militairen manen me opnieuw aan om voorzichtig te zijn. Ik moet tot elke prijs aan de joodse kant van de muur blijven. Palestijnse sluipschutters liggen immers op de loer. Hier en daar ontbreken nog enkele stukken muur. Dan kan ik een blik werpen op de vervallen Palestijnse huizen. Aan de ene kant van de muur liggen de groene velden van de Israëlische vlakte, met moderne tractoren, moderne huizen voorzien van alle comfort, recentelijk aangelegde wegen zonder zwerfvuil of kuilen. Aan de andere kant heerst ellende en wanorde, mensen proberen er met kruimels te overleven, overal slingert afval en boven de uitgedroogde akkers waaien de stofwolken hoog op. De muur scheidt twee tegengestelde werelden en culturen, die alleen gemeen hebben dat ze elkaar even diep haten. Verschillende keren verspert de muur mijn weg en moet ik enorme omwegen maken. *Vervloekte muur!*

Tijdens mijn doortochten door de Israëlische steden word ik wantrouwend bekeken. Ik voel de priemende ogen in mijn rug. Vrouwen die in mijn richting lopen, kiezen snel de andere stoep om hun weg voort te zetten. Als ik de weg vraag, spreek ik voor dovemansoren.

Pas na een tijdje begrijp ik het. Natuurlijk worden de mensen afgeschrikt door mijn rugzak. Wie zegt dat hij niet vol explosieven zit? Ook in de kleinere steden vind ik moeilijk iemand die me de weg wil aanduiden. De mensen ontlopen me.

De dag van de sabbat draperen de mannen een wit doek rond hun schouders. Alles is dicht. Ik vind nergens een waterput of een kraan en word door een vreselijke dorst geplaagd. Bijgevolg maak ik een ommetje langs de luchthaven Ben Goerion, waar ik grondig gecontroleerd word. Wat baal ik van al dat wantrouwen. Maar het land is nu eenmaal in oorlog. De grote vraag is hoe lang die oorlog nog zal duren! In plaats van korte afstanden leg ik eindeloze etappes af. De muur zorgt er immers voor dat ik moeilijk vooruitkom. Telkens weer word ik gewaarschuwd voor de 'levensgevaarlijke' Palestijnen. Met hun flauwekul! Ik heb er mijn buik van vol.

Op een rustig landweggetje in de richting van Latrun in Palestina krijg ik het gezelschap van een hond. Hij zal mijn metgezel zijn tijdens deze laatste dag stappen. Morgen zal de tocht achter de rug zijn. Of misschien pas beginnen. In elk geval zal ik Jeruzalem bereiken. Zoveel maanden heb ik over dit ultieme moment gedroomd en nu het zo dichtbij komt, durf ik het amper te geloven. Mijn voorlaatste halte is de trappistenabdij van Latrun. Ik bel aan. Gastenpater en broeder Marie de Jésus, een monnik uit het Vlaamse Londerzeel, ontvangt me en wijst me een cel aan. Ik word uitgenodigd om deel te nemen aan de vigiliën. Na deze vermoeiende reis vallen mijn ogen dicht, maar diep in me gonst het van vreugde. Ik sta voor de poorten van de heilige stad van de drie monotheïstische godsdiensten.

Die ochtend van de tweede oktober ga ik al vroeg op pad. Dit is mijn laatste traject. Om in Jeruzalem te komen moet ik over een dertigtal kilometer de autosnelweg volgen. Ik heb niet echt een andere keuze. Het lijkt alsof elke pas die ik zet de laatste kan zijn. Ik kan maar niet geloven dat aan het einde van deze weg de stad ligt die zoveel maanden mijn ultieme doel is geweest. Aan het einde van deze snelweg ligt het einde van mijn zware beproeving. Mijn enige wapen onderweg was vertrouwen.

Even denk ik eraan om de autosnelweg te verlaten voor de oude, afgedankte spoorlijn tussen Tel Aviv en Jeruzalem. Maar het is nu niet belangrijk meer om de relatieve kalmte van een vredige omgeving zonder verkeer te vinden. Ik weet dat de vrede er is, boven het menselijke rumoer uit. Voortdurend scheuren auto's me voorbij. Sommige automobilisten steken hun vuist op en ik veronderstel dat ze boos zijn omdat ik op de autosnelweg loop. 'Idioot!'
Ja, ik ben die idioot, die van de God zijn enige reisgezel maakt,

want bij mijn aankomst in de goddelijke stad op aarde, weet ik dat ik alleen niks voorstel. Tijdens mijn tocht als pelgrim heb ik niet alleen een deel van de wereld, maar ook de brede scala van de menselijkheid doorkruist. Sinds het begin van mijn tocht heb ik mijn bagage voortdurend aangevuld met ontmoetingen en de eenzaamheid van anderen. 'Gedenk mij in Jeruzalem'. De wereld hongert naar eenheid en naar vrede, want dat is de enige weg die er is. Jeruzalem komt in zicht. Van het terras van een winkelcentrum zie ik de eerste buitenwijken op de top van een heuvel. Ik sta voor Jeruzalem. Ik volbreng de laatste kilometer van een droom die in vervulling gaat.

Ik volg de ommuring van de oude stad. Lange tijd blijf ik voor de poort van Jaffa treuzelen. Ik besef dat elk seconde voor eeuwig in mijn geheugen gegrift zal blijven. Ik ben verdoofd door de intensiteit van het moment. Ik voel niks, geen enkele emotie, want wat nu door me heen raast, is veel groter dan mijn zintuigen kunnen bevatten. Het enige wat ik zeker weet, is dat ik niet alleen door deze poort loop. Ik betreed Jeruzalem in het gezelschap van Alexander uit Alzey, Bojan de Serviër, Attila en Margaret uit het Hongaarse Zalaegerszeg, Magdalena Strubel uit Oostenrijk, Khalil en Ibrahim, Suzanne en Nadine, Walter, Virginie, George en… Ik sluit mijn vochtige ogen en aan mijn geestesoog trekken honderden bekende en onbekende gezichten voorbij. Mijn voetstappen voeren me de stad in, naar de Heilig-Grafkerk. De stad lijkt verlaten. Ze maakt zich op om het joodse Nieuwjaar en het begin van de ramadan te vieren, die dit jaar toevallig op dezelfde dag vallen. De ordetroepen controleren alles. Ik moet alweer een versperring passeren. De cultusplaatsen staan onder hoge staat van bewaking. Is er eigenlijk wel iemand in de stad? Verbergt men zich voor God of voor de mens? Bijna alleen dwaal ik door de lege straten van Jeruzalem, nog steeds in de richting van de Heilig-Grafkerk. De rillingen lopen me over de rug.

Aan het plein voor de kerk laat ik me zakken tegen de muur, mijn pelgrimsstok in beide handen. Ik staar naar de toegangspoort van dit eeuwenoude heiligdom. Miljoenen mannen en vrouwen uit alle hoeken van de aarde hebben hier voor het graf van Jezus geknield. Een Duitse toeriste komt naar me toe: 'Voelt u zich niet lekker?'

'Jawel. Integendeel, ik voel me goed, heel goed, ik heb me nooit beter gevoeld.'

Ik stamel: 'Ik moet slechts... een beetje... alleen zijn.'

Ik ga de kerk binnen. Voor mij ligt de steen waarop Jezus uitgestrekt lag. Terwijl ik kniel om te bidden, voel ik iets in mijn zak... Het steentje uit Dachau...

Ik haal het uit mijn zak en bekijk het.

Omdat hij van Mij houdt, zal Ik hem redden;
Ik bescherm hem, want hij eert Mijn naam.
Als hij Mij aanroept, geef Ik antwoord,
Ik sta hem bij in zijn nood,
Ik maak hem vrij en schenk hem aanzien.
Tot in de lengte van dagen schenk Ik hem leven
en hij zal zien dat Ik hem red. (Psalm 91)

Ik dwaal langzaam rond. Een diepe vreugde maakt zich van me meester. Geen uitzinnige vreugde wegens het bereiken van mijn doel, maar een vredige vreugde, ontleend aan het volle vertrouwen in de onbekende. Die onbekende die me door deze wereld van angst en schaduw heeft gegidst, naar mijn betere ik. Sta op en wandel, want je bent het waard.

Nawoord

Toen ik tijdens die laatste koude dagen van de winter door Duitsland stapte, kon ik bij het zien van het angstaanjagende bordje 'Dachau 150 km' de lokroep niet weerstaan. Ondanks de enorme omweg die ik daarvoor moest maken...

Vreemd genoeg leek het of ik naar Dachau getrokken werd en ik had geen idee waarom. Ik deed er drie volle dagen over.

Onderweg naar het kamp van de angst kwam ik voorbij diverse borden die herinnerden aan de gedwongen tocht van de mannen en vrouwen naar het uitroeiingskamp.

'Toevallig' bereikte ik Dachau precies op de dag dat de zestigjarige bevrijding van de gevangenen werd gevierd. Als verdoofd liep ik door het grauwe kamp, tussen de barakken, versperringen en wachttorens door, met in de verte de gaskamers en de verbrandingsovens. Wat me vooral opviel, was de stilte, die drukkende stilte, gebukt onder het onuitwisbare gewicht van het verleden. De stilte was oorverdovend. De keien voor de barakken leken met aandrang mijn onbegrip tegenover het onzeglijke te reflecteren. Ik bekeek ze met een woeste blik, als waren het zielen die een tapijt vormden. Waar ik ook keek, zag ik niks dan keien. Dus bukte ik me om er eentje op te rapen. Ik nam het steentje in mijn handpalm en maakte de belofte het naar Jeruzalem te brengen. Vanaf dat moment maakte ik de reis niet langer voor mezelf alleen.

Honderd vijftig dagen lang heb ik het steentje als een kostbare schat bewaard. Men mocht me alles afnemen, maar niet het steentje! Het moest het koste wat het kost ter bestemming komen. Ik voelde me bezield door een vreemde missie waarvan ik voor ik in Jeruzalem aankwam de draagwijdte niet kon inschatten. Tot ik een opmerkelijke ontmoeting had...

Het gebeurde de dag voor ik het steentje bij de Klaagmuur wilde neerleggen.

Ik zat in de refter van de benedictijnenmonniken van de berg Sion. Met veel enthousiasme deed ik mijn verhaal aan een vijftal disgenoten. Ze luisterden met volle aandacht. Aan het andere eind van de tafel keek een vrouw me scherp aan. Tijdens het spreken voelde ik haar stralende blik. Na mijn verhaal bleef ik alleen met haar aan tafel achter. Toen pas wilde Constanze uit de schaduw treden en het verhaal vertellen waardoor er nog een bijkomende zin aan mijn tocht werd gegeven.

Constanze was een Duitse vrouw van negenendertig die er tien jaar jonger uitzag. Enkele jaren geleden, toen ze nog niet in God geloofde en haar heil in de vaag duistere sfeer van de *new wave* zocht, leefde ze in afwachting van de dood, met als enige hoop dat 'het snel zou gaan'. Toen ze op een dag geen uitkomst meer zag, begon ze te bidden tot de God die ze niet kende. Plotseling werd ze door medelijden getroffen en voelde ze een gevoel van diepe vrede opborrelen. Door die zielenschreeuw begon haar weg naar bekering. Beetje bij beetje begon ze de dingen anders te zien.

Zo wilde ze de concentratiekampen in haar land bezoeken. Daar begreep ze dat antisemitisme nog steeds bestond.

Vanaf dat moment was alles heel vlug gegaan. Constanze besliste haar werk als verpleegster op te zeggen en haar vroegere leven gedag te zeggen. Tijdens onze ontmoeting bekende ze me: 'Ik heb alles achter me gelaten, want ik voelde hoe ik me volledig aan God moest wijden. Mijn besluit om naar Israël te komen is een gevolg van mijn Duitse nationaliteit en de nood die ik voel om te bidden voor mijn volk dat zovele misdaden tegen de joden heeft begaan. Ook nu is het antisemitisme nog niet uitgeroeid.'

De dag na onze ontmoeting zou Constanze intreden in een religieuze gemeenschap niet ver van Jeruzalem. Maar we besloten dat we voor haar vertrek samen het steentje aan de Klaagmuur zouden neerleggen.

We spraken af om elkaar de volgende ochtend om 5.30 u te ontmoeten. In de verte weerklonk het gezang van de muezzin, voor de muur van David waren duizenden joden aan het bidden. Het was de eerste dag van het joodse Nieuwjaar en de eerste dag van de ramadan. De stad was in verhoogde staat van paraatheid.

Alhoewel de zon nog niet volledig was opgegaan, prevelden honderden stemmen reeds de naam van God. Mensen vielen op hun knieën voor de muur.

Met liefde haalde ik het steentje uit mijn zak. Ik kon het niet laten het nog een laatste keer te bekijken. Het leek of het weer van kleur veranderd was. Gebeden weerklonken op het plein. Constanze haalde een buisje met heilige olie tevoorschijn. Samen hebben we het steentje gezalfd, terwijl we achtereenvolgens baden voor de islam, het jodendom en het christendom. Dat de liefde die deze drie godsdiensten voor God hebben, de stuwende kracht mag zijn voor de eenheid en verstandhouding tussen de mensen.

Daarna liep Constanze naar de Klaagmuur voor vrouwen en baande ik me een weg tussen de biddende mannen. De laatste meters waren het zwaarst. Ik moest me tussen de gelovigen wringen, die me boos aankeken. Het was immers een heilige dag en niet-joden waren vandaag op deze plek niet op hun plaats. Toch moest ik beslist bij de muur komen. Het waren slechts een paar meters. De gewijde olie waarmee Constanze en ik het steentje gezalfd hadden, stroomde van mijn vingers. Enkele druppels vielen op de grond. Na heel wat trek- en duwwerk bereikte ik dan toch eindelijk de Klaagmuur.

Onder de onzekere blik van de joden knielde ik voor de muur. Aan de andere kant, aan de kant van de vrouwen, bad Constanze.

Ik stopte het steentje met mijn hand diep in een spleet van de muur. Hetzelfde moment voelde ik de hand van een man op mijn schouder. Hij lachte me vriendelijk toe. Toen ik weer overeind kwam, stak hij zijn hand uit en ik drukte mijn glibberige hand in de zijne.

De pelgrim in mij had zijn missie volbracht.

Dankbetuigingen

Ik bedank vooral mijn ouders en mijn familieleden, neven, nichten, ooms en tantes, meter en peter voor hun steun en vertrouwen. Mijn heel speciale dank gaat uit naar Catherine, mijn zus.

Dank aan alle mannen en vrouwen die ik op deze lange reis heb ontmoet en die me als een zoon of broer hebben opgevangen.

Dank aan al mijn vrienden en vriendinnen.

Dank aan al wie mij op een of andere manier gesteund heeft, op moreel vlak met berichten, op financieel vlak door het sponsoren van de drie projecten waarvoor ik deze voettocht heb ondernomen heb: Zusters der Armen – Neve Shalom – Interfaith Encounter Organization.

Dank aan Magali Peêrs voor haar backoffice en het beheer van de site *www.talitakum.be*, aan Sophie Mouquin voor haar onvoorwaardelijke steun, haar zorgvuldige naleeswerk en haar pakjes met chocolade en vitaminen, aan Johan Gevaert, Patrick De Pooter en Marie Séverine de Chimay voor hun bijdrage aan het naleeswerk. Dank aan Claire De Maere die me vanaf het begin in mijn onderneming heeft gesteund. Dank aan Vanessa Cuevas voor het geschiedkundig opzoekwerk. Dank aan Martin Dieryck (Mardi Design of Communication, www.mardi.be) voor het talrijke designwerk, aan Erik Van Berendoncks, Kris Gaens en Ingeborg Van Hoof van Sputnik TV, het productiehuis voor de dienst non-fictie van de VRT. Dank ook aan mijnheer Godried Lannoo die ik 'bij toeval' ontmoette op de Boekenbeurs in Brussel en aan zijn uitgever Maarten Van Steenbergen voor zijn interesse en zijn vertrouwen. Dank aan Tanguy Peêrs voor zijn bemiddeling bij e-Bay.

Mijn dank gaat ook uit naar de benedictijnenmonniken van de abdij van Affligem waar dit boek tot stand kwam, en speciaal aan broeder George, de gastenbroeder, voor zijn leuke en ontspannende gesprekken. Het boek werd in het huis van Catherine Talpe voltooid. Ook haar dank ik voor haar gastvrijheid.

Dank aan Edmond Blattchen van RTBF Luik, deken Dirk De Bakker, mijn vrienden en vriendinnen die me gesteund hebben met boodschappen op mijn site *www.talitakum.be*.

Dank tot slot aan Frank Pierobon, die meer dan eens mijn pad kruiste op cruciale momenten.

Dit boek is opgedragen aan de nagedachtenis van Virginie Larre.